戴國煇全集

華僑與經濟卷・一

◎從台灣稻米的脫穀與調製看農業機械化
◎中國農村社會的「家」與「家族主義」
◎中國甘蔗糖業之發展

目次
contents

從台灣稻米的脫穀與調製看農業機械化

中國農村社會的「家」與「家族主義」　／林彩美譯

中國甘蔗糖業之發展

《中國甘蔗糖業之發展》

戴國煇全集 ⑩

華僑與經濟卷‧一

從台灣稻米的脫穀與調製看農業機械化

本文承蒙陳教授茂詩懇切指導
並供給有關資料俾以脫稿
於此特表謝忱

第一章　前言

　　中國幾千年以來一直以農立國，人口大多數為農民，經濟生產亦以農業為主，但吾人若加以不客氣的剖視，可以知道我們的農業是多麼的原始、多麼的落後。簡單就台灣的主要作物水稻生產來言，比較美國飛機播種、飛機施肥、聯合收穫機Combine收穫，的確我們的一株一株的插秧、用手施肥、腳踏式回轉脫穀機的收穫脫穀，是太落後，效率之低無可比了。

　　為什麼具有四千多年水稻栽培歷史的我國反而比不上1647年始於維吉尼亞州（Virginia）576公升的美國水稻栽培，而似乎形成二個不同的世界，難道這個世界是不同的嗎？無論是美國還是中國的太陽，並沒有二個太陽，在地球上來言，彼此都略位於溫帶而經營麥作、稻作並無相異，同時吾國人常把農業未能機械化的責任或原因推在水田上，事實上美國農業中機械化最進步、最完整的卻是水田農業，在*British Agricultural Bulletin*（1950～1951）第三卷第12、13號的 "The Mechanization of Rice Production" 一文可看到一個有完整系統的機械化稻作。那麼我國，我們台灣為什麼不能同樣的做機械化的稻作。其原因很多，可藉下一章來談，不過我們不能墨守成規沿襲舊觀念，而把未能

機械化的原因完全歸在水田作業上，且自然對農業機械化的阻礙
亦不值我人恐懼，因為人類生來不是為了解釋自然而生活，而應
以變革自然而生活，美國的TVA（田納溪河谷管理局，Tennessee
Valley Authority）河川統制不是人類克服自然的一個好例否？人
類克服自然、變革自然的實例是多得難以枚舉的。

　　至於社會因素亦與自然因素一樣，不合我人生活之方便，以
及阻礙我人進步的社會制度以及其他因素是應被淘汰，應被捨
棄，應被改良以適宜人類進化，不許開倒車的大原則的。本論文
不打算就整個台灣農業機械化做詳細的討論，只打算就台灣主要
栽培作物，即為主要民食的稻米栽培上比較，被機械化的調製加
工過程做縱的觀察，以求農業機械化的重要性，並對台灣農業機
械化的將來性做個展望，另則做橫的比較來看我人農業機械化之
程度為何，以及我人以後應走的方向做個結論。

第二章　農業機械化問題在台灣

農業機械是屬於農業工程部門，是現代一種重要科學的應用於農業，其不但影響農業生產、農村經濟、勞工生計，甚至對農業國家的國家經濟都有莫大的關係。

農業機械化在美國很發達亦可說是先進，其所以有今日的發達與進步自然有它的環境和條件。一般來說，工業進步、文化發達的國家，農業機械化亦隨之發達，但發達的方式則各有千秋，各具風格。因為人類的生活方式是依其環境來決定的，故農業方式亦因時因地而異，同時生活方式不同的人們為著各種不同型態的農業，生產所用的農具也自然而然形成其不同而特殊的型態。真如美國有其獨自的農機具，英倫三島具有其集約栽培爭取時間式的農業機械化，日本式農機具也有它所以形成的理由，沒有一套農機具可以適合於全世界的。農機具的型態是依各地氣候、地勢、土質、作物、栽培方式、土地制度、農村經濟、所產材料、農民知識水準、體格及生活習慣、社會的工業水準及歷史等諸因素而形成所謂農機具的地域性。

吾人不健忘的話還可以記起，台灣於民國36年秋間以聯總救濟物質形式運來曳引機（tractor）四十餘架，同時特設專門機關

「機械農墾處」專責辦理農機墾植的業務。但只經過一年多的光景，《新生報》記者林金開先生在「曳引機在我們的田地上」的題目下，根據正確的經濟數字來分析這些新式農業機械在台灣不好適用的原因，歸納為下列四點：第一是成本太高；第二是小農太多；第三是人力過剩；第四是水田。同時林先生還提出解決的辦法：第一，必須振興工業吸收農民，減除農村人口過剩的困難；第二，必須推廣合作農場強化集體制，通盤改良田地，如此曳引機方有用武之地。

　　當然林先生的見解我們不能完全不加反對的接受，尤其關於不適用的第四個原因——水田，這個觀念我們不能不說是一種錯誤的觀念。憑常識來言，好像是個原因，事實上當我人看到美國路易斯安那州（Louisiana）的水田作業，以及英屬圭亞那（British Guiana）的水田充滿於水裡曳引機操作的時候，只能說水田面積過小是我們能在水田找出不適農業機械使用的唯一原因。無論如何，這一段現實的剖視，對一部分熱心期待農業機械化工作早日成功的人們難免是個打擊，在我想這個打擊並不大。事實上，自從民國40年機械農墾處改組隸屬於台糖公司以後，有關當局對農業機械化問題似乎袖手旁觀，採著放任的態度，這個才是真正的打擊，當然我們不能因此而放棄農業機械化的希望與提倡。尤其近一年來，由台灣省農會主辦、從民國43年11月24日開始在苗栗、竹北、台南、中壢、桃園五地所做的機耕犁演習，就日本杉山產業株式會社出品的「竹下式耕耘機」，由該會社技術部長杉山襄實地表演耕作與使用技術並加以說明來看，台灣的農業機械化仍未被忽視，甚至於被忘記。另據台糖公司發表，該

公司從37年起推行機耕，當時係由前機械農墾處代耕，38年起自行經營曳引機，由38年之165輛至39年之170輛，40年之281輛，41年之284輛。不但其輛數逐漸增加，據該公司農務室統計資料，五年來曳引機田間作業統計表，亦可分析逐年每一曳引機平均使用於田間工作小時數，由38年之113小時至次年之390小時，40年之373小時至41年之795小時，曳引機每年使用的時間愈多則表示曳引機使用愈經濟化。至於工作範圍，也逐漸由犁地、耙地推廣至作畦，再擴展而至中耕除草及培土，41年和40年比較，任何工作都不止擴充一倍，尤其是中耕培土由1,165公頃擴展到6,271公頃增加4倍餘之多，耕作總面積則從37年的2,112.34公頃，到41年已增至36,511.25公頃，4年之間已增加了10倍〔見表1〕，這表示台糖公司對於曳引機的運用，已經發揮了最高度的效能。

　　據統計，台灣現在只有曳引機300餘輛，其中280輛為台糖公

表1　台灣機耕統計表（民國37～41年）

年度	37年	38年	39年	40年	41年
犁地	657.28公頃	1,415.82	4,632.11	6,971.25	14,040.06
耙地	1,418.48公頃	637.44	3,806.04	6,541.16	12,131.85
作畦	36.58公頃	443.32	1,445.37	1,794.03	4,067.63
中耕培土	——公頃	——	——	1,165.51	6,271.71
總計	2,112.34公頃	2,496.58	9,888.52	16,381.89	36,511.25
平均每機全年工作時間		113小時	390	373	795
說明	由農墾處代耕有曳引機	165輛	170	281	284

表2　世界各地機耕統計表

國別	英國	瑞士	美國	捷克	匈牙利	波蘭	印度	法國	西德	台糖公司	台灣
密度（公頃／輛）	23	25	48	190	322	622	12,950	125	35	143	29,002.10

司所有，故吾人只能說台灣糖業經營比較機械化了。至於整個台灣農業來言，由表2可知，與農業進步的國家相較，我人要達到農業機械化的途程，實在是相去甚遠！

　　不過由上記的事實我們可得一份安慰，就是我們台灣的農業機械化已露出一點曙光，希望台糖公司實施推廣的機耕不但解決台糖本身的危機，同時能使農業機械耕作之工作，求得一個正確的途徑，因而奠立國家農業機械化之基礎。

　　政府為了維持及充裕本省軍需民食，以及繼續競爭國際農產品市場，已訂定經濟建設四年計畫，並以「以農業培養工業，以工業發展農業」為最高決策，而求本省農業增產，使能達到自給自足的境地。所謂農業增產就是說要使農業生產力提高，換言之，則要使土地合理有效地利用，改進生產技術，提高農業勞動生產力，增進勞動效率，減低農產品生產成本。故農業工業化、農業機械化是我們今後發展農業必須走的途徑。另保護耕牛運動步入白熱化的時候，我人討論農業機械化問題是不枉費心機的吧。

第三章　主要稻米調製加工農具之沿革

還沒有進入本論以前，我對於稻穀調製的全過程先做一個比較。表3之1是使用人力用農具做調製，之2是使用動力用農具做調製，之3是日本用動力用農具所做調製的過程，之4是美國完全機械化的調製加工過程。

表3　稻穀調製過程

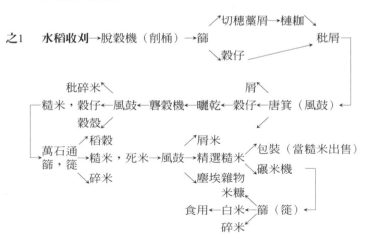

之2

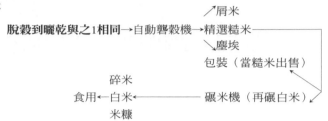

```
                                    ↗屑米
脫穀到曬乾與之1相同→自動礱穀機→精選糙米──────┐
                                    ↘塵埃              │
                            包裝（當糙米出售）        │
          碎米                                ↗          │
     食用←白米←──────────────碾米機（再碾白米）↙
          米糠
```

之3

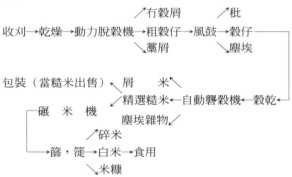

```
                    ↗冇穀屑        ↗秕
收刈→乾燥→動力脫穀機→粗穀仔→風鼓→穀仔──────┐
                    ↘藁屑        ↘塵埃          │
                                                      │
包裝（當糙米出售）←屑  米↖                        │
              ↗精選糙米←自動礱穀機←穀乾←────┘
      ┌碾  米  機  塵埃雜物↙
      │          ↗碎米
      └──→篩，筴→白米→食用
                  ↘米糠
```

之4

```
聯合收穫機Combine（收刈，脫穀調製，包裝）→乾燥工廠（乾燥）┐
┌穀米分離機←礱穀機←清穀機←碾米廠←──────────────┘
└→碾米機→刷粉機→被光機→分樣機┐
              頭米 Head Rice ←
食用←市場←次米 Second Rice ←
          篩餘米 Screenings ←
```

　　由表3的比較我們可以知道，愈農業機械化的調製過程愈簡單化、愈系統化，雖然我們不能看出它對時間上有何相異，事實上愈機械化者機械愈複雜、愈精密，調製工作亦因完全的動力化而縮短了許多時間。

第一節　脫穀器具的沿革

（一）脫穀器具未發明前的脫穀法

　　1.燒圃法：據日人水野先生所言，在人類未開化時所用的脫穀方式為燒圃式，所謂燒圃即將成熟而仍長於圃田中之稻禾點火，將其莖桿、稃及芒等燒成灰後，將子實掃集者，此法乃為最原始的方法。另類似此法有如日本關東、東北、九州一小部分僻遠之地用的燒穗法，雖然此法現在只用於大麥的脫粒，不過我們可推知，此法曾經亦被原始人用於稻穀的脫粒作業。

　　2.燒穗法：燒穗法雖然其起源及沿革不詳，不過我人可知其為早古以來的原始脫穀方法，我們現在可以藉日本的大麥燒穗法知其概況，此法在日本亦因地而有異，至於大體則將收刈後的大麥攤在地上曬二至三天以後，結成周圍一市尺至一市尺半之麥束，在田圃上用麥桿或其他草料燃起將麥束之穗頭點火，一方面小心不使麥粒燒焦，另一方面使穗落於灑濕的蓆子上，將其堆積，然而經篩別裝袋運回家。

　　作業包括結束、燒手共為二至三人，一人普通一日之效程為400至500百斤，其所以仍被沿用不外是因下列幾個理由：

　　⑴日本的大麥收穫期恰逢梅雨與農忙期，因而在勞力不敷時，燒穗可在晨早、夜晚作業，對節省與調節勞力頗有利。

　　⑵作業簡單，且可把脫粒與脫芒作業同時舉行，能率高。

　　⑶可因而早期完成脫粒作業，減少容積，便於農閒時調製。

　　⑷燒穗可免儲藏中之蟲害。

　　雖有上述之優點，但麥粒常因燒焦變黑，影響其品質，降低其售價，因此當局從而防止，故逐漸有減少之勢。

　　3.腳踏式脫穀方法：古時候，農民把稻穀的稻穗部分，摘下結束運回曬場，曬乾以後攤在脫穀場（這個脫穀場是由黏土或水泥凝固而成的），利用人或牛反覆的腳踏脫粒。此法現乃被東南亞的稻作國家，如菲律賓、緬甸等國家利用作脫穀，當然此法效率之低不必再說，同時，人或牛腳踏稻穀常因稻芒而傷腳。

（二）脫穀器具被發明後的脫穀方法

　　脫穀作業普通可分為三種方法：1. 用拉力而脫粒的方法；2. 用打力而脫粒；3. 拉與打並用脫粒法。

　　1.用拉力脫粒法：比較廣用者為下述二種方法──

　　⑴拉竹：古時脫穀器具中較具代表者，可以說是拉竹。所謂拉竹則如右圖，是由二個削尖的竹片與一個安定樺而成，脫穀時則將稻穗插入二竹片間一拉，穀粒則可脫落之。類似拉竹者，有如南韓農民所用，用粗鐵絲、竹片或木棒使其二片平行，稻穗插入一拉則可脫粒，其效程男人一人一日約可脫粒五至六台斗。

拉竹

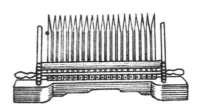

千齒

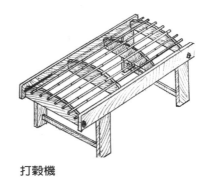

打穀機

　　(2)千齒：亦名拖把，出現於拉竹之後，其齒初用竹齒，後用鐵齒代替，其效程十倍以上於拉竹，現仍被使用於台灣高山地帶及日本的山間僻遠之地。其鐵齒亦可分為二種，一為鋼鐵製，一為鑄鐵製，前者亦有由一張鋼板切成20至25齒者，有者則由一齒一齒並列而成。切成者使用年限較長且齒間不易變化為其特點。鑄鐵製者常在千齒基部附掛除屑器，作防藁屑等堆積之用，以期有效的繼續工作，其效程普通每小時三至六台斗。使用壽命為五年。

　　2.用打力而脫粒的方法：人類最先用的打力脫粒法為將稻穗隨便找一種硬物體（如石頭、木頭等）打擊使其脫粒。

　　(1)石滾脫粒法：此法則藉家畜之力施石滾或木棍來回，在攤有稻穗的地面脫粒之。

　　(2)打擊檯脫粒法：此法由上述打禾於硬物體進化而來的。打穀檯的構造亦可分為二種，一為只由一張木板而成的，一則如上圖，在長12尺、闊一尺七寸的木框上，列排竹片。作業則由五至六人並排，打穗於檯上使其脫粒，今高山族仍有用此法脫穀者。一人一日的工作效程，脫穀量普通為200台斤左右。

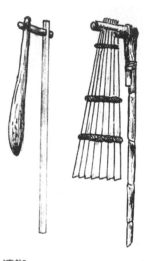

連枷

削桶

(3)連枷脫粒法：不但在日本、台灣或中國大陸皆曾用此法脫粒，今日的台灣南部仍普遍被用於綠豆的脫粒，偶爾用於稻之切穗的脫粒處理。其構造如左上圖，將五至六寸之橫木加於長五尺左右的竹板之頭部，另加三尺五寸左右的木棍或編排成的竹片並行於竹柄，脫穀時則持柄使木棍或竹片以橫木為軸做回轉，將攤在地面的稻穗用力擊之，此時必求稻穗的乾燥，同時翻覆稻穗使打禾均勻，擊後則將脫粒者篩別，剩者再擊之，直至脫粒完成為止。脫粒量普通男人一人一日可處理300至400百公斤之稻的切穗。

3.拉打並用脫穀法：

(1)削桶：亦名稻桶、揀桶，為台灣最早的移民從大陸帶過來者，是由削桶、桶梯、笨仔三部，合為一組的脫穀器具，在未輸

入回轉脫穀機以前專用於台灣在來種的脫穀，為台灣稻穀收穫調製過程中不可缺少之農具。

　　A.削桶：由削桶、桶拖繩、桶拖指、桶耳、桶巾五部分而成，削桶普通為深二尺九寸、長徑四尺二寸、短徑三尺七寸、用杉材做的不完全圓形之桶。桶之外圍用竹箍締結，桶底則沿短徑平行釘有二根筒形的木棒以備做田中移動。

　　桶拖繩為繫在桶的外側下前部與外側下後部（前部二條，後部一條）的棕櫚繩，其各先端附有木片謂之桶拖指，做田中移動時拉繩。

　　桶耳則為肩擔插入的藤製小圓圈，安在桶的後上部，欲擔走時可把肩擔插入小圓圈後，再插入於前部二條桶拖繩所結的間隙，擔起走之。

　　桶巾為立笨仔而在桶內後半部各隔八寸穿成的上下二列七處的麻繩小圓圈，立笨仔時則將笨仔腳插入上下二圓圈，使之不倒伏也。

　　削桶只要換桶拖繩等其他附屬物，則可有十年以上的使用壽命。

　　B.桶梯：由桶梯頭、桶梯柱、桶梯止、桶梯牽四部分形成，用時則將此安放於削桶中，將刈成的稻穗用力擊，則可脫粒。其構造為長三尺五寸、上闊三尺四寸、下闊二尺五寸的木框，框有竹製或鐵製的桶梯止。木框本身的框木寬為一寸五分、厚為八分至一寸，其最上部的框木謂之桶梯頭，由此二端各三寸處嵌有側框，長約為三尺五寸，謂之桶梯柱，從此上部數起三分之二處（約為三尺二寸）則有嵌於桶柱之桶梯牽，桶梯牽與桶梯頭中間

則並列有竹片或鐵片之桶梯止。另外，為了防止桶梯止的折損，常在桶梯頭與桶梯牽之中央加有一支柱。

　　桶梯之放法，則將桶梯頭的兩端置掛於桶的內緣，使整個桶梯向後斜放，以便打下來的穀子向桶梯底下堆積，使用效率可因熟練或力氣充足與否而有異。一般來言，現在25至30歲的農民較少會熟練的操作此脫穀法，其理由之一則經驗不夠，二為普遍使用腳踏式回轉脫穀機，故手臂筋肉多不適於此打與拉的使用。

　　桶梯的使用壽命，若為鐵製桶梯止則比二年較長些，普通則為二年。

　　C.笨仔：為了防止脫粒時，穀子的向外飛散而立於桶之過後半部，以七枝竹桿做支柱圍成高七尺三寸、闊九尺二寸的大麻布，謂之笨仔。其構造可分三部分來說明：

　　(A)笨仔篙，普通為七枝桂竹桿，插入桶內、桶中，做笨仔之支柱用者。

　　(B)麻布，高七尺三寸、寬九尺二寸，由黃麻布織成的粗麻布縫成者。

　　(C)笨仔巾，用於聯繫笨仔篙的麻繩子是也。

　　笨仔普通之使用年數約為十年。總而言之，削桶的使用普通由六人做一組來操作使用，包括刈稻、脫穀、稻藁結束，以及運搬穀子回曬場，如此一日可收穫15石左右的穀子。

　　⑵腳踏式回轉脫穀機

　　A.來源：自日本磯〔永吉〕博士育成蓬萊稻後，因此品種比在來種不易脫粒，使歷來用於在來種稻穀的削桶，不但在效程上不利，同時脫粒不全，遂有對更精巧的農具需求的發

生。日本初輸入西洋式打穀機
（thresher），但因機械不能下
田工作，脫粒後的稻稈不能利
用、構造複雜、損壞時不易修
理、價格高昂等原因，而未被採
納使用。後來另直接輸入日本所
發明腳踏式脫穀機，經台中農事
試驗所設計類似削桶式的附屬桶
後，開始試用脫穀，但初期使用
亦因機件太重，不便於田中移動

Thresher

作業，再經數次改良後才能普遍使用起來。

　　B.脫穀機的種類：台灣現有的脫穀機經過長時期的使用與逐
年的改革，除中部型外，其他北部、南部所用的都已漸漸被改良
成適合當地氣候與習慣的型式，因而現有的脫穀機已與日本使用
的脫穀機頗有出入，自成一格。至於其種類大別可分為北部用、
中部用、南部用等三種（普通此三種多為二人用）。除了這三種
外，另有農業試驗機關或農業
學術機關使用的一人用脫穀
機。

　　(A)北部用脫穀機：可以
說完全與日本式脫穀機不同，
主要的差異在於脫粒滾筒裝設

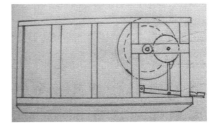

北部用脫穀機（普通型之一例）

於長方的木箱內，箱底則附有二根杉材做的「橇」，使便於北部
狹小的水田中自由拖拉移動作業。因它所用木材較多，總重量較

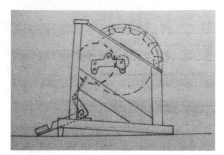

中部用脫穀機（普通型之一例）

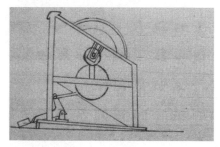

南部用脫穀機（普通型之一例）

輕為其優點。

(B)南部用脫穀機：因南部農民的耕作面積較大，農民習慣在脫穀時用較大的稻束，因而脫穀機的脫粒滾筒長，直徑小，且所用鐵件較多，較為堅固也；反之重量大，運搬不便，不過脫穀大稻束時則較為便利。

(C)中部用脫穀機：為北部型和南部型的折衷型，其型式與原型（伊勢號、佐藤式）等大同小異。這些差異的發生，大都由稻禾的長度、脫粒性以及收刈脫穀方法等之不同而形成。

C.脫穀機的構造

(A)脫穀機本體的構造：脫穀機所用材料有木材、鋼鐵及木材與鐵件混用三種。木製者雖輕便，但年久月深，容易因吸濕或乾燥等發生裂縫，如北部用脫穀機就是木製的一例。亦如南部型所用鐵件較多，雖堅牢而不易發生裂縫，但易於生鏽，機體又嫌太重也是缺點。另鐵、木兼用的有前二者的所長，無其所短，但木材部分和鐵製部分的接合處，仍有發生裂痕的可能，中部型是其例。

(B)滾筒軸承：無論北部型、中部型、南部型的脫穀機，它們

的滾筒軸承的構造和材料等均大體相同。其構造分為二種，一為滾筒與軸固定連接，腳踏時同時旋轉；一為滾筒軸與機架固定，腳踏時滾筒旋轉二種。前者雖旋轉較輕快，但構造上不便於拆卸修理，亦軸承部雖不須調整，但回轉時發生軋軋轆轆而且不靈敏，後者則軸固定式者，對拆卸裝設以及修理等均較便利，但回轉部分時需調整。二者各有長短，不過現在採用「軸固定式」為多。滾軸與軸承間則用鋼珠盃裝鋼珠軸駁（bearing），維持回轉作用使其減少摩擦而能圓滑化。

(C)齒輪：現在脫穀機的齒輪，多為鑄鐵所製造者，至於其好壞則看其齒列整齊、齒面光滑、銜接密切、無砂穴接痕與否而定。

(D)脫粒滾筒：北部及中部型的「滾筒」尺寸大致相同，南部用者直徑較小而筒體長，普通北部用與中部用的滾筒上均有14條筒柱，南部用者則在10至12條間。又滾筒兩端的圓盤有鑄鐵製與鐵板製二者，鑄鐵製者過重，而易於破損，附裝「裝齒板」時可能發生軋軋轆轆之毛病；後者若使用良質鐵板且捲於圓盤邊緣之丸鐵須接縫緊湊，輕重適宜，使滾筒旋轉時圓盤不致震動或歪斜很重要。另若裝齒板厚度不足，裝設不良或圓盤歪斜等的話，滾筒回轉時都可能發生不規則的震動。另若軸不在圓盤的圓心上時，同樣可能發生不規則震動。

(E)筒齒：筒齒的形狀及材料本種類很多，普通則被認為使用12號鋼線以倒V字形裝設最為適當。有人使用鬆開鋼索的鋼線，雖有彈性，但齒易捲曲致使收穫脫粒時斷丟稻穗較多，不宜也。不過必期其齒列整齊，且具有彈性者為宜，因若無彈性，則用時

易於倒伏或變形是缺點也。

　　(F)腳踏部分：其構造分為北部用型與南部用型二種，中部用脫穀機則二者兼用。前者比較後者效率略佳，但事實上用力較困難，工作姿勢有不便，因農民踏腳踏板時稍向前方踏下，比垂直踏下者用力容易，姿勢亦舒服而不甚勉強，所以南部常以大束稻穗同時脫粒而需要強力，因此有採用後者之理由。

　　附某農試所最近所調查的脫穀機效率如表4至6。

　　據表6可以知道，我們並不能道出哪一種脫穀機是最好而且最適宜的，然其優劣卻各有千秋。至於哪一種脫穀機最普遍被使用，雖然沒有確實的統計數字可做一個斷論的根據，不過農林廳在民國39年所做的農機具製造工廠調查中的生產量一項可以看出，近幾年來的脫穀機以伊勢號與台農號最為普遍。

　　另自該調查我們亦可以知道，脫穀機的生產多集中於中南部，除了嘉義機械廠台南工廠為公營外，多為私營。在此我們應該有一個警惕，我們並不否認私營工廠的存立，不過有關部門經濟及財政困難的時候，試驗工作是易於被輕視，商人當然更沒有研究改良的熱情，其所望者只是多利多賣，為了顧念整個農業生產之計，不得不希望政府能給工廠充分的補助，同時做適當的指導改良工作。

表4　某試驗所採用的脫穀機牌名及製造所

編號	牌（號）名	出品處
1	廣益牌	廣益農具廠
2	台農號	嘉義機械廠台南工廠
3	順良式	振吉農具廠
4	台農號	NO.1057（鋼）
5	伊勢號	日本四日市川村鐵工廠
6	大玉號	大玉農具鐵工廠
7	台鷺牌	農業加工實驗廠農機具分廠
8	大新號	新興機器廠
9	伊勢號	進益製造廠
10	伊勢號	福美造機廠
11	盛泉號	盛泉農具廠
12		（農業試驗所）
13	白鷺牌	農業加工實驗廠農機具分廠

表5　效程計算的方法

$$每分脫穀總量＝總量 \times \frac{60秒}{脫粒時間（秒）}$$

$$每分脫穀耗損數量＝耗損數量 \times \frac{60秒}{脫粒時間（秒）}$$

$$每分腳踏回數＝踏回數 \times \frac{60秒}{脫粒時間（秒）}$$

$$每踏回數脫穀耗損數量＝\frac{每分脫穀耗損穀量}{每分踏回數}$$

表6　脫穀機效程

編號	脫粒時間（秒）	踏回數（回）	總量（g）	耗損穀量（g）	每分脫穀總量（g）	每分脫穀耗損總量（g）	順位
1	19.5	38.2	4265.0	2822.5	13,136.2	8693.3	3
2	21.7	39.0	4496.5	2887.5	12,410.3	7969.5	13
3	19.6	40.2	4115.0	2767.5	12,591.9	8468.6	6
4	20.3	36.7	4350.0	2782.5	12,876.0	8236.2	12
5	20.5	40.0	4317.5	2825.0	12,650.3	8277.3	11
6	20.4	38.0	4422.5	2845.0	13,002.2	8364.3	7
7	19.9	36.7	4180.0	2807.5	12,623.6	8478.7	5
8	20.0	38.0	4290.0	2780.0	12,870.0	8340.0	8
9	20.1	38.2	4242.5	2770.0	12,685.1	8282.3	10
10	19.3	38.0	4152.5	2672.5	12,914.3	8311.5	9
11	19.4	37.2	4347.5	2882.5	13,433.8	8900.9	2
12	18.8	38.5	4187.5	2871.0	13,358.1	9011.8	1
13	20.4	38.0	4347.5	2890.0	12,781.7	8496.6	4

每分踏回數（回）	夾雜物比率（％）	順位	折穗比率（％）	順位	每踏回數穀耗損穀量（g）	順位	使用人批評
117.7	4.22	4	2.47	5	73.85	7	輕
107.6	6.28	12	2.15	3	74.06	6	中
123.0	4.33	5	3.42	11	68.85	13	中
108.6	5.21	10	4.03	13	75.83	4	重
117.2	5.14	9	2.73	7	70.62	11	中
111.7	6.24	11	2.84	9	74.88	5	輕
110.8	3.98	2	2.00	2	76.52	2	輕
114.3	5.14	9	2.72	6	72.96	9	中
114.2	4.76	6	3.19	10	72.52	10	中
118.1	5.07	7	3.90	12	70.37	12	中
114.9	4.13	3	2.19	4	77.51	1	中
122.8	3.83	1	2.74	8	73.38	8	輕
111.7	5.11	8	1.62	1	76.06	3	輕

表7　各廠牌脫穀機一覽表

| 廠名 | 地域別 | 公或私營 | 工人數 | | | | 脫穀機（或零件）生產量 | | 備考 |
			男	女	童	計	過去之最高年產量	39年生產	
木通農具工廠	台北市	私	5	—	3	8	1,000	100	
廣泉農機具工廠	台北市	私	4	—	—	4	150	100	
林源發農機具工廠	台北縣	私	2	—	—	2	300	100	
李兄弟鐵工廠	桃園縣	私	8	—	16	24	5,000件	4,000件	只造零件
華興鐵工廠	新竹市	私	1	—	3	4	300	20	
進益行農機工廠	台中市	私	11	—	2	13	100	1,100	
福美造機廠	台中市	私	11	—	5	16	1,100	600	
台灣合同農機公司	台中市	私	5	—	1	6	3,500	500	
大玉農具工廠	台中市	私	7	—	5	12	1,000	400	
新興機器廠	嘉義市	私	52	—	15	67	2,000	500	
嘉義機械廠台南工廠	台南市	公	39	—	2	41	3,000	1,000	
振吉農具廠	屏東市	私	15	—	3	18	1,000	200	
永盛農具廠	屏東市	私	9	—	—	9	300	230	
復興農具廠	屏東市	私	9	—	4	13	1,200件	400件	只造零件

Combine

一人用脫穀機

脫穀作業

第二節　調製機具的沿革

　　人類未開化前對稻穀可能有的調製，在我們的可能想像當中，為前述的燒囷或燒穗法所得之脫過殼與脫過稃的黑米做為食糧的。其後人類想出以摩擦法使米粒脫殼，遂發明有磨板，以上下刻有皺紋的二個木板間挾稻穀摩擦脫殼之。事實上自人類發明稻穀調製器具後，以其所用原動力之不同而可分：（一）人力調製；（二）畜力調製及（三）動力調製，動力調製法亦可分為：1. 水力；2. 風力（風車）；3. 蒸氣力；4. 柴油（diesel oil）力；5. 電氣力等方法，其方法發明的順序大概可以上記順序而排列，不過真如動力調製法的發明並不代表著水力調製法的完全消滅一樣，在同一個時代，不同地方可能存在著包括上述數種各式不同的調製法。

（一）人力調製法

　　據徐光啟著《農政全書・乾部第九卷・樹藝・穀部》上之一段，王禎〈百穀序〉曰：「嘗謂上古之時，人食鳥獸血肉以為食，至神農氏作，始嘗草別穀，而後生民粒食賴焉。」可知，我國人正式以米為食糧始於神農氏，另同書第八卷「農器・圖譜三」之一段，王禎曰：「昔聖人教民杵臼，而粒食資焉，後乃增廣制度，而為碓、為磑，為礱，為輾等具。」亦杵臼舂也，《易・繫辭》曰：「黃帝堯舜氏作，斷木為杵，掘地為臼。」可知我國先人最先用的調製用具為搗舂，與遠於5,000年後的今天，

仍存在於台灣交通較不便的山
間或偏僻鄉間的搗舂並無很大
的差異。

　　1.搗舂：普通由石頭或木
頭穿成臼湖，另由木頭或石板
石削作杵，合為一組的調製農
具。其形狀及大小各有所異，
不過臼湖常為圓形，調製時則
將糙米或稻穀放在臼湖內，

碓

以杵搗精製白米。操作的人數雖無一定，普通平地以1至3人，山
地1至6人為一組，各人執一杵交互搗精，其效程可因臼湖大小、
工作人數的多少而有異，普通以台灣普遍所用的搗舂，參加工作
人數為5人，一日約可搗精白米125公斤左右，使用年數亦以石製
或木製而有50年，30至50年之別，杵的使用年數則18至20年左右
之。

　　2.碓：據《農政全書》：「碓，舂器用石。杵臼之一變
也，……杵臼之利後世加巧，因借身重，以踐碓。而利百倍。」
可知昔有的碓乃類似今仍存在於台灣東部一帶鄉間的腳踏精臼，
無甚差異，其臼槌、台架皆由石頭而成，回轉軸為軟鋼，橫架則
由木材做成。使用方法，首由工作人手扶棍杖保持身體的平衡，
站在橫桿上，移動重心，踩下橫桿的一端，應用槓桿原理使上下
運動以精白米，使用人數多為1人，有時2人，使用年限雖經常使
用，亦可使用10年左右，此調製法比起搗舂法，操作人較不易疲
勞，而且直接利用體重為動力，效率高也。

　　3.塯碓：為碓的一種，其碓
臼以埋塯（即甕）於土中為之。
因塯圓滑，米自可翻倒，省人去
攪翻，米自勻細，另此法利用體
重，使身體重心向前後移動，故
比前述之碓功程高數倍，嚴格的
說，今仍有的腳踏精臼更近似於
塯碓的。另據《農政全書》：
「塯碓始於浙人，故又名浙碓，
今多於津要商旅輳集處。所可作
連屋，置百餘具者，以供往來稻

塯碓

船，貨糶粳糯。及所在上農之家，用米既多，尤宜置之。」我們
可以知道，我國最初的商業化調製工具為塯碓。

　　4.礱：台灣亦名土礱，是由頂磴、下磴、土礱鉤、糠漏及糠
圍五部分合為一組之脫穀（即脫秄）器，其詳細構造如下：

　　⑴頂磴：亦可分以下六部分——

A.土礱手

B.土礱井

C.土礱覆仔

D.鳥鼠

E.土礱湖

F.土礱手楔

　　普通農家所用之頂磴，高一尺三寸、直徑三尺四寸五分，周
圍則用寬三分左右之竹片編而做圍，內儲赫土質硬土，其內部下

方四寸處為黏土層，其底則植有土礱齒（樫木），中央部謂之土
礱井，上部深約為九寸，稱之土礱湖，為脫秄時放穀子的地方。
土礱手為寬二寸九分、厚二寸、長五尺二寸的木板，自土礱湖凸
出於外兩側，各端各凸出有八寸左右，穿孔於此二端做接土礱鉤
之孔，鉤入此孔而使頂磴回轉。土礱手的中央部亦穿有小孔，以
便插頂磴於下磴之土礱心，土礱覆仔與鳥鼠同縛於土礱手之中央
做調劑頂磴與下磴摩擦之用，另土礱手楔則用於使土礱手附著於
頂磴固而不動之兩木楔之謂也。

(2)下磴：主要構造為以下四部分——

A.將軍柱

B.土礱腳

C.土礱心

D.土礱齒

下磴之直徑周圍皆同於土礱者，係由竹片編成的，高一尺六
寸，整個充填赤黏土，在黏土層上部植有土礱齒。

土礱腳可謂是整個土礱之安定檯，是由寬五寸、厚三寸、長
四寸的木板做十字交，同時另在其下部再用高二、三寸之木腳做
支柱。進一步為了防止土礱之動搖而向地中再釘有一寸二分的角
材，謂之將軍柱，將下磴密縛於此將軍柱可免動搖之。

所謂之土礱心，則由下磴中央所立的直徑五分、全長二尺五
寸的鐵棒做為頂磴之回轉軸心之用。

土礱最重要的部分為土礱齒，所謂者則於土礱頂磴之下部與
下磴之上部皆植有長三寸一分的樫材硬質的赤皮板，形成綾紋
狀，其中，間而有的小間隙則填有黏土，頂磴在下磴上回轉時上

下土礱齒做摩擦嚙合作用，可將穀皮剝離（即脫稃作用）也。

(3)土礱鉤：為一種把手狀物，其形略成丁字形，其首部彎而近似直角，且附有鐵鉤於先端，以便連接土礱手的孔，因而作業一推拉可使頂磢回轉於下磢之上，脫稃作用亦因而起之。至於土礱鉤各部分之名稱與所成材料如下：

A.岸手（山茶仔材）

B.牽仔（鳥心石材）

C.土礱鉤（柳樹材）

D.鐵鉤 ⎫
　　　⎬（鐵）
E.鐵環 ⎭

岸手為作業人（亦名礱手）挽引時把握的地方，則相當於丁字形的橫木，土礱鉤相當於丁字形的腳部，牽仔則為了補強土礱鉤與岸手之接合，而從其彎曲部向岸手的二端各四分之一之點，沿土礱鉤的二旁連成的三角形木材，連結於土礱鉤末端的鐵鉤為直徑五分凸出有二寸的細鐵棒，做土礱鉤，鉤土礱手之用，至於最後一部構造的鐵環，是完全為了防止鐵鉤從土礱鉤脫落而環扣於鐵鉤上的環狀鐵製物。

土礱為礱穀機未被發明使用以前，最普遍而且最為風行的脫稃機，初雖只是農家自有自用或數家農家共有使用，以調製自用稻穀，後逐漸向副業經營化以及企業經營化而發展，遂形成所謂「土礱間」企業及土礱間階級，

礱

介在米商人（主要為貿易商）
或零售商人與農民間做集買稻
穀、通融資金買穀青、稻米的
調製加工等作用。至於有關
土礱間者待本章第三節來討論
之。

搗舂與土礱

　　土礱今仍在交通不便的山
間一帶以及較僻遠之地的農民
所用，先用土礱脫了稃後，才
使用上述樁臼、碓、堈碓或後
述水碓、米磨等碾米器具碾白
後食之。

　　土礱普通由三人做一組共同作業，其一日的功程約可脫穀到
36至40石，使用年數普通每五年修補一次時，連續可用20年左
右，不過碾米機以及動力脫穀機之發明及發展與碾米廠的不斷增
設，我們不難想像土礱的壽命如何。雖然有其被淘汰的必然性，
但其過去幾百年所給予我們東方人的方便，是不可磨滅的。

　　據《農政全書》，我們可以知道，首先利用土礱的原動力為
人類的肘力，後改而用畜力，下一段乃為其對畜力利用之敘述：
「復有畜力挽行大木輪軸以皮弦或大繩，繞輪兩周復交於礱之上
級。輪轉則繩轉，繩轉則礱亦隨轉，計輪轉一周則礱轉十五餘
周，比用人工既速且省」，此法謂之礱磨。不但我們中國如此，
日本、朝鮮、越南、安南、暹邏、緬甸等在碾米機未發明以前，
皆利用這種土礱做稻米之調製。

應用畜力後亦進而利用水車做原動力，置輪軸以水激，其效程數倍於人力，今日的台灣雖罕見，不過仍在山間地方仿此用水車而動碾米機碾米者，則為其再進一步者也。

（二）畜力調製法

1.米磨：除上述土礱畜力化之方法以外，在台灣曾經使用而較具有代表性者為米磨，古時謂之輾，近二十年來已慢慢被淘汰，舊時則被桃園、新竹及台中一帶的農民當作一種碾米法使用。其方法則先做圓槽，內構成一圓溝，把糙米放入溝中，另使牛或馬牽曳石輪，循槽而轉輾，使糙米碾白。其主要部分與構成原料如下：

(1)磨岸：練積

(2)磨溝：混凝土

(3)磨礅：練積

米磨

⑷磨心：鐵

⑸石輪座：相思樹

⑹象鼻鉤：鐵

⑺石輪：花崗岩

⑻石輪管：鐵

⑼石輪心：鐵

　　米磨亦不過是從搗臼進化而來的。磨岸、磨溝及磨礅可相當於一個搗臼，把臼改為圓形的溝狀，而磨岸則為溝的外緣，反之，磨礅為溝之內緣。

　　磨岸高一尺左右用水門汀〔即水泥〕堆小石頭成為圓形者，外側雖有小石頭之露出，但上面與內面則平滑且垂直深約為一尺一寸，上面則五寸之水平面，米磨之直徑（中心到最外部之磨岸之長）約為八尺，磨礅與磨岸等高，其直徑則約為四尺七寸，上側面皆平滑，側面則與磨岸並行直立，然而所謂磨心者則嵌植於磨礅中心。

　　磨岸與磨礅之間所構成的圓溝，寬、深同為一尺一寸，磨溝之底亦為平滑的水門汀面。

　　磨心直徑約為一寸、長一尺的鐵棒，成一對石輪之回轉軸。

　　石輪座含石輪軸與牽木二種的長方形木框，長約為八尺四寸、寬二尺七寸，自木框之一端凸出一寸，附象鼻鉤做牽繩連結牛馬，使牛馬輓行，回轉石輪碾米之。米磨之生命，石輪，是由直徑二尺三寸、厚五寸之花崗岩或堅固的石頭磨成圓形者，重約130台斤，石輪中心穿有鐵製之石輪心，嵌入於石輪座二端之橫框內的鐵製石輪管。

碾米之方法普通向右回轉，有時用二隻牛或馬，有時用一隻，一日一人一隻牛約可輾白糙米三石二斗，方法雖粗放，但碎米較少卻是長處，使用年限，若每三年換一次磨心、石輪管及石輪心，約可使用三十年左右。

2.輥輾：亦謂海青輾，則將上述米磨之圓槽中之圓溝，除掉二個石輪由一個石滾（或石輥）代替，石輥上面附置，下穀箱，隨輾下穀，旋轉，常由二隻牛馬輓行做脫稃作業。

（三）水力調製法

皆由人工調製演進而來，台灣曾經最被普通使用者為水碓，有的用槽受水做動力，有時旋轉水車做動力。

1.水碓：台灣現有的水碓與《農政全書》所述之槽碓相似，則把腳踏式精臼之原動力改由水力來碾米，普通架設於水圳旁或山麓一帶有相當斜度之深岸，其構造普通由搗臼、受水槽、搗杵、筧四部分形成，搗臼與普通之木臼或石臼相似，只不過把其下半部埋設於地中。搗臼之梢部一端附有受水槽，乃自上流用筧引水下注於槽，水滿後重而翹起（搗杵頭部）水洩後則輕而落下，由而反覆做起落作用即可搗精糙米為白米，通常將搗臼與搗杵之部分圍於小屋內，一方面避雨水，一方面則防因受水槽之上下運動所起之飛沫。

水碓今仍被有水便之僻鄉農民所用，其碾米功程一日可有二次完成來言，其一次完成量之多寡因搗臼之大小而有異，普通則一次為一至二斗，使用年限雖無一定，若年年修換受水槽與橫架

之木板，可用到15年左右。

　　雖一部分農民仍因交通不
便、係家傳用具、人口少而使
用水碓，但近年來因水利委員
會水租，以及水圳水之改用輪
機碾米機（Turbine式〔渦輪發
動機〕碾米機），與碾米量不
敷利用而漸遭淘汰之。

　　2.機碓（在《農政全書》
亦名為水碓）則較大規模的水
碓也，其所以不同在於取水
法，改用水車之翻轉而將數個
水碓連結於輪軸，而使輪軸因
水車之回轉而回轉，使附有之
橫木間打碓梢使搗杵做上下運
動而舂米，規模大、效率高，
但在今日的台灣少有看見之。

　　3.其他水力調製法：如水
礱、水碾等皆利用水力把陸礱
（即土礱）米磨等用回轉軸回
轉碾米，其效率當然比陸礱、
米磨等高，但設備費較貴昂。

水碓的內部構造

受水槽

（四）風力調製法

　　因風力難於固定，同時亦不是常有，故調製加工利用風力確是難事，不過在沿海一帶之地利用風車而做調製加工過程的一階段（其餘概為抽水灌溉用）。就是風選利用自然風力來分離選別精穀與否穀，或是粗糠與糙米的分離選別，其他常見以人力回轉風鼓或風扇生風而做風選作用，例如普遍被農民使用的唐箕（亦名風鼓，見右圖）則其一個好例。

風鼓

（五）動力調製法

　　用動力做調製加工的機械主要可分為脫秄機（亦名礱穀機）與碾米機二部分，其動力來源可分為電力、蒸汽、水力、火力、石油發動機、電力蒸汽六種，近年來因統計數字，糧食局認為是一種機密，故無法做一個動力別碾米廠、廠數的數字比較，據過去日人之統計畫成表可示如下：

表8　動力別碾米廠數

動力	工廠數	百分率%
電力	757	88.13
蒸氣	35	4.07
水力	35	4.07
火力	18	2.10
石油引擎	11	1.28
電氣蒸氣	3	0.35
合計	859	100.00

資料來源：據台灣總督府殖產局由碾米業者名冊算出。

表9　馬力別碾米廠數

馬力數	工廠數	百分率%
1～2	57	6.49
3～4	400	45.51
5～6	240	27.30
7～8	96	10.91
9～10	36	4.10
11～20	30	3.41
21～55	20	2.28
合計	879	100.00

資料來源：同上表。

據表8、9，吾人可以知道，台灣碾米過去最普遍的動力來源為電力，當然光復後的實際情形，我們不能用確實的數字來分析它，不過幾年來台電的發展以及農村電化計畫正在展開的現在，電力動力之增加是不難可知的。另台灣碾米廠最典型的馬力數為三至四馬力，光復以後，因土地改革、大地主將趨滅、耕者有其田的實現、農復會的農會扶助計畫、稻米輸出業者的消失，以及糧食政策所使，大規模的碾米廠的數目可能已逐漸減少，中規模

者與適合農民需要的小規模者反而有增加的可能。

　　礱穀機械原初依賴於人力、畜力或水力等，自從民國初年產米量的急增、對日輸出的活潑化，引起動力顯著的變化，自石油引擎、汽力（蒸氣）到電動機的使用，另民國初年使用「エンゲル」式礱穀機（俗稱砂磨）後到民國20年鑑於台米輸出的實際需要，米穀檢查辦法的改正而促使與獎勵橡膠滾筒（gum roll）式礱穀機。

　　礱穀業的發達，一因稻米的收穫量，一因輸出量的急增而促進，其發達的詳細情形，如表10所示。

　　稻米之調製從小規模農業生產分離而不但機械化同時工業化，另外其附屬機械及設備亦從單純的礱穀機與碾米機，而發達與擴展到具有其他種種的調製附屬機械，所以形成的主要因素為產米的商品生產化，為了提高輸出米的品質與營養價值，使稻米之交易簡單而標準化所促成的。現藉舊新竹市輸出米商振泰商行製米工廠的設備，來看工業化與機械化後的稻米調製設備的大概。

　　同時我們再剖視美國完全機械化的碾米工程，碾米的步驟有四：

　　第一步是清穀，使夾雜在稻穀裡的莖屑、沙灰、泥塊以及其他雜物清除乾淨，主要工具是清穀機。

　　第二步是脫殼，即把稻穀的外殼設法磨掉得到糙米，所用機件為礱穀機。

　　第三階段是碾除外秤皮，使糙米變成半糙米，應用機件是碾米機。

表10　礱穀工廠發達過程

年次（民國）	礱穀工廠數	工人數（人）	礱成糙米量（石）	每一工廠平均糙米量（石）
3	610	2,268	778,343	1,276
4	581	2,107	793,121	1,365
5	637	2,371	1,070,022	1,680
6	677	2,704	1,263,208	1,866
7	737	2,928	1,442,344	1,957
8	786	3,201	1,643,777	2,091
9	828	3,068	1,635,297	1,975
10	916	3,300	1,707,277	1,864
11	743	2,860	1,618,137	2,178
12	789	2,867	1,987,240	2,291
13	845	2,979	2,547,526	3,051
14	892	3,053	3,060,786	3,431
15	878	3,164	3,380,987	3,851
16	1,050	3,274	3,606,921	3,435
17	1,136	3,674	3,816,496	3,359
18	1,337	3,632	3,687,252	2,765
19	1,588	3,917	3,974,056	2,503
20	1,656	4,052	4,855,533	2,932
21	1,656	3,927	5,358,224	3,236
22	1,612	3,918	6,135,730	2,841

資料來源：台灣總督府殖產局商工課，《台灣商工統計》頁53，同大正13年頁73，
　　　　　同昭和8年頁50～51。

　　第四步驟即最後一段，是碾去一部分內稃皮使半糙米變成精白米，使用工具是刷光機。

　　就整個碾米程序來言，所用機件當然亦以上述清穀機、礱穀機、碾米機及刷光機四種為主幹，不過事實上所用之機件並不止於這四種，而有更多的附屬機械，現把其機件排列如下：

　　1.清穀機（screen blowers, cleaners, scalplers or moniters）：清穀機的任務為消除稻穀中的一切雜物，其構造是由幾層金屬穀篩

表11　振泰商行製米工廠設備

糙米工廠（礱穀工廠）的機械設備與排列順序：

明電舍五馬力電動機	糙米工廠之附屬機械
電支舍拾馬力電動機	穀殼排出升降機
穀子精選升降機	死穀精選唐箕
夾雜物撥出機	穀殼精選唐箕
塗砂撥出機	死米精選唐箕
明豐式唐箕附撥石機	死米再選唐箕
儲穀箱	第一號死米再選米選機
第一號礱穀機	第二號死米再選米選機
第二號礱穀機	第三號死米再選米選機
第三號礱穀機	第四號死米再選米選機
穀殼分離升降機	第五號死米再選米選機
自動式分糠式	碾米工廠（白米工廠）的機械設備與
第一號穀殼分離唐箕	排列順序
第二號穀殼分離唐箕	電支舍拾馬力電動機
第一號篩筵	第一號自動式碾米機
第二號篩筵	第一號撥糠機
穀米分別升降機	第一號白米精選升降機
第三號篩筵	第二號自動式碾米機
第四號篩筵	第二號撥糠機
第一號死米分離唐箕	第二號白米精選升降機
第一號死米撥出米選機	儲米倉庫
死米精選升降機	白米排出升降機
第二號死米分離唐箕	死米撥出米選機
第二號死米撥出米選機	白米精選唐箕
第三號死米撥出米選機	死米再選米選機
儲米箱	儲米箱
糙米出口	白米出口

與一個吸氣管所組成，穀子先經吸氣管之口，因此使夾雜中灰沙等輕微雜物統統自管中吸除，自此再經二層穀篩，將穀與夾雜穀粒中泥塊石粒與雜草種子等分離出來。

2.礱穀機（rice shellers）：經過清穀機後的清潔，穀子便被引入礱穀機中施行去殼處理，本機的主要部分是二片礱石，由水泥與金鋼沙組合而成，上面一片固定不動，底下一片與滑輪（pulley）相接，藉動力機的力源每分鐘可疾轉200至600周。稻穀自上片中間的圓孔中灌入二石的間隙，由於下片轉動甚烈，致成斜立的姿勢，等到稻穀二端被擦去一部分後，外殼與糙米即告分離，從本機所出產的成品，包括糙米、稻殼以及一部分尚未脫粒的稻粒，這些混合物當即被引導通過一鼓風管，使重量較輕的稻殼隨風分離，餘下者即被引導至穀米分離機加以分離。

另一種新的機械稱橡皮輥礱穀機（rubber sheller），為南方一部分碾米廠應用，沒有礱石，把稻穀平攤在一橡皮帶上面，依一定方向運行，另外有一個硬橡皮滾筒，在橡皮帶上面，做快速的轉動，穀子被擠在中間，經過上下橡皮面的摩擦，糙米便脫殼而出，工作迅速而碎米較少為本機優點。

3.穀米分離機（paddy machine or paddy separator）：分離機的結構是一長形木箱，安置在一活動架上，一側稍高，箱中有隔板數層，每層上並由金屬片隔成許多鋸狀小格，穀米混合物自箱頂進口處灌入各層鋸狀小格，由於箱的一端與滑輪相接，使木箱做往復抖動，因此在每一小格中的糙米與稻米即自然分離，前者移向低處，後者移向高處，後分別自邊沿落下，稻穀部分被送至一輔助礱穀機（axillary stone），再受脫殼處理，糙米部分則被送碾米機，受脫稃的處理。

4.碾米機（huller）：本機是用來碾除外稃皮的工具，機件包圍在一橫臥的金屬筒裡面，從橫斷面剖視，則外面有兩道金屬

圈，當中為一具金屬輥軸。軸面刻有凸紋多道，兩層金屬圈中裡面一圈，面上密布著許多細孔，這是由兩片半圓筒合抱而成，在左側的合縫處，隔有刀片一條，它的縫口正對著金屬輥軸，其間保持一定的距離，可隨時加以調節。外層金屬圈也是由兩片半圓筒所合成，刀片通過左面縫合之處本層係保護整個機件而用的。

糙米從漏斗似進口處進口，穿過兩層筒壁進入第二層金屬筒與輥軸間的空腔中，此時輥軸以每分鐘五、六百轉的速度不斷旋轉，米粒圍在空腔中，彼此間發生激烈的摩擦，同時又與外圍的金屬筒擦擊甚烈，因此米粒表面的稃皮與胚胎部分即成粉末狀，紛紛下落，碾落之稃皮與胚胎統稱糠，即穿過金屬筒的細孔，積聚在外筒底部，藉吸氣管的風力，排出機外，以做牲畜或家禽的飼料。

5.刷粉機（brushs or polishers）：全機成圓筒形，高八呎、直徑四呎，外圍是一層鐵絲網罩，中間乃一圓柱形的結構，它的表面依覆瓦狀排列的柔羊皮所覆蓋，白米在機的上口進機，此時圓柱轉動甚速，米粒也跟著在裡面回轉衝擊，由於羊皮質地的和順柔軟，故白米雖被擦擊仍不致發生折裂現象，同時內稃皮的一部卻在這種情形下被刷下來了。其副產物非常細碎，稱之粉糠（polish），由吸管導出機體，將為飼料用。本機之主要目的在於使糙米經過碾米機把外稃皮磨淨後表面雖潔白，然而內稃皮依然存在，光滑程度仍嫌不足，若再經碾米機再碾，可能破壞米粒之完整，故用此機摩擦面柔和，一方面可擦下內稃皮而同時仍能保持米粒的完整。

經過上面幾個階段，加工程序可稱已大致完成，唯經過一再摩擦後的米粒仍含有整顆米與細碎米，故須再經機篩，把長度不

及原來粒長四分之一之碎米先行分離，若須在白米外面加一層外衣，使它光澤可鑑，則送下述的被光機去上光，不然則由分樣式依顆粒大小，把米樣分成三種不同的等級。

6.被光機（trumble or glazing drum）：本機形似長圓形木桶，橫臥於一支架上，一端略高，與地面形成15度角度，二端開小口，桶長九英尺，直徑約四英尺。白米自較高一端的入口處進機，該處附裝盛有糖液（glucose）與滑石粉（talc）的器皿各一，二者在米粒進機時，即分別下滴，與米粒混合，此時桶正在作緩慢旋轉，米粒墮入木桶內壁，被帶至一定高度，又復下落。如此經過若干次翻身滾動，每一米粒的表面變得光澤白潤，增加了吸引力，最後自木桶的另一端排出。這種被光作用可使不良品質的米變得光白可愛，因而有一種攙假作用存在，真如過去台灣碾米時用滑石粉一樣不為一般消費者歡迎，故很多碾米廠已廢棄這一步驟了。

7.分樣機（grading machine）：極細碎米已在被光以前被分出，餘下者亦可分三種不同的米樣，第一種是頭米（head rice，即米粒保持原來長度四分之三以上者也），第二種是次米（second rice，即米粒長度在二分之一以上到四分之三的長度者），第三種是篩餘米（screenings，凡長度在四分之一以上二分之一以下者）。通常應用的分樣機，是一套篩孔大小不同的機篩，另外是一種圓盤分級機（disc separator），係一列圓盤，固定在一橫軸上面，圓盤的下半截，埋在要做分樣處理的白米糟中，盤上密布空眼，僅容次米或篩餘米嵌入，橫軸轉動，圓盤也跟而轉動，當這半截轉出米糟時，次米或篩餘米，即在圓盤上的

細盤旁附裝的小托中，被迅速轉運至集米處所，故每當圓盤轉過米糟時，一定能帶走一部分碎米，這樣經過若干小時連續流轉後，粒型較小者便被分出來。

8.其他的附設機械：一為自動秤米機與縫袋機（automatic weighing machine and bagging machine），另一則為包裝機，這些機件的設計，簡單而輕巧，效率亦高，只要管理人員稍微補充機械不能做的補充空袋與出口部分收集成品則可。

美國稻米調製過程與機械之大概如上述，至於其機房是一樓房建築，有三或四層樓，清穀機總在最高層，礱穀機與碾米機都在二、三層，秤穀、縫袋與裝包等設備都在最下層，米穀從一機到另一機都靠機器力運送，每間機房的工人不過一、二人，負責開關、機件加油之工作，碾米師較忙，巡迴於礱穀機與碾米機旁邊，做應有的調節。

一間碾米廠中應具備各式碾米機件的種類與數量，全視該廠所預定的碾穀量的大小而定，現藉加州碧格司地方（Bakersfield）羅森堡兄弟碾米公司所屬一廠為例：

表12　羅森堡兄弟碾米公司工廠碾米機件

種類	數量（架）	備註
清穀機	7	
礱穀機	7	1架為輔助礱穀機
穀米分離機	4	
碾米機	26	其中14架做初碾用，12架做複碾用
刷粉機	2	
被光機	2	
圓盤分樣機	4	

　　另配置一些輔助機件，由850馬力的電力馬達為力源，全廠工人40人。許多大型的碾米廠，常自設分級檢驗室，僱分級人員，在產品出廠前做一次事前檢驗，將來在成立交易前再請政府法定檢驗師前來檢驗，前後比較，若後者失實提抗議，若事前發現未合標準則重施清潔或去雜手續，使達到法定標準。

　　當我們比較台灣與美國碾米工程的時候，首先可以發現基本動力的顯著差異，因此規模上之比較亦不難想像而可知；第二，就大規模經營上，反而所用工人少，因而可知它的機械化已趨於完美之地步；第三，美國碾米業可以說已完全工業化，它不但企業化，同時已致力於改進米之品質，為了使稻米之交易簡單與標準化而有標準分級與檢驗等工作相配合以增進交易上的信譽。在工作效率上，它是不可否認的比我們高，當然這種大趨勢的形成是有它的因素的，一為了配合與消費者交易而有了分級標準化，另則為了配合其他工業的發展以及其他工業相互培養今日美國碾米機件及其他必需設備的自動機械化，最後美國的社會經濟制度與所具備的條件促進它的大經營與完全機械化。反看我們台灣，曾經為了輸出日本而有檢驗以及標準化，現在它的那種需要似乎因不外銷而不存在，連糧食局所辦配給米的品質不但不如以往，商人最起碼的商品道德都被無情的捨棄，這點是值得我們反省和警惕的。再者因我們本身的條件不夠，加以重工業的落後與工資的低廉阻礙了我們的完全機械化。

　　總而言之，我們的碾米工程仍須待改進的地方很多，為了改進稻米的品質，建立良好市場的規律，增進貿易的信譽，使稻米的交易簡單而標準化，我們是應該採取近代碾米機械。

第三節　稻米調製與土礱間

（一）土礱間之形成及演進

　　資本主義的發達常帶來社會的分化，使農業原始的型態所包含的副業式工業加以分離成一種獨立的業務，這個原則在稻米調製加工過程上亦不能例外。台灣碾米業的工業化與業務迅速的擴展，當然係依存著台灣本身的自然的、經濟的及社會的條件，不過從外來刺激的因素亦不能忽視，一如蓬萊米的交配育種的成功，日本人對台灣米的需要增加促成台灣米的商品化同時刺激了稻米生產的集約化與增產化，另如動力革命帶給我們調製過程的動力機械化。

　　本來台灣稻米的生產，不但其主要生產過程全包括於農民手上，連調製加工過程亦以副業方式包辦於農家，日本未占領前與占領初期，一般農家多自備有小型土礱，自做調製。然而資本主義對台灣農業亦不例外的做浸蝕作用，因米穀交易的發達形成萌芽期的土礱間，這種土礱間本身並不具備土礱或倉庫，只將與農民所做青田買賣（穀青買賣）或現物交易所得的穀子存留於農家，一旦土礱間與批發商或中間介紹商人訂好轉賣契約後，即派普通由四人為一組的調製工人到農家，土礱不但由農家供用，同時農家還應負脫稃率（米分）與供給工人膳食的責任，不過脫稃所產副產物則歸農家所有，這個可以說是土礱間的一種過渡期的型態。

　　至於企業式土礱間則存在大消費地，稍後於萌芽期土礱間而

有它的成立，這個重要的促進力不外是輸出米商品生產化的增加
與碾米機的發達。當農民發現以自有、有限的稻穀使用動力碾米
並不合算時，歷來由農家自辦的調製工程遂轉由米商代辦。

　　企業式碾米業形成的方式初有二，一為米商，一則為大地
主。台北地帶最初經營企業式土礱間者為1860年左右，由板橋林
本源家國芳之子林時甫所經營者為最初，其經營目的主要為向大
陸輸出大量自有的稻穀開始，後人看其有利逐漸在台北、鶯歌、
三峽、萬華、士林、淡水繼續出現同業者。

　　家內工業的土礱間附隨著大量交易與機械發達而脫離了副業
的型態，而趨向於中小工商業的專業土礱間，因此原料生產與加
工生產完全分開，轉而以稻穀調製工程為中心，土礱間成了原料
收買與製品售賣的包辦與中間的機構。然而土礱間有今日的實
態，實賴動力調製機械被使用的民國初年開始逐漸發達所促成
的。

（二）土礱間的業務

　　土礱間的業務本來以礱穀為中心，後來受種種因素的影響，
不但成了米穀收買上最重要的角色，它一方面用青田收買稻穀方
式通融給農民資金，一方面則個別的向農民或中間介紹人做分散
小量的現物收買，然後把大量稻穀附加的調製成糙米，以可及
的高價出售與貿易米商或供給碾米工廠（小規模專供消費者利
用），碾白後供給島內消費。土礱間透過收買而支配了農民金
融，如現物收買時先付農民一部分前金，或中小農民因耕作、納

稅或生活資金的缺乏而先向土礱間通融資金，後以收成稻穀還本，因此土礱間不但可得商業利得，同時亦具高利貸的性質而獲得金融利潤。土礱間除上述業務以外，還受貿易米商的委託收買與受農民的委託售賣之。

（三）結言

從土礱間的形成及演進與業務來看，我們可以知道土礱間係介在農民或中間介紹人與貿易米商或零售商之間做調製加工、金融及賣買的諸任務，太平洋戰爭前為台灣米穀配給上最重要的社會金融機關，它雖然有損農民之處以及剝削農民之嫌，但它曾經對米質改良、調製工程的改善以及米穀交易上盡了很大的貢獻。不過實際的需要與經營合理化的要求，促成農業倉庫與產業組合米穀倉庫的產生，給了土礱間一次不大不小的打擊。繼而來的光復，社會的、經濟的、政治的諸條件的變更遂迫使土礱間的衰落，漸漸由糧食局委託碾米廠或農會碾米廠代替，遂成為自然的與人為的所謂「土礱間」的衰落與消滅。

第四章　結論

第一節　農業機械化負有重大的文化使命與必然性

　　人類為了適應社會經濟生活，必須朝向科學化與合理化。農機具未發明以前，人類只憑徒手空拳，採取植物，捕殺獸類，餓時食、飽時眠的一種洞穴生活。當他們被迫做栽培作物的時候，首先所設計出來的鋤頭、鐮刀、連枷等人力農具，人類在這個狀況之下，他們只能生產他們自己的食物與自己的衣服。在西元前3,200年左右，人類開始想利用畜力，而以19世紀初葉畜力利用達到最高峰的時候，每個農民的生產能力大大的增加，同時人類也從衣食原料的生產被解放，而漸有從事於其他必須要做的工作。生產能力的增加隨而增加了農場面積，每個農場所能供給他人使用的物品量又同時增加，因此形成交易是為商業的濫觴，如此逐漸有交通、商業、工業的發達而促使都市的成立。

　　我們可就美國的實際情形作上述的說明，表13係美國自1820至1930年間每1,000個美國人的就業狀態繪成表者。

　　表13分農業動力為人力、畜力（1810～1910年間為畜力利用最盛的時期）及機械（始於1910年）三個時期，1820年全就業者

表13　美國人就業狀態（1820～1930年）

中從事農業者占83.1％，從事其他職業者只有16.9％。然而1840
年開始利用畜力以後農業就業者逐漸減少，但其他職業從業者卻
相反的年年增加。再看20世紀機械化時代，農業從業者已減少到
1930年每千人只有85人，相反的其他職業從事者則年年增加，到
1930年，每千人已有312人的狀態。這個事實充分的證明了農用
機具的效果，即就業者從1820年每千人只有258人增加到1930年
的397人，就是說全就業者的就業率增加了54％。換句話說，農
業就業者的生產能力已增加到154％。我們常聽到一般人講，農

業機械化可能引起嚴重的失業。現在我們可以知道這話是沒有根據而且錯誤的。昔日美國農業者的主要工作可分為以下四種：

(1)衣食之原料生產

(2)製粉、紡織、製革、罐頭等的農產加工產業

(3)將製產物運至都市的運輸工作

(4)分配給需要者的分配工作

現在這些工作已經完全分離，農家只做衣食原料的生產，其他產業則轉由他業者來做，這個就是促成擁有幾百萬就業者的工廠群發展的主要因素。農業機械化可能引起短時期的失業，但短時期的失業並不會形成嚴重的社會問題，只有長期的失業才會引起社會問題，何況農業機械還可大大的增加物品的交換量，同時需要許多人口從事於機械的發明、設計、製造、販賣、運輸、修理等工作。反過來說有了農業機械化，美國人才能由農業生產解放出來而從事其他產業以及其他對人類文化生活有其需要的工作，若是人類永遠被束縛在農業生產工作原始生產的話，則今天的文明、今天龐大的產業也無法實現、無法存在，換句話說，農業機械化具有它機械化的必然性，同時農業機械化正負著重大的文化使命。至於引起近代嚴重失業問題的原因，我們應該從社會政策、社會制度以及經濟結構上尋出更多的因素。

第二節　整個農業機械化的問題

農機具常因農民需要，或為更便利的使用而設計製造或改良，但一經使用後，農機具不但促進了技術的改善同時使經營合

理化。

台灣不易實現大農式機械化的原因，歸納斯界人士的意見可為下列諸因素：

(1)多雨多濕的氣候

(2)不平坦的地勢

(3)多為水田作或壠作栽培

(4)田區小且不整齊

(5)平均耕作面積小

(6)農民的購買力小

(7)農家平均役畜數少，不能聯畜耕作

(8)農民對機械常識的缺乏

(9)社會工業水準太低

(10)液體燃料的供給不足，價錢高昂

(11)工資過廉

(12)極端的勞力集約的土地利用

(13)農業人口的過密

(14)農民墨守成規的惡習，缺乏接受新知識的積極性

(15)有關機關的提倡不力與農村教育的不發達

台灣農業的不易實現歐美式農機化的原因除了上述幾點外，我們還應提到農機具的特異性，美國所以有今天的農業機械化，應歸功於發達的機械工業、善於機械利用的國民性以及適於使用曳引機的良好自然環境。我們知道美國農業，為了配合它自己成為近代國家走向之工業化、科學化及資本主義化，它必須機械化，我們同時知道，北方國家為了縮短播種期間以及爭取適當的

收穫期，它必須求於機械化。再看台灣農業，雖然台灣沒有如北方爭取早期完成種植半日或一日的需要，但我們為了趕上歐美高度文明，近代國家應具備的工業基礎，以及不虛其名的農業國家來繁榮國民經濟，以奠定富國強民的大道，必須實現農機化，不過我們農機具所表現出來的特異性，歸因我們本身的自然的、社會的以及經濟的條件而有異於歐美。因而我們應有自己的農機具，我們應從自己的需要與本身的條件來實現機械化。

我國5,000年燦爛文化的基礎是古代農業發達所構成的，在觀察調製機具沿革的時候，我們不覺得是一種驕傲嗎？我們很古以前已有畜力、水力利用的調製機具，同時神農時代（西元前3,000年以前）已有犁的發明，那些風鼓、龍骨車都是先於世界各地的偉大發明。當年我們祖先有冠於四鄰蠻邦的繁榮文化，也正因有高度發達的中原農業才有的。復興中華口號被高唱的時候，我們應該知道復興中華必先振興農業，當我們欲建立現代科學化農業的時候，仍舊讓農民使用毫無改進的農具，如同教軍人以弓矢對抗核子武器一般的危險、無智而且一定會失敗的。

從本論文第三章可知，在調製農機具的機械上，我們已有可觀的成就，尤其碾米業的近於完全工業化是值得我們自慰的，但脫穀機仍有待於改進的地方很多，我們將來是否可以完全用動力來代替人力脫穀。這種脫穀機能在田間自由的工作，或可仿歐美式combine來一個耕作大革命。這些調製過程所占的農業生產力只有30％，其餘的70％由耕地的犁起、播種、移植、中耕除草、施肥、收刈等，我們仍然在只能利用人與畜力之狀況之下。我們不能減低生產成本，節省農業生產勞力是理所當然的，所以我們

以後更有需要對餘下70％未機械化部分工作做更多的研究與注意。

　　至於如何解決阻礙我們機械化的因素——上述的⑴至⒂中，⑴至⑶的因素我們已在第一章提過，水田作業、多雨多濕等因素不過是機械化比乾地、園地較為困難而已，並不是真正阻礙機械化的主要因素，路易斯安那及圭亞那等地的水田曳引機作業可給我們一個良好的釋明。

　　⑷至⑺可由組織合作農場及實行耕地整理來解決，耕者有其田政策雖令使土地管轄面積縮小，似乎與機耕的大面積的工作情形不能配合，這個問題亦可藉代耕組織與合作農場的經營來補救解決。

　　⑻至⒂諸條件則可藉農業促進工業的發達，工業扶助農業的進展，農工互育的辦法來解決農業人口過密、工資低廉以及工業水準的因素，另則強化農村教育，建立農機研究機構與農機系統，培養人才及農具貸款來解決農機具使用與製造的問題。

第三節　農業機械化的效果

　　農機化的效果可從多方面來觀察——

　　一、農作業在質上的改善：以前我們用人力無法做到的深耕或碎土可由機械化而得到解決，另外其他耕耘整地作業的周密化，施肥、播種、覆土、培土、中耕、除草及其他各種所需管理作業的周密齊一化，可謂是農機化帶給農作業在質的普遍改善。

表14 深耕與每反收穫量（反為日本面積單位，4.8反＝1acre）

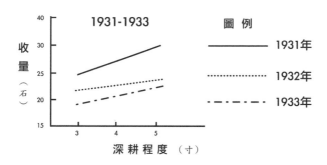

二、農作業的效率增大：自耕耘、整地一直到收穫調製所有農作業可因農機化，而將歷來人力不可能從事的作業可能化，以及大量的完成作業，如大規模的機械灌溉、排水（抽水機的應用）、病蟲害防除（噴霧器的使用）、脫穀、調製加工等是例子。

三、適期耕種、適期作業的實現：農業受自然因素的支配頗甚，可因稍錯失於播種時期或其他作業管理的時間而形成莫大的損失，同時亦因農業勞動分配的不均，農忙期勞動者的不敷利用，農閒期勞動者的無工作可做，而更易使農業從事者失適期耕種、適期作業。但機械化的結果，工作效率的提高與農作業在質的改善使適期耕種、適期作業以及其他諸作業適期化，促成農作物的良好生長以增加收穫量。

四、農業勞動合理化的實現：農業機械化可以使農民得到更多剩餘時間便於從事其他必須做的工作，享受人類應享的娛樂與教育，以及有更多的時間去考慮或從事農作業上的改良工作與政治活動。另一方面，農業勞動的合理化減少低效率牛馬的重勞

表15　日本、德國及美國的有關農業機械化指標

指標		日本		德國	美國	
		1935	1947	1927	1924	1936
每公頃所投人力勞動		—	6400	500	50	—
農地100公頃所用裝備	畜力HP	24.2	29.0	13.9	5.8	3.3
	機械力HP	6.5	29.4	16.4	7.4	18.8
	同農業動力HP	30.7	58.4	30.4	13.1	22.1
農業動力之構成率（％）		100.0	100.0	100.0	100.0	100.0
	畜力	79.4	49.7	45.6	44.1	14.8
	機械力	20.6	50.3	54.4	35.9	85.2
	曳引機	0.0	0.1	2.3	16.3	49.8
	卡車	—	—	0.6	14.5	26.5
	蒸氣機關	0.3	—	2.8	5.1	0.4
	石油發動機	15.4	30.0	3.9	14.8	3.2
	電氣	4.9	20.2	42.8	4.2	2.5
	風車、水車	—	—	2.0	1.0	0.4
	combine	—	—	—	—	2.4
牽引動力構成率（％）		100.0	100.0	100.0	100.0	100.0
	畜力	100.0	98.0	88.9	58.8	15.8
	機械力	0.0	2.0	11.1	41.2	84.2

資料來源：據「農業機械化に関する資料」（1953年）製成。

動，是促成農業技術進步及擴展農業生產力的基本條件。

第四節　結言

　　對農業機械化的放任政策或反對農業機械化的主張，都不是適合而合理的。正在彷徨中的農業機械化問題是需要我們政府不斷的扶助獎勵及指導，與民間鼓起勇氣、政府有關機關多方面的

合作才能完成的。

　　我們從上幾章觀察的結果可歸納如下：

　　⑴我國農機具有光榮的歷史，發達最早，只因無人繼起研究導致落及人後。

　　⑵農機具的發達具有其機械化的必然性，同時負有重大的文化使用。

　　⑶農機具具有整體與個別的特異性以及濃厚的地域性，我們只能就我們自己的條件謀一個合理的發展，外國者只能供我們參考而不能完全應用。

　　⑷為了做人畜無法做的工作以擴充農業生產力（如深耕等工作），為了實現近代化農業，復興我國農業，我們必須農業機械化。

　　⑸農業機械化不但是農業人口減少的結果，同時相反的亦是農業人口減少的原因，所以因農機化所引起的失業並不是嚴重的社會問題，而可能增加其他職業就業率。至於近代社會失業問題，應從社會政策或經濟結構去尋出其原因。

　　⑹農村電化政策以及台糖公司機耕推廣應將是我們機械化的先聲及光明的象徵。

　　⑺台灣目前應建立自己的農機系統，加緊努力研究，一方面為了農機具供給的順暢與普遍，農機具務求本國生產，同時可以促進工業發展，另一方面由政府或農業金融機關作農具貸款或特設代耕機構以便大農具的使用。

　　⑻為了推行農業機械化，我們應並行的推廣合作農場或合營農場做合理化經營。

參考文獻

二瓶貞一，《實驗穀物調製機》

徐光啟，《農政全書》

台灣總督府殖產局，《台灣之農具》

吉岡金市，《日本農業の機械化》

農林省農業改良局經營課，《農業機械化に関する資料》

高坂知武，《一九五二年台灣省農機具調查報告》

福島要一，《米》

新農林社，《農機具》

農業と経済社，《農業と経済》

岩波書店，《農業経済研究》

豐年社，《豐年報》

台灣農林月刊社，《台灣農林月刊》

台灣糖業公司，《台糖通訊》

British Agricultural Bulletin, Published Quarterly By The British Council

本書係戴國煇的學士論文，台中：台灣省立農學院農業經濟學系，1954年

戴國煇全集 10

華僑與經濟卷・一

中國農村社會的「家」與「家族主義」

林彩美　譯

序

　　阻礙中國社會近代化的原因可舉出很多，其中最重要的一個是貫穿全中國社會的家族主義。

　　要給家族主義下定義之前，我想有必要解明「近代」和「近代化」這兩個詞的含意和定義。

　　首先，近代這個詞的定義借用加藤〔岡一〕先生的話來說就是「第一，『近代』係指西歐歷史上的近代；第二，承上所指，近代的特徵，大略地說，就是高度的技術文明（或者是高度的生產力）與《世界人權宣言》為原則的民主主義社會」。那麼「為什麼需要近代化」（加藤岡一，《東京新聞》夕刊，1957年10月5日）這個問題，加藤先生的第二個定義暫且擱下，先來談第一個定義之下所謂的在西歐歷史上的近代，即以西歐為模型者，我以為不要僅限於此，應該把第二次大戰後所謂的AA〔譯註：指亞洲與非洲〕諸國正在近代化途中的「近代」，也能包括在「近代」的內容中。

　　中國社會的近代化，我把它理解為：中國社會經濟結構的資本主義化、科技技術的高度化所導致的生產力發展，與《人權宣言》的原則、民主主義原理的徹底化，並且是個人從「家」獨立

出來以及自我的覺醒，進而從舊社會中人的解放都包含在內的近代化內容，來做為考察的前提。

然而，中國社會的近代化以及民主化，是清末以來我們中國人的宿願，同時如果說是我們現代中國人所背負的歷史使命也不為過吧。

遂行這個歷史使命的途中，又加上無法抗拒的近代化、民主化的歷史洪流迎面而來，對於個人是沉重桎梏之一的家族主義，如一堵厚重的高牆阻擋在近代化的前途，令人深感壓迫。

那不是別的，而是家族主義的網，它成為大而厚的牆擋在近代化的前面。家族主義這個網，不僅是個人的家庭生活，連村落生活、都市生活（雖多少有微妙差別）等包含在內的中國人社會生活，甚至於中國人對國家的想法，現實的生活面，可說是存在於各種層面上把個人網進，塑造出家族主義性格之人，成為阻擋近代合理主義的防波堤。

因此，中國社會的近代化與其發展，也宿命地與充滿於中國人社會生活內外的家族主義之價值觀、家族主義，且是儒家的家父長制（patriarchy）倫理與其制度性存續著的規定所束縛相關聯吧。

如鶴見和子女士所指出，民國初期的中國知識分子，因為對辛亥革命的失敗，以及對軍閥、官僚等反動勢力的失望與煩悶的結果，關閉了中國人對革新要求的現實化，那是舊的制度——特別是做為基礎的家族制度與其支柱的儒家倫理——明確地說就是看出與隸屬於家族制度的倫理與權威有關聯，將徹底的批判與對決而不得不內面化（鶴見和子，《賽珍珠》〔《パール・バッ

ク》〕，頁36）。

　　魯迅是其代表性的第一人，他所寫的《狂人日記》是抨擊家族制度的弊病與舊禮教（儒家倫理）弊病之劃時代性、中國文學革命後的第一本著作。又由論客之一的胡適所推崇的，在四川省隻手打倒孔子老鋪「孔家店」的老英雄吳虞〈家族制度為專制主義之根據論〉（《新青年》第2卷第5號），與《新青年》的編輯，同時也是北京大學文學院長的陳獨秀所寫的論文，例如〈憲法與孔教〉（《新青年》第2卷第3號）、〈孔子之道與現代生活〉（《新青年》第2卷第4號），以及〈再論孔教問題〉（《新青年》第2卷第5號）等，是當時的知識分子對家族主義及家族制度的批評最具有代表性的著作。

　　如此，必須考察在中國革命的全過程，中國人經常被迫對決，也不得不對決的舊家族制度，一直以來包圍中國人的「個人」且令其被埋沒的家族主義之實際情況是什麼，又是如何地阻礙中國社會的近代化以及民主化。

　　我認為，解明家族制度以及家族主義的實際情況、機能與影響，或許是解開中國社會底蘊的種種重要問題的鑰匙。

　　如果那樣，討論中國社會的近代化與民主化問題之前，須先分析占有中國總人口80％的農村社會，這是無可置疑的吧。

　　因此，我要嘗試的，就是以中國社會最低層的農村社會為主要對象，並且在本論把討論的期間設定在清末到中華人民共和國成立（1949年10月1日）為止（當然，因所關聯不免在期間上有些許出入），來整理自己的想法。

第一章 家族的結構

在進入本論之前，首先必須清楚家族在中國意味著什麼樣的社會集團。

戶田貞三博士說：「家族是由夫婦或有親子關係者以及其近親關係者所形成的集體。」（《家族構成》，頁44）又依福武〔直〕教授的說法：「所謂家族，可說是夫婦、親子以及其近親者以血緣性的親情，以人格而相結合的，基於此感情的融合而共有家中收支的集團。」（福武直、日高六郎，《社會學》）

再者，清水盛光教授在《家族》（岩波全書）中說：

中國的家族從前稱爲同居、同財、同爨。同居是共同居住，同財是財產共有，同爨便是共同的飲食生活之意。這樣的詞彙被廣爲使用以表示家族，那是中國人在同居、同財與同爨之中，看出家族最重要的特徵。而且前述三詞，常常相互替代地被使用，以其中一詞可代表其他兩詞的意思，但普通被使用的是同居一詞，這個事實表示，家族在中國，首先認爲是以家的共同居住爲中心之親族共同體。（《家族》，頁11）

　　從以上諸例可知，所謂家族，通常是意味著親族共同生活的集團。例外的是，例如，華僑的出外賺錢或到國內其他都市出外賺錢等一時性的分居或是分爨，但家產依然是共有的，而且透過從外地寄錢回來等，他們不一定會從家族的構成分子被剔除，分家的時候應得的份是會留下來。除此之外，一般地說，中國的家族具有三個特徵：

　　第一是同居，亦即住家的共有。這可從分家這個詞彙推知，家族在分散之前，通常是住在同一個房屋。不是出外討生活的一時的分居，而是雖居住近鄰卻以「房」──在大家族中以一對夫婦為基礎的家族內單位──而分開居住，或在同一家屋內隔開住的情形（指不僅以房間隔開，包含廚房也以「房」分開），就不能算為同一家族。

　　第二是財產的共有。從原則上說，是禁止家族成員的私蓄，但媳婦的嫁妝（種類、品質以及數量依其貧富、家庭情況、地方習俗而有異）與陪嫁錢（包括田地、現金等）、勞務所得──手工副業或賣菜園的剩餘物等的所得──等的私有，在不發生家族成員間的經濟利害程度以內是被允許的。

　　最後是同爨。從中國的分家又稱作分煙、分火便可推察，吃同灶之飯，以共同生計為基礎生活著，是中國的家族的重要特徵之一。

　　如上所說，雖有一部分的例外，但一般來說，中國的家族以此三原則為基礎，如清水教授的定義，那是「共有居、財與爨的親族生活共同體」（前引書，頁12）。

　　還有，在中國的情況是，新家族的成立，不是像在西洋家族

可看到的以婚姻為動機而成立，通常是必須經過分家的手續，始有新的「家」單位誕生，而此新家族的生活才會自此開始。

此事反過來說，即表示中國的家族如果條件允許的話，複合家族的型態是經常有著存在的可能性，並存在於社會的基底。而社會基底存在著複合家族地盤的存在可能性，中國人的內部意識之中，也把複合家族性的大家族制，與「可能的話，過九世同堂的生活」當作是一個夢與理想。

因此中國家族的一般型態是大家族型，這是直至近年常聽聞的。這當然是大家族的神話，這是20世紀初期以來，有關中國社會科學性的諸多研究以及實際情況的調查而可得知。

不僅所謂的舊中國通，連中國人研究者或知識分子都認為中國的家族是大家族型，從他們的多數是出自地主富農階層來說，也有其道理。因為地主富農階層等所謂上流社會如後所述，受儒家倫理的影響比較強，而且擁有足夠接納其道德規範、社會經濟的諸多條件。生於這種大家族又受其教育的人們，毫不懷疑的深信中國的大家族制為中國家族的代表性型態也是當然，而且研究中國社會不可或缺的資料——歷史、文化、小說以及諸古典典籍大都是描寫上流社會的生活，這個事實也造成這種既成概念，其扮演了重要的角色是不難想像的。

那麼，一般被俗稱為大家族制的中國家族，到底是大家族或是小家族，下面就以人數的結構與質——內容——的結構之兩層面來加以考察。

第一節　家族的人數結構

（一）首先從表1、2來考察農家一戶的平均人口數。

依據表1，最高的為安徽省的5.95人，最低的為貴州省的4.33人，其他省的平均數則介於這中間，全國農家的平均人口數是5.55人。

又，一般地說，從表1也可看出中國北部諸省平均每家人口數多，而南部諸省較少。

表1　20省657縣平均農家人口表

省名	調查縣數	總戶數平均一戶人口數	農民戶數平均一戶人口數
山東	56	5.368	5.308
河南	108	5.754	5.491
山西	41	5.454	5.282
陝西	50	5.600	5.619
甘肅	32	5.436	5.337
江蘇	34	4.672	4.454
安徽	36	5.968	5.952
江西	23	5.630	5.631
湖北	47	5.293	5.287
湖南	45	4.816	5.140
四川	26	5.625	5.102
浙江	35	4.437	4.340
福建	40	5.237	—
雲南	30	5.011	4.811
貴州	27	4.327	4.325
合計	657	5.322	5.549

資料來源：天野元之助，《中国農業の諸問題》，頁149。

　　依巴克（J. L. Buck）的調查，農家的平均人口為5.1人或是5.21人，但巴克支持5.21人，其理由如下：此一人口調查研究的資料較詳盡，並且推估較不受抽樣誤差的影響。比較表1與表2，表1每家平均5.55人，稍微多於表2的5.21人。

　　（二）下面來考察農家家族人口數分布。

　　首先從表3可看到的平均數都不滿5人，顯然是小於巴克的5.21人。這是因為這些地方，都屬於擁有大都市上海的長江三角洲地帶之故。

　　又：⑴最多的家族人口數是3至6人，在嘉興縣這樣的家族占全體的69.9％，吳、崑山縣是67.6％、嘉定區五縣是稍高一些的

表2　22省平均農家人口表

地區名	全部人口	農家人口	
	（縣資料）	（縣資料）	（統計調查）
全國	5.3人	5.1	5.21
小麥地帶	5.5	5.4	5.44
春麥區	5.8	6.0	5.99
冬麥粟區	5.5	5.5	5.00
冬麥高粱區	5.4	5.2	5.55
水稻地帶	5.2	4.9	5.01
長江水稻區	5.2	4.9	5.00
水稻茶區	5.1	4.9	4.32
四川水稻區	4.6	4.6	5.50
水稻二期作區	6.3	5.8	5.84
西南水稻區	4.9	4.9	5.02

備考：①縣資料為19省194縣的調查（1929～1933）
　　　②統計調查為16省101個地方的調查（1926～1933）
資料來源：J. L. Buck, *Land Utilization in China*.

74.6％。⑵假設以10人以上的家族規定為大家族（10人的數字本身沒有意義）來看，嘉興縣是1.8％，吳、崑山縣是1.1％，嘉定區五縣是1.2％，便可知道其所占的百分比很小。

　　前面透過表3看了華中江南三角洲地帶，現在以表4來看華北地帶，仍然是：⑴家族人口數以3至6人的家族為最多，表4中1的3～6人家族占全體家族的59.5％，2是60.0％，3是62.3％，4是57.7％，5是50.9％，6是66.3％。⑵10人以上的家族數所占百分比，1是8.8％，2是9.8％，3是5.6％，4是5.9％，5是18.9％，6是5.6％。亦即表4中，5的定縣特別多之外，其他地方比起華中都是在2.0％以下，的確可以看出華北是大家族型比較多，即使如此，也大概僅占全體的10％以下。

表3　華中農村家族人口數分布表

每家人口數		一	二	三	四	五	六	七	八	九	十	十一	十二	十三	十四人以上	合計	平均數（人）
嘉興縣	戶數	229	479	862	846	744	562	306	133	72	38	18	8	8	7	4,312	4.40
	百分比	5.3	11.1	20.0	19.6	17.3	13.0	7.1	3.1	1.7	0.9	0.4	0.2	0.2	0.1	100.0	
吳、崑山縣	戶數	31	60	80	113	100	78	47	23	11	2	3	—	—	1	549	4.54
	百分比	5.6	10.9	14.6	20.6	18.2	14.2	8.6	4.2	20	0.4	0.5	—	—	0.2	100.1	
嘉定區五縣	戶數	15	25	62	54	55	30	17	8	—	1	—	1	—	1	269	4.25
	百分比	5.6	9.3	23.0	20.1	20.4	11.1	6.3	3.0		0.4		0.4	—	0.4	100.0	

資料來源：福武直，《中国農村社会の構造》，頁32。

表4　華北農村家族人口數分布表

每家人口數		一	二	三	四	五	六	七	八	九	十	十一	十二	十三	十四人以上	合計
1	河北山東四縣	戶數	251	498	707	824	773	517	366	234	165	94	78	55	39	151	4,755
		百分比	5.3	10.3	14.9	17.4	16.3	10.9	7.5	4.9	3.5	2.0	1.6	1.2	0.8	3.2	100.0
2	冀東地區	戶數	24	79	106	133	144	129	82	60	22	27	13	15	2	18	854
		百分比	2.8	9.2	12.4	15.6	16.9	15.1	9.6	7.0	2.6	3.2	1.5	1.7	0.2	2.2	100.0
3	河北鹽山縣	戶數	21	32	45	50	53	40	20	15	9	4	4	4	2	3	302
		百分比	6.9	10.6	14.9	16.7	17.5	13.2	6.6	5.0	3.0	1.3	1.3	1.3	0.7	1.0	100.0
4	山東省三村	戶數	10	29	39	36	45	27	20	21	13	7	1	1	3	3	255
		百分比	3.9	11.4	15.3	14.1	17.7	10.6	7.8	8.2	5.1	2.7	0.4	0.4	1.2	1.2	100.0
5	河北定縣	戶數	—	22	54	67	68	73	45	60	29	23	18	14	9	33	515
		百分比	—	4.3	10.5	13.0	13.2	14.2	8.7	11.7	5.6	4.5	3.5	2.7	1.7	6.5	100.0
6	河北黃土北店	戶數	11	25	53	64	40	26	20	14	8	2	4	1	3	5	276
		百分比	3.9	9.0	19.2	23.2	14.5	9.4	7.2	5.1	2.9	0.7	1.4	0.4	1.1	2.0	100.0

資料來源：引自福武直，前引書，頁266。

　　如上所述，從人口數分布上來看，可以知道華北的家族型稍大，這一點也可以從農家平均人口來看，即華北農家家族平均人口也比華南稍多的事實得到印證。

最後把全國家族人口數的分布與中國北部、中國南部家族人口等的分布比較，從巴克的表來考察如下：

從表5可看出與前引諸表（表3、表4）所顯示的同樣傾向：

⑴整體看來，還是3至6人的家族占最多，南部是3至6人的家族占全體的68.4％，北部占61.8％，全國占65.3％。

⑵10人以上的家族，南部占全體的4.7，北部占8.4％，全國則占6.4％。

考察以上諸表的結果，可知中國一般家族是由少人數構成，特別是以3至6人組成的家族數居多，多人數家族所占百分率，河北定縣是特別高的例子，並且顯示北部農村比南部農村稍微高，但是大致來說，10人以上的家族占10％以下是普通的情況。

如前面所觀察，從統計數字上所看到的，確實是如福武教授所說，「從員數來看不能稱為大家族吧」（前引書，頁265），又馬家爾（Liudvig Mad'iar）所說「那些傳述中國的農民家族是

表5　中國北部、南部以及全國家族人口數分布表

每家人口數		一	二	三	四	五	六	七	八	九	十	十一	十二	十三	十四人以上	合計	家族總數（戶）
全國	百分比	2.5	8.3	15.4	19.0	17.9	13.0	8.8	5.2	3.5	2.2	1.4	1.0	0.5	1.3	100.0	38,256
北部	百分比	2.8	8.4	14.4	17.4	17.0	13.0	9.1	5.8	3.9	2.6	1.8	1.2	0.8	2.0	100.2	17,581
南部	百分比	2.3	8.3	16.3	20.4	18.7	13.0	8.5	4.7	3.2	1.7	1.2	0.8	0.3	0.7	100.1	20,675

資料來源：J. L. Buck，前引書，1956年版，頁368。

多人數的故事，只不過是故事而已」（井上照丸譯，《中國農業經濟論》，頁26）云云的意思也能理解。但是重要的不在這裡，與前面說的諸統計調查同時期（1940年）的美國農村家族平均人口4.01人（伯吉斯〔E. W. Burgess〕和洛克〔H. J. Locke〕共著，*The Family*，1945年版，頁95）相比較，且常處於飢餓，受戰爭災害、旱害、水害與傳染病迫害之當時的中國農家，能保持這個家族平均人口數（5.21人，巴克教授），由此可知中國的農民是如何地受血緣結合原理所影響。再者，乳幼兒死亡率之高與溺嬰的習俗，以及如後述家族結構常受社會經濟性條件制約等中國農村家族的事實結合起來考量的話，就可知道中國社會，特別是農村社會的家族主義的色彩或是血緣結合的重要性，正受單純的統計數字抹消的危險。

以上主要就中國大陸來考察，但與巴克教授進行調查（1929～1933年）同年代的台灣家族人數的分布如何，查看之後，與中國大陸沒有太大的差別：(1)占最多的代表性家族還是3至6人的家族，占51.6％；(2)10人以上的家族，占11.1％，僅比一成稍多出一點（但這是對一般家族的考察）。

表6 台灣的家族人口數分布表

每家人口數	1	2	3	4	5	6	7	8	9	10	11〜15	16〜20	21〜25	26〜35	合計
百分比	8.6	8.2	11.4	13.8	14.1	12.3	9.5	6.6	4.4	3.0	6.0	1.4	0.4	0.3	100.0

資料來源：陳正祥，《台灣土地利用》，頁63。

第二節　家族的質的結構

在第一節，主要從家族人數來看中國家族之大小，但是眾所周知的「家族」絕不是僅以家族人數的多少來決定其大小。

例如，核心家庭如果是多產，就有可能成為10人以上的家族，所以單純地以人數來判斷其大小，僅以中國來看分明是錯誤的。相反地，如果老母親與一組夫婦和未婚子女一人的4人家族，從人數上來看，就判斷為近代家族也是錯誤的。

但是依社會常識來說，大家族或小家族，通常多指其構成人數的多寡。然而要以中國家族的近代化做為問題討論，與其以家族人數的多寡為問題，不如以家族成員血緣關係的複雜性做為分析的焦點，這是我的看法。

當然，血緣關係的複雜，在量上可能使家族人數變多，這是容易想像的，做為落後的社會的中國社會，為了家族成員的生存與現實生活，扶養家族的勞動人口與被扶養人口——亦即生產人口與消費人口——的平衡，常以生產力的發展為軸，繼續尋求其平衡點之故，家族成員的血緣複雜性與家族人數之間，不一定成正比，這是可以想像的。

那麼，關於中國的家族，由夫婦以及其未婚子女所構成的家族型態（核心家庭、小家庭），相對於由祖父母、父母、已婚子女、兄弟姊妹等包含直系、旁系的家族在內之家族型態（複合家族），到底在中國全家族數中占了多少？其質的結構又是如何？我想借下面諸表來做考察。

首先，以喬啟明的研究（表7）來考察中國家族成員的親屬

表7　家族成員的親屬結構表

親屬關係	全國	北部	南部
家長	17.2	16.1	18.1
妻	15.6	14.4	16.6
子	22.5	21.3	23.5
女	12.5	10.6	14.1
小計	67.8	62.4	72.3
祖母	0.2	0.2	0.2
父	0.6	0.4	0.7
母	3.7	3.7	3.7
繼母	0.1	0.1	0.1
岳母	0.1	—	0.1
伯叔父	0.1	0.1	0.1
伯叔母	0.1	0.2	0.1
妾	0.1	0.2	0.1
養子	0.3	0.2	0.4
養女	0.3	0.2	0.4
子媳	6.5	7.7	5.6
童養媳	0.5	0.1	0.8
孫	4.3	6.1	3.8
孫女	3.6	4.5	2.9
孫媳	0.4	0.6	0.2
曾孫	0.2	0.3	0.1
曾孫女	0.1	0.2	—
兄弟	2.8	3.1	2.6
姊妹	0.8	0.6	0.9
妯娌	1.6	2.1	1.2
姪	1.6	2.3	1.1
姪女	0.9	1.3	0.5
姪媳	0.4	0.6	0.2
姪孫	0.2	0.3	0.1
姪孫女	0.2	0.3	0.1
其他	2.0	3.3	1.7
合計	100.0	100.0	100.0

資料來源：C. M. Chiao, *Rural Population and Vital Statisics for Selected Areas of China,* 1929～1931, P.9. 表8同。

表8　家族成員對家長的關係分布表

親屬關係	全國	北部	南部
家長	17.7	17.0	18.4
妻	16.0	14.9	17.0
子	22.9	21.8	23.9
女	12.4	11.3	13.4
小計	69.0	65.0	72.7
養子	0.3	0.3	0.3
養女	0.2	0.1	0.3
妾	0.2	0.2	0.2
子媳	6.9	7.8	6.1
童養媳	0.5	0.1	0.8
女婿	0.1	—	0.2
孫	4.8	5.6	4.1
外孫	0.1	—	0.1
孫女	3.7	4.3	3.0
外孫女	0.1	—	0.1
孫媳	0.3	0.5	0.2
曾孫	0.1	0.2	0.1
曾孫女	0.1	0.1	—
祖母	0.2	0.2	0.2
父	0.6	0.4	0.7
母	3.7	3.6	3.7
繼母	0.1	0.1	0.1
岳母	0.1	—	0.1
伯叔父	0.1	0.1	0.1
伯叔母	0.1	0.2	0.1
兄弟	3.0	3.4	2.7
妯娌	1.7	2.2	1.2
姊妹	0.8	0.7	0.8
姪	1.6	2.2	1.1
姪女	0.9	1.3	0.6
姪媳	0.3	0.5	0.2
姪孫	0.2	0.3	0.1
姪孫女	0.1	0.2	0.1
其他	0.3	0.4	0.2
合計	100.2	100.0	100.1

關係結構。此表所包含的家族成員及於六世代——即祖母、父母、家長、子女、孫女及曾孫女六代——家長夫婦與其子女所占百分比，全國為67.8％、北部為62.4％、南部為72.3％，如僅以此百分比的家族，看成全是核心家庭，我不能苟同。因為這些子女是未婚或已婚未被弄清楚。親屬關係中未設女婿欄一項，表示女兒結婚後未與女兒的父母同居。可是子媳（媳婦）在全國占6.5％、北部是7.7％、南部為5.6％，那麼上述的家長夫婦與其子女所占百分比，如果除去已婚男子，比率會更降低，亦即家族結構應更複雜，是不難推測的。

又將北部與南部相比較，分明呈現在農家人口的平均數所出現的相同傾向，家長夫婦與子女的家族，北部是62.4％、南部為72.3％，又子媳是北部為7.7％、南部為5.6％。再者以北部與南部的比較，妯娌是2.1％與1.2％、姪為2.3％與1.1％，以及其他的比較北部是3.3％、南部為1.7％等等來看，中國北部的家族從質的結構來說，明顯地比中國南部擁有更複雜的家族結構。

接著，將巴克教授的表也拿來做參考，並且試著來加以考察。我們可看出表8幾乎與喬先生的表7顯示出同樣的傾向。

以上，將考察喬先生與巴克教授的統計表總結如下：

第一，中國的北部與南部之間，明確可看出地域差異，北部比南部在家族成員數與質的結構稍大且複雜，但此差異不大，家族結構的本質可斷定為無甚差異。對於形成北部與南部地域差距諸因素的考察願留待別的機會。

第二，全國性來看，可以推測複合家族大約占全體的三成以上，但從所引表7與表8，不能明確知道所謂的核心家庭——由夫

婦與未婚子女構成的家族——占多少，以及包含旁系血親的家族占多少，再者是已婚子女包含旁系血親的家族占多少。

第三節　家族型態與其存續基礎

前面兩節觀察了中國農村家族的人數多寡，以及內部結構的複雜性。的確，中國農村家族並不像一般所說的是大家族。

當然大家族這詞彙所含的意思因各人解讀不同而異：到底指包含多少成員數的家族才是大家族？又內部結構的複雜程度，怎樣才算是大家族的範疇等，如果認為一般所謂的西方家族——夫婦與其未婚子女群——做為近代家族的典型型態，那麼可知中國家族是與西方意義下的近代家族，有全然不同的性質與型態。

然而，在人數的結構上可看到中國農村的家族是以4人為中心，3至6人的家族為普遍型態，而在此較少人數之中，是否包含質的結構中所看到的複雜血緣關係之結構，抱持這樣的疑問是極為自然，也是理所當然的。

很遺憾，因我能力有限，以及沒有足夠的資料可供分析其相關關係——家族人數與家族內質的結構——之故，對上述的問題無法正確分析。

如果勉強做臆測的話，(1)在低生產力階段的勞動人口所能扶養的人口比較少之故，成員數少的家族結構中，也有形成複雜性質結構的可能性；(2)由於經濟的貧困所引起的以溺女嬰、掐死初生嬰兒或棄嬰的惡習來減少家族成員數與結構複雜化；(3)始於20世紀初葉不斷的戰亂、饑饉、水災破壞生命與農村經濟的同時，

同樣加強上述的可能性；(4)公共衛生未發達之故，因而染上傳染病、死亡者多為幼兒，又因生活的緊迫而導致的重勞動致使老人早逝。

以上諸種原因相糾纏在一起，加上以分家為不是，婚後亦同居為是的習慣相互作用，因此成員數雖少，也有造成極複雜質的結構的可能性。

如上考察，中國農家的家族結構，其人數雖平均只有5.21人，與西式家族有本質上的不同。譬如，以人數將中國家族分為大小型，家族性質自身不管是大型或小型都是同質的。

誠如仁井田〔陞〕教授所言：

> 那些以夫婦為中心的婚姻群，近代小家庭的小型家族，在成員數上有其共通性，兩者均為小型，但前者的家族結構不必然是限於夫婦，或者夫婦與其未成年子女。縱使在結構上有類似的情況，如結構是由夫婦或夫婦與未成年子女所組成，但其成立的社會條件不一樣，在家族團體中個人的獨立性、法律主體點上有顯著的不同。再者雖是小型，但因處於如果改變隨時有可能變成大型的社會條件之下，亦即可能改變的素質傾向在特定條件之下，繼續持續下來。總之大型與小型都是同質的家族，只有大型的是沒有近代性，小型的就有近代性，不能如此一概而論。（仁井田陞，《中國的農村家族》，頁149）

賽珍珠（Pearl Buck）著名的《大地》〔*The Good Earth*〕中，王家的家族結構發展，是對上述同質性，描寫得很好的兩個

例子。

　　故事初期的王家家族結構的成員數是兩人，從質的結構來說是老爺與主角王龍，為貧農因貧窮而晚婚的好例子。看起來，老父與未婚男子的兩人家族分明與西洋家族在成員數與質的結構上可看成是類似的家族。但是此近代性畢竟是偽裝的近代性。後來王家富裕化、大地主化，王家的家族結構在性質和成員數上隨之擴大，形成大家族的家族型態。

　　由此例來看，重要的並不是統計數字上所呈現的家族小人數，也不是單純家族的質的結構，那是中國農村家族所依附而立的社會經濟地盤，與貫穿中國人之間對「家」的重視，以同住才對的儒家家父長意識之外無他。這兩點促使中國家族傾向大家族，並形成其特質。

　　那麼，促成這個大家族的傾向，而且培植其特質的基礎與家族類型之間關聯如何，與兩者的相對應，下面就來考察。

第一項　社會經濟的基礎與家族型態

　　前面述及中國農村家族是依社會經濟條件如何，而有從小型家族轉為大型家族，相反地也有從大型家族轉化成小型家族的可能性，這常常是由這些農村家族所依存的社會經濟基礎所賦予的。

　　接著我想試作檢討的是這社會經濟的條件，亦即因經營面積、貧富以及家族所屬的社會階級差異之下，家族型態是否也不同。

　　1. 經營面積或耕種面積與家族型態

　　從下面表9來考察，全國家族的平均人口數是從小經營群的
3.96人到最大經營群的7.31人，此二者所包含的農家平均人口數
與耕種面積之間，明顯地可看到比例關係。巴克教授也說：「這
耕種面積與家族人員的正相關關係，分明顯示中國的農家養育了
所能扶養之最大限度的家族人員。」（巴克，前引書，p.371）

　　如此一來，家族性小農經營依存於土地，在機械化之前的狀
態，當然是農耕多用家族勞動之故，因此家族人口多被經營規模
所左右，規模愈大者包容家族成員數的力量也愈大的事實，從表
9便可查知。

表9　耕種面積與一家平均人口的關係表

耕種面積	家族平均人口			耕種面積（公頃）			
	全國	北部	南部	北部		南部	
				最小	最大	最小	最大
第一群 小農場	3.96	3.98	3.94	0.01	2.24	0.00	1.21
第二群 中農場	4.52	4.57	4.48	0.03	3.44	0.66	2.67
第三群 中大農場	5.02	5.13	4.93	0.05	4.96	0.07	4.19
第四群 大農場	5.76	6.07	5.49	0.08	7.52	0.14	11.03
第五群 特大農場	7.31	7.92	6.80	0.10	127.50	0.34	367.50
非農家及 耕種面積 不明者	4.29	4.72	3.83	—	—	—	—
平均	5.21	5.44	5.01	0.01	127.50	0.00	367.50

資料來源：J. L. Buck，前引書，p.370

　　又，一般地說，經營規模的大小又表示該農家的富裕程度（依經營的細緻度與土地的肥沃度以及當地的氣候而定，不能一概而論，但大體來說這樣判斷也不會有太大出入），因此我以為家族人口之多寡也受農家的貧富所左右。

2. 農家的貧富狀態與家族型態

試以華北、華中以及華南的順序來考察。

(1)華北：例如表10李景漢所調查河北省定縣的515戶農家（1928年）的情形，顯示與巴克教授的調查大致有相同傾向。

(2)華中：張履鸞所舉行的江蘇省江寧縣480戶的農家調查的結果（1926年）如表11，這也與上述巴克教授以及李景漢的調查得到相同的傾向，亦即從「極貧」的4.6人到「貧」的4.8人，「普通」之5.8人，到最後「富」的6.4人，平均人口數依貧富的

表10　河北省定縣的農家類別與一家平均人口之關係

農家類別（畝）	0～9	10～29	30～49	50～69	70～99	100以上	合計
人口總數	823	1,071	593	453	398	233	3,571
家數	174	167	76	43	37	18	515
一家平均人口	4.73	6.41	7.80	10.53	10.76	12.94	6.93

資料來源：李景漢，〈515農村家庭之研究〉，《社会学界》5卷6月號，頁46。本論引自清水盛光，《支那家族の構造》。

表11　江蘇省江寧縣經濟狀況與一家平均人口關係表

經濟狀況	極貧	貧	普通	富	合計
人口總數	157	711	1,470	296	2,634
家數	34	147	253	46	480
一家平均人口	4.6	4.8	5.8	6.4	5.5

資料來源：張履鸞，〈江寧縣480農家人口調查的研究〉，《中國人口問題》，頁307。本論同是引自清水教授，《支那家族の構造》。

程度之上升而增加。

　　(3)華南：最後以廣東省新會縣慈溪村的例子來看華南，經濟狀態被認為是最好的地主兼自耕農之家族平均人口數最多為6.38人，經濟狀態可想是最壞的佃農家族平均人口數是4.61人。只是必須注意的是，只有六戶的地主兼佃農比自耕農平均人口數少。這恐怕是六戶之中有人口特別少的農家，因此僅以六戶的平均數，不能充分表現其一般性質所致。除此特殊的六戶之外，也可看到與上述有大致相同的傾向。

　　又戰後（1946年）所出版朗奧嘉（Olga Lang）的《中國的家族與社會》〔Chinese Family and Society〕之中，朗奧嘉女士也指出，家族結構大大地受社會、經濟的地位所左右，不管是都市、鄉村或傳統的北京、近代化的上海，隨家族社會地位的上升，大家族的比率增大，小家族的比率減少。（朗奧嘉著，小川修譯，《中國的家族與社會》上卷，頁179）

　　接著要從朗奧嘉女士的諸研究來考察家族的型態與社會階級的關係。

　　首先來看各型態家族大小與社會階級關係，就如表13，可看

表12　新會縣慈溪村農家類別與一家平均人口關係（從租佃關係看）

農家類別	佃農	自耕農	自耕兼佃農	地主兼佃農	地主兼自耕農	合計
人口總數	632	671	256	32	370	1.961
家數	137	124	42	6	58	367
一家平均人口	4.61	5.40	6.09	5.33	6.38	5.34

資料來源：據馮和法編，《中國農村經濟資料》，1933年8月1日出版，頁938算出。

出同類型的家族大小也因其家族所屬社會階級的不同而異。亦即各型別家族的大小（從成員數上看），也對應其家族所屬社會階級而增減。例如同是大家族型的家族成員數，在農業勞動者是6.2人，貧農是8.5人，中農是9.9人，富農是8.9人，最富裕的階級的地主家族則占11.4人。又這事實不限於農村，在都市家族也可看到同樣傾向，如表14。

　　以上，主要以家族成員數的結構與社會經濟基礎的關係做考察。同樣可從朗奧嘉女士的研究來看，家族的質的結構與社會階級關係，也與成員數的結構一樣，可看出依其家族所屬社會階級而異，並且相對應。例如在表15華北的458戶農村家族所顯示出

表13　各型態家族的大小（華北458個農村家族）

社會階級	農業勞動者	貧農	中農	富農	地主
小家族	3.7	3.5	4.4	4.5	3.7
中家族	4.7	5.3	6.1	7.0	7.3
大家族	6.2	8.5	9.9	8.9	11.4

資料來源：Olga Lang著，小川修譯，《中國の家族と社会》下冊，頁219。

表14　各型態家族的大小（華北1,365個都市家族）

社會階級	工資生活者	下層中產階級	中產階級	上流階級
小家族	3.2	4.0	4.3	4.8
中家族	4.9	5.2	6.7	6.5
大家族	7.4	8.9	9.3	9.8

資料來源：O. Lang著，小川修譯，前引書下冊，頁219。

表15　家族型態與社會階級（華北458個農村家族）

社會階級		農業勞動者	貧農	中農	富農	地主
家族數		61	163	125	58	51
家庭型態(%)	小家族	54	41	27	17	12
	中家族	35	44	44	42	35
	大家族	11	15	29	41	53

小家族是農業勞動者階層最多，隨社會階級的上升而減少，相反地，大家族在農業勞動者階層少，隨著社會階級的上升而增加。

然而，朗奧嘉女士所分類的中家族——單親——通常是母親——與結婚的兒子和其妻兒（常常是獨子）——的概念，或者是分類的標準，對此我難以贊成。特別在中國，隨時有可能由中家族轉化為大家族型態，而中家族自身所含質的結構，就與近代核心家庭是異質的，因此我寧可把朗奧嘉女士的中家族歸類於與近代小家族有對立概念的複合家族（或大家族）之中。

家族型態與社會階級關係，對個別的家也可同樣地說，即貧窮期的家族結構與富裕之後的家族結構不同。隨著家族經濟的發展，家族的型態也隨著變大。

例如《大地》的王家就是。王家的經濟狀態與其家族之型態的巧妙對應提示我們，中國農家如果有其可能的條件，同樣會學地主富農階層，嘗試著維持大家族型態，又即使是小成員數的家族也不能簡單地以西洋意義的小家庭，來掌握中國家族，這是很危險的兩點，應加以留意。

表16　王家經濟的發展與家族型態

經濟狀態	貧農	中農	地主
構成員數	3	5	10人以上
構成內容	父 王龍夫妻	父 王龍夫妻與二個孩子	王龍及其妻妾 長次男夫婦未婚子女各一，以及孫子們

資料來源：據賽珍珠《大地》所製。

第二項 社會意識的基礎與家族型態

在前項，主要以家族型態與家族社會經濟關係做考察。依據此似乎可說中國家族型態並非固定，而是主要依經濟、社會的諸要因而變化，又因這些要因，家族型態一直被左右至今。

然而，縱使左右家族型態者主要因素是社會、經濟的諸要因，只把這些經濟的基礎當作問題的核心來掌握是不完全的。為了更完全地把握問題，不僅僅是社會、經濟諸要因，我相信家族成員的意識層面──「家」為中心的思想──也有一起掌握的必要。

這個「家」為中心的思想，如何出現在家族型態，首先可舉出以「家」為中心的思想受國家保護與獎勵的事實。

中國歷代王朝在有形無形中，強化「家」為中心的思想，以圖謀當時為政者的安泰以及社會秩序的安定，這是眾所皆知的事實。在教育面於推廣官學的儒學同時，又強化家父長的權威，其結果是直接或間接地發揮防止「家」的崩潰於未然的功能。又從法的層面對家父長以法的保護以及表彰節婦、孝子、烈女，朝廷對大家族制的嘉獎──例如唐朝張公藝「百忍」的故事──等被推行。

因為這些機能發揮的結果，民眾的自然的欲求──以血緣為中心的集結與安定的欲望──相結合，在中國人的思想以及意識上，植入大家族即天堂的理想與夢，並對在父母生前就分家一事，於習俗上形成幾分的否定，因此在社會、經濟諸條件所許可的情況下，表現出對維持大家族制的努力。

　　特別是被儒家倫理觀深深滲透的地主富農階層，所謂的上流階級、有利的社會、經濟諸條件，以及以「大家族」為美德的思想相互作用，形成大家族的家族型態，我認為或許可以這樣推想。

　　又，縱然這些大家族在分家之後，這些已分家的小家族也重新以祖先的「是」，為追求大家族的維持而努力。

　　另外，下層農民雖較少受儒家倫理觀念之教化，但以掌握社會主導權的上流階級的生活習慣，與上流階級的美德為美德是無庸置疑的。

　　這些事讓沒讀過書的王龍（《大地》）在面子上與獲得大家族的榮譽而努力，於是出現大地主「王家」的大家族。

　　將以上所考察概括如下：

　　第一，中國農村家族一般的確是成員數少的家族，從統計數字看，其與西洋家族人數有其類似性。

　　第二，家族的質的結構中，全家族的三至四成是被非單純家族（核心家庭）的複合家族所占。

　　第三，中國農村家族也可分為大家族與小家族，但兩者的底子潛藏著根本的同質性，視社會的經濟條件如何而由大家族型轉變為小家族型，或相反的崩潰與發展的可能性。

　　第四，在中國大眾的意識之中，有以大家族制為理想，隨他們所據而立的社會經濟基礎，常培植中國家族趨向大家族的素質，又促使其走向實現化的道路。

　　因此，只因為中國農村家族成員數少之故，就直接看成是與具有西洋意義的近代家族同義之家族型態是不正確的；又在統計

數字上沒有重要意義、在地主富農階層可多見到的大家族，就斷定那是中國最一般的家族型態，當然也不對。

我們寧可留意這些中國家族所持有大家族型態的素質與傾向，家族成員數不過是因為落後的生產力與經濟條件，加上天災與人禍所引起的結果。在此社會、經濟基礎的生活是不得不做家族主義色彩濃厚的營生，所有價值的基準以「家」為中心做決定，血緣的結合是先於其他所有結合的紐帶。

立足於這個觀點，又鑑於執中國農村自治、政治、經濟等諸生活主導權之牛耳，而其子孫多數成為中國近代革命承擔者的地主富農階級家族，大多數為大家族型態，我深感此事其實說明了不但不能輕視大家族，反而要更加重視。特別是必須究明其家族內封建、前近代的人際關係，以及其全體家族的前近代性性格。

第二章　家族制度

　　首先對家族制度這個詞彙的概念加以思考時，以日本的諸研究為例，如恆藤恭教授在家族制度論（《家族制度全集・史論篇》）、玉城肇教授在《日本家族制度的批判》〔《日本家族制度の批判》〕中所各自指出的，家族制度這個詞彙不僅只具有一種意義，而且是依使用者的想法運用，所代表的意義也各不相同，使用得極為含糊的例子有很多。

　　這個情形在中國也同樣有，我們來試著看陶希聖所寫《婚姻與家族》頁4：「這以後，族居制逐漸地變化為家長制的家族制度，最近30年，家族制度又逐漸分解漸進為夫婦型態的家族制度。」在此亦可知詞彙的含糊，加上對家族制度這個詞彙的概念的不統一，也同時有必要指出。

　　我在本文所要討論的家族制度也是不出一般廣義解釋的家族制度——即所有的國家及其他諸社會，對其國家或社會構成員的家族與其關係，家族結構以及其功能所賦予的規律的總稱——之一類型，然而實際上，國家或者社會所賦予對家族的諸規律也絕不是完全與現實家族生活一致。特別是在中國的農村、家族制度與下層農民的現實家族生活的偏差不小。

　　但是也不能將之想為這個家族制度已完全崩潰而近代化了，

積習甚深、以大家族制為理想且維持著地主富農階級的家族生活，應可理解這樣的家族制度依然影響深遠。

此中國的家族制度，當然不是西方所指的夫婦型態家族制度，大概可想作是與之對立、具有前近代性的性質，而且可看成是以儒家倫理為其社會意識支柱的家父長家族制度。我要以此家族制度為研究對象並把這個家族制度的具體顯現——第一家父長權威，第二惡劣的婦女地位，我想透過這兩點來考察舊中國的家族結構。

第一節　家父長的權威與父子關係

前面提過，儒家就是中國家父長家族制度意識形態的支柱。

而儒家不只是中國家族制度之意識形態之支柱，實際上到最近儒家仍占中國所公認意識形態的支配地位。此精神是做為中國歷代的哲學文獻伊始，小說、詩以至歷代王朝的法令的中心思想，而影響民眾的生活，這是眾所周知的事實。

但是，此儒家的意識形態是否滲透並支配所有中國人的日常生活？其實並不是。特別是在經濟貧困與農業經營共同作業中，貧農階級在現實的生活結構與所期待的生活結構之間有明顯的落差。然而這些貧農階層在社會、經濟的條件變好時，得而向所謂的大家族發展，即如前面所提。這是權威主義家族的典型，在所謂的上流階級——地主富農階級——的家父長家族可見到很多同樣重要的事情。

特別在這些所謂上流階級的家族生活，儒家發揮很大的作

用，所謂士大夫的儒家意識形態，與現實生活有意識地結合起來，成為他們的道德觀念。

第一項　出現在儒家中的家父長權威與父子關係

以下就來考察儒家對中國家族以及家族生活給予什麼樣的規定，即如何教導大眾的生活。

替代春秋戰國的混亂社會，以有秩序的社會為理想和目的的孔子，首先教人「知本」、知根本，更進一步說，賢人知根本而通於道。「物有本末，事有終始，知所先後，則近道矣。」（《大學》）這亦即教人首先要知祖先，從敬老思想到提示權威為正當的事之後，教導有秩序安寧之道。

在我的台灣舊家正廳，現在還有如下對聯：「喬木發於枝原為一本，長江分萬派總是同源。」這是孔子所說「知本」與敬祖思想的最佳顯現。祖先牌位及其後面所掛的這些警世之句，經常讓子孫想起祖先的遺業，而且無形之中要求對當代家父長以及兄長必須尊敬，又盡到保證家父長權威的功能。

孔子要求一般民眾絕對服從，相反地對做為統治者的君主、領導者也要求其權威受民眾所歡迎，成為道德清高的官吏與君主。「所謂治國必先齊其家者，其家不可教，而能教人者無之。故君子不出家而成教於國。孝者，所以事君也；弟者，所以事長也；慈者，所以使眾也。」此即強調國家所要求的良民，以及統治者的君主之「家族」教育的重要性。

合乎官僚國家要求的儒家，以官學的角色來說，當然是非常

重視「家」對「國」所盡的職責。

家對國所應盡的職責，按儒家的規定，可分為兩大職責：

第一，是教育國家所要求的良民職責；第二，是當為專制主義政治橋頭堡的家之職責。關於此二職責，儒家首先充分利用「家」所具備的教育機能，將其執行者的職權託付給嚴父，在家中，首先要求並教導家族成員對家父長的絕對服從，造就能遵守此要求與教導的人。對家父長能夠絕對服從且能守住家的秩序的良民型者，可正當化對家父長的絕對服從，對既定秩序盲目守舊的同時，成為專制主義政治的基礎。

做為國家社會最基底的社會集團——家的和平與秩序的安寧，直接連結到專制主義國家以及其社會的安泰。

孔子在《大學》之中謂：「古之欲明明德於天下者，先治其國；欲治其國者，先齊其家；欲齊其家者，先修其身；欲修其身者，先正其心；欲正其心者，先誠其意；欲誠其意者，先致其知，致知在格物……」做如上之教誨。

儒家這樣期待尊重家與父母的權威，個人被教育成絕對服從者，他們在家之外的社會，伺候長上與君主，接受國家與統治者的權威，造就出盲目的、絕對服從的良民，然後天下便能太平。

孔子又在《大學》述及：「物格而後知至，知至而後意誠，意誠而後心正，心正而後身修，身修而後家齊，家齊而後國治，國治而後天下平。」儒家的代表性哲學家孟子也說，天下之根本在於國，國之根本在於家，家之根本在於個人——孟子曰：「人有恆言，皆曰『天下國家』。天下之本在國，國之本在家，家之本在身。」（《孟子・離婁上》）當然孟子所說或是期待的個

人，不是指近代化以後個人主義的個人，而是指近代化之前家族主義的個人。

儒家重視「家」，尊重與獎勵家父長的權威與祖先崇拜已如上所說。接著來考察在家族內的家族成員關係為何。

孔子在《孝經》中做了「孝為一切行為之基」的規定，首先說「從對雙親盡孝開始」，亦即自子女對待雙親的孝行說起，家的中心放在父與子、親與子的關係。父與子的關係之後，接著就是兄與弟的關係，將這些擴大便是對年長者與年少者、統治者與被統治者、君王與臣下的絕對權威與盲目的絕對服從關係，使之發展與轉嫁。

特別是要求對家父長家族成員的絕對服從與孝的道德被當成「百行之基」，即是以孝做為家父長權威的基礎，也是家族制度的精神支柱。

又孔子所舉五倫──五大人際關係──之中的三項都在家族關係，此即表示中國古老的德目以家族的德目占較多分量，這是與前述「家」的重視必須一併加以重視的。

這三項家族關係就是父子、夫婦、長幼──兄弟──《孟子‧滕文公上》：「人之有道也，飽食暖衣，逸居而無教，則近於禽獸，聖人有憂之，使契為司徒，教以人倫：父子有親，君臣有義，夫婦有別，長幼有序，朋友有信。」此中五大人際關係的最初關係是父子關係，此父子關係先行於君臣關係，而日本是君臣關係先行於一切關係，兩者做比較是很有趣的。

來看儒家如何說家的中心關係──父子關係。

《大學》：「詩云：『穆穆文王，於緝熙敬止。』為人君止

於仁，為人臣止於敬，為人子止於孝，為人父止於慈，與國人交止於信。」儒者說：「為人子止於孝，為人父止於慈。」又《管子‧形勢解》也說：「慈為父母之高行，孝為子婦之高行。」換言之，親與子、父與子之關係又可以「慈」與「孝」二字來概括思考。

這慈與孝意味著什麼？依《康熙字典》：「慈，愛也，父母之愛子也。」但同是父母對子之愛是慈，慈毋寧是帶有母性性格，如母對幼兒的照顧，此多意含著養育之情愛。所以中國對他人自稱母親是家慈，父親為家嚴。這是與清水教授所指出的：「道德對父母要求慈愛是限於子女比較年少的期間，隨著子女之成長，父母之慈應次第轉為嚴」（清水盛光，《中國家族的結構》，頁40）有其共通之處吧？這又是舊時代的中國教育——主要以家族內以及私塾的教育——是幼年期以母親的慈愛養育而放任，自少年期至青年期，是以嚴格的父親和私塾的老師——往往是做為父親代行者的角色——嚴格的鞭的教育，以沒個性的背誦，以及始終以死記硬背的教育做結束，進入老年期，又安於老人之身分，而受兒子們的扶養。此即在中國未施行對自己負責任的成人教育，而是由上的嚴格之鞭與固定化、既成化的模式，個人因而被框制住，便造就出不負責任、沒個性而盲目的成人，這是理所當然的結果。

那麼孝意味著什麼？同樣依《康熙字典》即「善事父母者」，亦即被解釋為善於服侍父母者。又依《孝經》則為「夫孝，天之經也，地之義也，民之行也」，亦即孝為天經地義，是人民當然必行的行為。又《論語‧為政》把孝的最小限度規定為

「養之事」──「子游問孝。子曰：今之孝者，是謂能養。至於犬馬，皆能有養。不敬，何以別乎。」

由此觀之，儒家所說的「孝」，最基本的要求是在奉養父母此事，孟子也提出五大不孝，其中有三項是說不扶養父母。孟子曰：

> 世俗所謂不孝者五：惰其四支，不顧父母之養，一不孝也；博弈好飲酒，不顧父母之養，二不孝也；好財貨，私妻子，不顧父母之養，三不孝也；從耳目之欲以為父母戮，四不孝也。好勇鬥狠，以危父母，五不孝也。

儒家學者如上所述，一有機會便解說「孝」，並且說，對父母的扶養是「孝」最基本的表現。

然而，凡是人者，通古今東西，除特別例外者，恐怕任何人都對自己父母親有著血的相連與受養育之恩的特別感情，即應抱有親愛之情。儘管如此，孔子學派的諸家一再強調，孝為養之事──善於服侍父母即為孝，孝之主要為對父母之扶養──以強求人們，我想這不是單純的倫理或道德的問題，在其社會的根柢潛藏著更深刻的經濟問題。亦即此再三的對「孝」的強調，透露出當時的農業生產力情形──在農業經營上的嚴苛與生活的緊迫。

如以上所觀察，儒家以官學的角色，配合官僚國家的要求，首先對人們把「應知根本」的祖先崇拜思想引導出家父長崇拜思想，「家」中心思想與做為國家以及統治者保險閥之「家」的秩

序與和平的強化，託付於家父長的教導權與統率權，此家父長權又以對孝的道德的絕對要求，即對父母的扶養來做保證，而以之教導說服人們。

從另一面來說，的確家父長的權威是由國家保護教化而得，換句話說，可想成是由上位者所賦予，但是這種想法到底只是片面，並非全然如此。我認為那不只是被賦予，或許也包含著民眾從實際生活而來的欲求。

當時的農民生活——自給自足——與農業經營的低生產性，使得農民的生產集團又是消費集團的「家」的單位要求強大的家父長權力同時，也具備其發生的基本條件。

在農耕技術上，年長者的經驗被認為是絕對必要，這便產生了敬老思想，此又連結到祖先崇拜思想；另一方面在生活開銷上，為求能在窘迫的家計生活中做公平安排，於是希望能有對家族強有力的統率者。敬老思想的產生與統率者的要求加起來，變成家父長權力的要求，這與上述國家所要求的家父長權合而為一，成全家父長權威的存續，是否可作如是想？

前面我曾提過，做為對家父長權的保證的「孝」，與其說是道德或良心的問題，不如說是潛藏在其基底的經濟問題。因此對家族的家父長權，也隨著家族所占的階級以及經濟狀態的不同而有微妙差異。這是所謂儒家的期待與現實生活之間有所偏離的部分。

那麼，這個「偏離」是如何出現的？又，中國家長以及家父長權力的具體性格如何？擬於下面討論。

第二項 現實生活上所見家父長權力與父子關係

中國的家長——或稱為當家——是與日本明治民法上的戶主不同，不一定是嫡長子——繼承人——來當，原則上是家族成員中的最年長、輩分最高者來當。但如果該年長者能力被認為不適當之際，即有子代父、弟代兄、甥代伯叔父當家的情形，換句話說，能力和世代與年齡都是當家長的條件之一。

此外，也有婦女代男子當家的情形，最多的情形是失去丈夫的母親，同時也有因對外事物的處理之故，形式上以年幼男孩為名義上的家長。

家長的成立與日本有如此不同，中國的家父長權或許被認為比日本的戶主權力要弱。

然而，如果家長是家族成員的共同父祖之父或祖父的情形，對直系卑屬所附隨絕對的教令權之故，其家父長權力是很大的。

在此做為問題討論的家父長權力，是指家長是家族共同的父祖之父或祖父為同一人，將此兩者合而為一的權力。

如此強大的家父長權力，足以主張家族成員的財產、身體，甚至人格的專屬或所有。財產上，常有中國的家產制之說，據仁井田教授所引用的中田博士的話：「直系尊屬對子孫，因有強大的教令權之故，他的共有財產管理權自然與此教令權混合，兩者之區別不分明，所以如何管理共有財產完全是其自由。加之，他如果擅自處分共有財產，子孫對此亦不得有任何的異議。」（仁井田陞，《中國的農村家族》，頁220）。依家父長的想法，不過依這家產的成立如何也會有所不同。例如，此家產為當家父長

親手所成的情形是不必解釋的，但如果是祖先傳下的遺產所成者，因受同族或道德的限制——賣祖先的財產會被譴責為不孝者的同時，也有死後沒臉見祖先的罪惡感——而多少有所控制。但是當家父長是蠻橫性格之人，這些諸限制的框架也很容易被突破，無法發揮此等效力。

儒家學者又如此說：「父母在，不敢有其身，不敢私其財，示民有上下也，身及財皆當統於父母也。」（《禮記‧坊記》）即父母在世時，不可主張自己的身體與財產是自己的，那是全部要放在雙親統率之下。很明確的是在雙親之前，為子者以沒有「個人」為「是」。此儒家的期待與想法可想是深深地滲透到民眾生活中。例如，數年前台灣的報紙所報導的孝子傳——人子將自己的大腿肉切下，代替豬肉煮湯以供奉病榻上的父親的故事——可推想是由「身體髮膚受之父母」的想法來的。現在也常可聽到雙親責打孩子時有慣用語「打死你」這句話。當然，真的殺死自己孩子的雙親並不多，但是這個句子之中所蘊含的思想，仍表現出雙親對孩子的人格以及身體的專屬觀。

此雙親對子女的一切專屬觀，不僅儒家如此說，民眾自身的意識之中也存在，國家更透過法律容許並保護。

舊中國的法律有關親屬間相犯的規定足以說明此事——亦即親屬間的相犯，與喪服親疏的階段成比例，對親屬犯罪如愈親其罪愈重。而對卑幼親屬的犯罪愈親其罪愈輕。甚且親屬間的犯罪除了謀反大逆之外，不僅被允許，如提出告訴，即使是真實的告訴，也會處以嚴刑（牧野巽，〈支那的家族制度〉，《支那問題辭典》，頁119）。

有關這個規定，令我想起少年時代村裡發生的殺人事件。某夏天的近午時分，近處的村人誤以鋤頭殺死了幼兒，這不幸的誤殺幼兒的母親立刻被警察扣留，不能信服的村人議論紛紛，「自己的孩子，而且是誤殺云云……」，村裡人的看法，即是子之一切專屬於雙親意識傳統觀念的明顯表現。

再者，人子的沒個性以及對父母權威毫無批判性，是儒家所要求的，父母就算做了不對的事，或對人子犯了很大的錯誤，那是不能批評、不能反駁，也不能辯解的。

例如《論語》有：「子曰：事父母幾諫，見志不從，又敬不違，勞而不怨。」如上即可知。在《論語》之中，人子又被要求如次：「子曰：父在觀其志，父沒觀其行，三年無改於父之道，謂之孝矣。」亦即不問父之在世或去世，須模仿其父，守其父之道。

如此強大的家父長權力並不適用於所有中國家族，如同大家族型態並非所有中國家族都是同樣的。其強度視其家族所占社會、經濟的地位而定，地位愈高其權力愈強。此即在上流社會，家父長以優勢的經濟力為背景，其家父長權力變強。另一方面因大家族制之中複雜的人際關係——結婚後的經濟利害以及媳婦之間的關係等——的統一、和合必須有強大的家父長權力，也是大家族制的生活要求所致。

巴金的《家》所看到祖父絕大的權力，與在尾崎秀實的友人父親所看到的權力——我的一位長年深交、於無錫出生的科學家好友，回到家鄉，在其擁有高大權力的父親之下，畏縮而低聲下氣——（尾崎秀實，《中國社會經濟論》〔《支那社会経済

論》〕，頁35）是為佳例。

　　相反的，對貧農來說，愈貧窮，相對地其家父長權力便愈薄弱。為了生活與生存之故，毋寧可想為父子間、家父長與家族成員之間，會建立出強有力的合作體制。特別是從農業經營的層面來看時，從父親的立場，孩子是重要的幹活的人，也是自己絕對需要的養老保險。反過來看，精細農業又需要老農的體驗，特別是具有對農耕的時期、天文以及氣象、肥料以及灌溉等的經驗與知識，老人——父祖——也極其重要，這是無庸置疑的。

　　如此一來，因家的經濟狀況不同，家族成員間的人際關係也有所不同，我不贊成只將中國的家父長權力過度地視為普遍強大之物。

　　但是如果對家父長權力的評價過低也是危險的吧。因為依社會階級以及地方因習使得家父長權力的強弱，或多或少有些微妙的不同，但在如此社會經濟的基礎與家族主義的氛圍下，不能期待身為人子「個人」的覺醒，在本質上沒有什麼不同之故。

　　如上面所做考察，中國的家父長權力的確可看到在上流階級很強大，這又是因為教育以及在法律上也一直被強化所致。

　　家父長的絕對權威與對此權威的家族成員的絕對服從關係，對父親的權威，身為人子的依存與絕對的信賴，造就了人子的盲目、沒個性、無批判性、沒有主體性，成人之後便變成對社會不能充分盡到責任的人。

　　國家把這父與子的關係——權威與服從——發展到國家對個人的關係、君臣的關係、長上與幼下的關係，絕對服從長輩，對長輩的所為、統治者的施政不許非議與批評。

第二節　婦女的地位

東洋社會一般地說是男尊女卑的社會，中國當然也不例外。女性與小人一起被孔子的世界所踢開這是很有名的──子曰：「唯女子與小人為難養也，近之則不孫，遠之則怨。」（《論語・陽貨》）

的確，在中國社會，家庭子女與主婦兩千年來──或更長也說不定──處於被壓迫階級之中的低層地位。

如陳東原所說，實際中國婦女生活的歷史，就是被踐踏的女性的歷史（陳東原，《中國婦女生活史》，頁19）這樣說也不為過，中國婦女生活是悲慘的，同時社會地位也很惡劣。

在考察有關婦女的地位之前，必須先說明的是，雖然本質上相同，但同為婦女的地位，隨該婦女所屬家族的社會、經濟階級不同，其內容也有別。亦即同是妻子的位置，貧農、中農的妻子，地主富農之妻或商人之妻等，各具不同意涵，詳細待後述。先講對婦女的歧視觀、卑賤觀的因習以及何種因緣，這使我想加以考察。

然而，這個問題是要回溯歷史做分析始可得到答案，本論先從經濟與思想兩個面向來做考察。

第一項　從經濟面的考察

首先就經濟因素來考慮，婦女漸次從農耕上的重要角色遠離，我認為這是最重要的原因。

　　一般婦女的地位，極受她在家族內的生產上或生計收入上所占角色的程度所左右。（當然要把握家族內的夫婦關係時，夫婦個人的性格分析是必要的，但中心問題還是「力量」的保證，即在經濟上的問題。）

　　例如《大地》中王龍的家族便可見到，王龍妻子的地位即足以說明。貧農時代（結婚初期）的阿藍是王龍農耕上的好伴侶，雖懷孕也在田裡一起工作的阿藍，其地位隨王家的社會經濟階級上升而漸次後退。與此有明確不同的是，當變成大地主時的王龍納妾，她幾乎不能抗議，此是個好對照。

　　又，以地主富農階級是最受儒家倫理滲透並實踐的階級來推察，儒家對婦女禮制或道德規律之強，對此階級的婦女生活因而有很大的影響。

　　這些規律在上流階級不受經濟問題的制衡、直接進入的結果，地主富農層的婦女地位比貧中農層的婦女地位又更加惡劣，發言權也有限。

　　如此，對貧農而言，婦女權相對之下較為強大，另一面，其夫權相對不那麼強；但中農、富農、地主、大地主階級愈上升，相對於男性的女性，其經濟寄生度愈高，所占地位愈低，發言權就愈弱。

　　石母田〔正〕教授所做的分析〈商人之妻〉（《歷史與民族的發現》，頁317）也可看到同樣的傾向。順便提一點，教授的分析是〈搬錯死骸〉（入矢義高譯，《雨窗欹枕集》）之中的商人喬俊，以千貫文買一妾，回到家要求其妻與妾同居，妻發脾氣，提出下述的兩個條件做回答，而「如果主人能接納，妻亦可

容認妾」。

　　兩個條件如下：

　　第一，「那時高氏對丈夫說：『你現在既收領了那個女人，你就在外面和她一起生活吧，不可以帶進家裡。』」

　　第二，「高氏又說：『從今天起，不要和你一起生活。家裡的金錢、家具、頭飾、衣服，我和女兒兩個要使用，不讓你動手，聽到了沒有。』」

　　對此兩個條件，丈夫的回答是：「一切就照妳說的做吧。」而妥協。

　　上面的對話是夫婦倆交涉的場面，令我思索的是，那妻子有何過人之處能讓這個丈夫乖乖聽話？高氏毅然態度的根據是什麼？這商人喬俊、妻高氏的性格如何？值得探究。但主要還是高氏在丈夫出外行商不在家的時候，她所承擔的商賈角色，在蓄積家產過程所扮演的重大角色是「力量」的保證，這是我的推想。

第二項　從思想面的考察

　　接著就從思想面來看。可以從佛教與儒家的影響兩個面向來考慮。

　　如朗奧嘉所指出（朗奧嘉，前引書，p.53），佛教把女性看成是萬惡的人格化。因佛教徒所占的成數很大，其影響之大也就容易推察了。只是佛教如何影響、具體如何呈顯，我自己的研究不夠，手中沒有資料，不能做考察是很遺憾的，願留作今後研究課題之一。

　　從儒家的一面來說，有很多對婦女生活的規定，其重要的舉出如後：

　　首先是三從之道，即對婦女生涯中，教其不要有獨自的思考與意志去行動，幼小時從其父兄，嫁後從夫，夫死亡後從子，說是抹殺婦人的獨立主體性我想也並不為過。關於此規定，孔子這樣說：

> 男子者，任天道而長萬物也，知可爲，知不可爲；知可言，知不可言；知可行，知不可行者也。是故審其倫而明其別謂之知，所以效匹夫之聽（德）也。女子者，順男子之教而長其理者也，是故無專制之義，而有三從之道；幼從父兄，既嫁從夫，夫死從子，言無再醮之端，教令不出於閨門，事在供酒食而已，無闡外之非儀也。……孔子遂言曰，女有五不取：逆家之子者、亂子之子者、世有刑人子者、有惡疾子者、喪父長子者。婦有七出、三不去。七出者，不順父母者、無子者、淫僻者、嫉妒者、惡疾者、多口舌者、竊盜者。三不去者，謂有所取無所歸；共更三年之喪；先貧賤，後富貴。凡此聖人所以順男女之際，重婚姻之始也。（《孔子家語‧本命解第二十六》）

　　從以上孔子之言來看，可知儒家是如何地男尊女卑，儒家倫理主張男性的優勢，而婦女地位低下。

　　又以婦女的沒個性為「是」，很明確的，連獨立的人格都予以忽視。更不止忽視而已，又說男人一切都比女人強，女人就在男人統率下過活即可。

　　至於七出的原則是單方地強化夫權，賦予丈夫強制離婚的權利。所謂七出是，當為妻者，不順從父母者；無子者；有淫亂之習僻者；嫉妒者；有惡疾者；多言者以及竊盜者之中有一項符合，丈夫即可單方地與其離婚。

　　試著與日本《女大學》〔《女大学》〕的七去相對照看，即可知是幾乎相同：

　　（一）為不順從公婆者必去；（二）為無子之女必去，娶妻是為子孫相續之故也，然婦人之心正、規矩、無嫉妒心者可不去，而應領養同性者之子。或妾有子，妻雖無子可不去；（三）為淫亂者去；（四）為客氣深者去；（五）為有痲瘋病等之惡疾者去；（六）為多言不慎言而過之，因之與親戚不睦而亂家者去；（七）為有盜者之心者去。此七去皆聖人之教也。（宮本百合子，《給年輕的女性》，頁44）

　　如宮本、中川兩位的批評（宮本前引書；中川善之助，《女大學批判》），此七去的規定是包含很多非常不合理的層面。

　　例如第二項的無子者，明確的完全無視婦女的人格，而只將之當成生子的工具來看。且不談人格的問題，近代科學告訴我們無子、不孕的原因，丈夫的責任是占過半的。科學文明未發達之前，無法使之明白此事實。又，血脈之傳承被視為絕對必要（所以無子為最大之不孝，是因不能供祀祖先，因此令死去的祖先淪落地獄等想法）的時代，就是追求由愛情的結合，也會受咒術的妨害。而這些影響一直延續到現代，造成離婚之後再婚，卻生了

很多小孩的悲喜劇，無視近代的倫理與人性，為了生子強制與妾同居，我認為是不可原諒的。

其他的六項：不順從父母、淫僻、嫉妒、惡疾、多言以及竊盜等視其程度、實際情況如何，或許可成為離婚的理由，但是中國舊法所容認的強大家父長權與夫權，把這六項目經常是依男人方便而給予操縱。近代個人主義的確立與民主的家族關係是不能僅以此不順從父母（大概的場合是依單方面的判斷，由父母恣意所做的判斷居多）的一句，就成為離婚的充分理由。

又，多言（多辯）、淫僻也不是婦女的專利，卻只歸罪於婦女，從婦女的立場來說，可真是無辜的災難。

如上所述，女性在過去，其獨立自尊的精神與生活都未被認可。人格及生活的獨立性不被認可此事，可由婦女在財產均分權被除外，與婦女被禁止擁有私蓄等即可窺知。《禮記》內則有「子婦無私貨，無私蓄，無私器」，是其思想直截了當的表現。

再者，上述諸規範成為中國舊法想法的根據，也呈顯在實際法規上並發揮功能，這就如同杵淵先生所指出者（杵淵義房，《台灣社會事業史》，頁396）。

接著從一般的禮制上來看對婦女的規定。

首先是孔子之言：「男女七歲，不同席……」──「七年，男女不同席，不共食」（《禮記‧內則》）──伊始，連男女的共食也遭禁止。

曾經來過台灣，出席過台灣人家庭宴席的日本人，恐怕對此感到不解吧，直到最近，除非是思想相當進步的家庭之外，婦女不在客人面前露臉，同時也不在宴席上伺候客人是一般情形。普

通家庭內的用餐，婦女是在廚房吃男子和小孩吃剩的，這不是只為工作的方便，而是上述男女不同席、不共食的想法頑強地留傳下來的影響所及。

其他如男女交際的禁止（當然戀愛是被禁止的）、外出的禁止、出入公共場所的限制等。特別是到現在〔1958年〕，在台灣南部還可看到用黑布覆蓋頭臉，為行走方便只剩雙眼之覆面習俗，這不只是美的觀念──防止曬黑──使然，《禮記‧內則》所規定「女子出門，必擁蔽其面」的遺風，還存留在民眾的意識中，而發揮表現在生活上。

但這些禮制的規定，與其他儒家倫理一樣，並未能充分普及於一般庶民。孔子自己也在《禮記‧曲禮》中說：「禮不下庶民，刑不上大夫」，並不期待庶民能做到。

當然這與孔子不把一般大眾當作對象不無關係，但重要的是，一般大眾在困苦生活中，難以接納儒家所教導的禮制。如此推想或許比較接近實情。

最後來考察，把婦女視為物品、限制其行動最具體表現的「纏足」與「童養媳」習俗。

第三項　纏足的習俗

纏足又叫作弓足、裹足、小腳、包腳，是除了滿族、苗族以及客家人之外，其他大部分漢民族的習俗，把婦女的兩腳在幼年時──五、六歲──緊緊地裹起來，不讓腳變大。

有關此習俗的起源有種種傳言，即牽制婦女的淫奔，或防止

逃離的搶婚遺習，或為了充分滿足性欲之故，或為偶然、好奇的戲謔而產生等等說法（杵淵義房，前引書，頁849）。

　　然而，有此習俗的可能因素，不外是把婦女勞動從農耕以及野外的重勞動中，使其可能從中解脫的生產力發展。而且這習俗的流行，開始於上流社會，逐漸擴展到下面階層，根深柢固地成為美的理想。

　　起源的傳說姑且不談，總之最初實施的是可以無視婦女的痛苦（把腳扭曲而妨礙其發育，最初的幾年令婦女忍受相當痛苦）的統治者同時，其目的如朗奧嘉所說：「纏足是把婦女關起來，使之變成安全不走動的財產。」（朗奧嘉，前引書，p.57）這又與前面所說的儒家的女性觀──視其為劣性、獨立性的否定、禮制的行動自由的束縛以及視女性為奴隸──我認為是相通的。

　　但是這個根深柢固的美的象徵、理想的纏足習俗，也沒能排開經濟的貧困與嚴苛的生活，滲透到所有的階層且普遍化。可佐證的是，在中流以上的社會廣為施行，但一般的情況是勞動者、婢女或貧農的婦女之間並未施行。

　　非實用且不便於重勞動與野外勞動，然而貧農階層的男人們，還是學上流階層的美的觀點，明知不便、不可能，也抱著自己的妻子是「小腳女」的夢。

　　貧農的王龍去娶親時所說的話，說明了這種心態。

　　　王龍初次聽得她的聲音，趁她站在面前的時候，向她背部瞟了
　　一下。這是頂好的聲音，不響亮也不嬌細，平平的、並不是性
　　情乖張的。她的頭髮又整潔又光滑，布襖也清潔。但有些悵惘

的是她的腳沒有纏過。」（《大地》，河出書房，頁17；字下圓點
．．．．．．．．．．
為筆者所加）〔據中譯本《大地》錄入，台北：遠景，1992〕

　　纏足不只如此地拘束了女人的自由，而且更加強了儒家以及
佛教所說的女性劣性。

　　以儒家等觀念以及法律拘束還不能滿足的統治者與男人們，
又在女人的雙腳施行物理的變化、實質上限制，拘束了她們的行
動的自由，這樣說是不為過的。

　　只是在此不能不留意的是，事實上，對民國革命後所發起的
解除纏足運動，最為強力的抵抗者是誰──即為婦女們自身的事
實。此事是提示因習力量多麼強大之例。

第四項　童養媳的習俗

　　童養媳又叫作媳婦仔、小媳婦。將來是要當作家庭內的男人
之妻為目的，預先抱養異姓（同姓不婚的鐵則）幼女的習俗。

　　童養媳的最終目的，當然是要當作男孩子之妻，但在做媳婦
之前，那又是最廉價、最好用的勞動用途。

　　對女性的視其為劣性在前面已講過，中國的父母也不高興女
兒的誕生，從溺女嬰的風俗或盡早把幼女出售給人當童養媳的習
俗即可知，小孩出生一個月的慶生──慶祝彌月或滿月──給男
孩舉辦得很盛大，但女孩卻幾乎不舉辦是同樣的道理。

　　童養媳先是被自己的親生父母當成白吃飯的多餘者──遲早
要變成他人、要嫁出去──來對待，此即賣方。另一方的買方是

因可廉價——成人後的結婚的場合，需要高昂的聘金與種種費用——獲得孩子的媳婦的同時，自幼小時的養育，可以照自己的想法去訓練，是最好用又可充分使用的勞動力等多方面的有利點。

經過這個養育的過程，童養媳不只認真，彼此的脾氣、性情都熟知，在複雜的家庭中能夠成為再好不過的媳婦。

像這樣做為家內奴隸的類型而存續的童養媳，不管其娘家的好壞，是背負著不幸的未來之人。

可是這可憐的童養媳在進入近代後隨著「個人」覺醒潮流的湧來，已成為一大社會問題而浮顯出來。

例如，近年在台灣可看到童養媳與養女的問題——其實養女與童養媳的不同，是有無與男子的婚約而已，多數養女，也只是名義上的養女，實情是遭受連下女都不如的冷淡待遇——是其代表性的。

對非人性待遇的反抗，對幼小時所定婚姻的否定，透過對獨立自尊精神的憧憬，想從舊有的桎梏脫逃的童養媳，與被仰賴為勞動力、並投下資本的未來遭遇叛逆媳婦的養父母之間的衝突是激烈的。

上述之外，還有溺女嬰的風習、女子教育無用論（女子無才便是德）、丈夫殺通姦之妻不被問罪、容許丈夫通姦、蓄妾等。相反的，對婦女則是設烈婦、節婦的表彰制、不事二夫等要求不勝枚舉。過去的中國社會是把女人當物品，視為劣性、非人的看待。

因此這讓陳東原感歎：「我們婦女生活的歷史，只是一部被

摧殘的女性歷史。」（前引書，頁19）

第三節　正在崩潰中的家族制度

在前面兩節把家族制度中所呈現的家族關係，主要聚焦在家父長權威與婦女的地位的兩個層面上做考察。

概括起來，就是中國的家族是以農耕上的需要而產生敬老思想，並以儒家之孝道為人倫百行之始的教導，提高並保證了家父長權威。另一方面，對人子而言，青年的地位在被完全忽視的社會中，在畏懼與強制的家父長權威之下的觀念，被阻止獨立自尊的生活，被要求對父親的盲目服從與依賴、沒個性與無批判性。這種「家之子」的生活，同時與中國的經濟結構，我認為可算是在民眾的意識上，帶來中國停滯與無變化的主要原因之一。

總言之，男性本位的社會，因官學的儒家、大眾宗教的佛教，加上法律、社會制度都強調女性的劣性，女性的一生只是過著服從的生活──三從之道──做為義務被強制，不被分與財產，殺嬰的對象是女嬰，溺女嬰的習俗被視為當然。

又，剝奪女性一切自由的社會，不以此而滿足，又把婦女的腳在物理上使之變形，更深化了婦女的奴隸地位。

加上父母的教令權又伸展到孩子的婚姻，婚姻幾乎全由雙親決定，當事者的感情、希望與愛情被漠視，用來當作強力的勞動力與廉價的媳婦，便有童養媳習俗的固定化。

然而這些由國家以及社會所給予的制度性規律，不一定在全農民家族可觀察到。當然下層農民常在情況允許時，不否定會效

法上層農民或地主階級等的生活方式，但意識形態、法的規定以及制度的束縛，必然受農民的經濟條件強力地檢驗之後才出現，此事亦有必要納入考慮。

像這樣不合理的家族制度、苛酷的成規，也因19世紀初葉開始列國對中國進行的侵略與資本主義的滲透，雖緩慢但不得不崩潰。

以往在「中華思想」框架之中安閒地走過來的中國人，體驗了比自己擁有強力武器與優越技術之他民族武力侵略。

與武力侵略並行而來的經濟侵略，以及如洪水般湧入的外國商品，開始解構中國的經濟結構，把中國農村經濟趕進破產之道路。

新的社會經濟環境與工業化的過程一開始，西洋新的啟蒙思想也滲透進來並被接受，開始顯現。

新進的學者、評論家或作家，把以往被看作絕對的儒家倫理、家族制度，甚至連孔子都開始拿來批判。

對這些批判發揮中心機能的雜誌，是20世紀初的代表性論客之一、同時是北京大學文學部長陳獨秀所率領的《新青年》，而對舊思想否定與批評運動的根據地是北京大學。

《新青年》以北京大學為中心所進行的思想啟蒙運動，不久便發展成五四運動。

新世代的人們，傾倒於魯迅的〈狂人日記〉，激發對大家族制與儒家的批評在意識層面急速升高，更被批判大家族制的巴金的《家》所感動，對易卜生（Henrik Ibsen）的《玩偶之家》〔*A doll's house*〕的諾拉產生共鳴。

　　但是，對此轟轟烈烈的啟蒙運動以及資本主義與帝國主義諸國的經濟侵略，舊傳統與保守城堡的農村頑強地面對，在那裡的是家族主義的社會，他們的行動方式還是家族主義的行動方式。

第三章　中國的家族主義

在前面兩章考察了中國的家族結構以及家族制度。

特別是看到這個古老的家父長家族制度尚強力地發揮著機能，在規定著中國人的生活。

在本論的序中談到家族主義的網，不只把個人的家族生活，包括村落生活、都市生活等，且及於中國人的全社會生活，在所有的層面把個人包攝進去，造就了家族主義「人種」，對近代合理主義形成強有力的防波堤。

那麼，這個家族主義，即上述的家族結構，特別是以家族制度做為基礎的家族主義會帶著如何的性格，如何在中國人的社會生活發揮機能，並且如何阻礙中國社會的近代化，就此我想試著做考察。

第一節　關於家族意識

要談論中國的家族主義時，便有必要考察家族集團擴大形成的社會集團的宗族。

特別是由此宗族而來的「姓」的共同連帶意識與家族主義的意義不無關係，毋寧說是形成密切的相互關係，而且互相影響。

　　要考察宗族意識之前，必須弄清楚何謂宗族的問題。宗族是父系的親族，在父系制度的中國，意味著同姓的父系親族。

　　實際上，中國的親族在父系與母系親族之間，有明確的區分。從戶田博士所指出在親族稱呼上，可看到的父系與母系兩方的不同（戶田貞三，《家族結構》，頁294），又可從久遠以來的異姓不養習俗與同姓不婚鐵則上可容易推察。

　　在現實生活中，母親在世時還勉強保持關係，去世以後便年比一年地與所謂的外親（母方的親族）的關係或生活來往漸趨淡化，第二代（即孫與外祖母的親族）以後便幾乎沒有往來。

　　與此相比，父系這方，因有對共同祖先的祭祀、在共同墓地的掃墓、婚葬時宗族的聚集、族產（義田、祭田）的功能等，而可看到父系親屬之間的共同意識與宗族的功能，幾乎可近乎無限地被繼續維持下去。

　　如此的區別，亦即父系親屬與母系親屬親疏的明確區分，當然是從中國人的家族生活、家族結構以及家族制度而來。

　　亦即貫穿家族生活的父系原理，被全盤延續在宗族中之故。再者，家族成員間的「家中心思想」以及家族員間的共同意識，也被擴大成宗族規模的宗族共同意識，進而擴大發展到由「姓」而來的共同意識。

　　此宗族結合之強大，牧野教授以及清水教授都各有提出（牧野巽，〈中國的家族制度〉；清水泰次，《中國的家族與村落》）。

　　依陳翰笙教授的說法，在廣東省「五個農民之中就有四人或四人以上是以他們的氏族生活在一起的」（陳翰笙著，井出季和

太譯，《華南農業問題的研究》，頁58）。

　　但是氏族的結合也因地域而有強弱之別，近年來在其機能、性質結合逐漸有變化，如學者們所指出的（朗奧嘉，前引書，上冊，頁226；仁井田，前引書，頁358）。

　　重要的是，宗族的結合與機能逐漸變小變弱，但很強的宗族意識，不問階級的高低卻依然很堅固地存留在中國人的意識之中發揮功能的這一事實。

　　這令孫文興歎：「在中國有宗族而無國族」便可知。也可由至今同姓不婚的鐵則猶被堅持獲得印證。

　　這個強大的宗族共同意識發展成所謂的同鄉意識，肩負著家族主義的一翼。

第二節　中國家族主義的性格

　　家族制度，對中國人要求崇拜祖先，以祭祀祖先為目的子孫的繁榮與傳宗接代連綿不斷，並要為家族主義集團犧牲一切。最初的家族主義集團就是「家族」。這與祖先崇拜之觀念相結合，把姓，例如「陳」這個姓放在觀念上。

　　在家父長的統率之下，家族成員營運祖先傳下的生計，安慰祖先的遺靈，為祖先（也為自己）生小孩，以造出供養祖先的繼承者。這個繼承者僅限於非異姓者（異姓不養、同姓不婚的鐵則）。這關聯到父系原理，從宗族的共同意識，更產生姓「某」的本位意識。

　　如此的家族氛圍、意識以及生活於以家族勞動為主體的農業

經營的農村人們，在做為個人之前，更被重視的是家族成員或是姓「某」的一員。

家族成員在家族之內，在家族內之人際關係──親子中心、男性中心的關係──的秩序之中，家的和平與親和的旗幟之下，自己完全埋沒，沒有離開家族以個人為主的行動，也不被允許有個人的行動，個人因這樣做而融入家族生活之中，可以守住家的秩序；同時自己的安定與欲求，可透過家族這個生活集團賦予並給予滿足。

這與前面所說的崇拜祖先，與供養祖先為目的的子孫的連綿不斷，這也關聯到自己將來的生活，死後的靈魂依託，可強化家族主義的集團自我主義意識。

再者是，此家族的結合原理、同族（即宗族）及「姓」中心的價值體系，維持家族主義集團的體系，也擴大到一般社會，且促成家族主義社會的形成。特別是落後的農村社會，是透過同姓村落或者血緣社會而擴大、被一般化。

接著以「家訓」為例，來看中國家族給予各家族成員的理想型行動的呈現。

家訓

誥爾子孫。

誠爾子孫，原爾所生出我一本，雖有外親不如族人。榮辱相關，利害相及。宗義為重，財產為輕。為父者當慈，為子者當孝，為兄者宜愛其弟，為弟者宜敬其兄。士農工商各勤其業，冠婚喪祭必循於禮樂，士敬賢，隆師教，子守分，奉公及人。

推己閨門有法，親朋有義，立行必誠而無偽。御下必恩而有禮，務勤儉以興家庭，務謙厚以處鄉閭。毋使貪淫，毋習賭博。毋爭訟以害俗，毋酗酒以喪德。毋以富欺貧，毋以貴驕賤。毋恃強凌弱，毋欺善畏惡。毋以下犯上，毋以大壓小。毋因小忿而失大義，毋聽婦言以喪和氣。毋為虧心之事而損陰騭，毋為不潔之行以辱先人。毋以小善而不為，毋以小不善而為之。毋謂無知冥冥見曉，毋謂無人寂寂為聲。依我訓者是其孝也，我其佑之；違我訓者是不肖也，我其覆之，不惟覆之令其絕之。

子子孫孫咸聽斯訓。（錄自〈戴家家訓〉）

由此家訓中很容易解讀出，係包括了中國家族主義的諸特徵。即企圖讓家能永續發展的「家」之振興方策，與家的和氣是祖先崇拜與所謂的「原爾所生出我一本，雖有外親不如族人」相接從「家」中心思想擴大到宗族的共同連帶意識。

此外，親不如族人即父系親屬與母系親屬的最明確區別的表現。這又當然與「毋聽婦言以喪和氣」，可看成是男性優越，女性低下的具體表現。

再者，在家中上下之順序，始終提倡應求諸慈愛與敬愛情緒的氛圍，但最後的「依我訓者是其孝也，我其佑之；違我訓者是不肖也，我其覆之，不惟覆之令其絕之」，則是無條件被要求絕對服從，只有盲目的孝順才能獲得祖先的保佑，如違反家、違反家訓，被警告不僅得不到祖先的保佑，還有被絕滅的危險。

就此抑制住個人叛家、叛宗族的苗頭，以阻止「個人」覺醒

的萌生，徹底使個人向埋沒的方向發揮作用，家訓即發揮禁止或制裁叛家或叛宗義的家族成員行為的一種安全閥功能。

第三節　家族主義的機能與影響

先是看個人在家族內部有什麼作用，親子關係的優勢、夫婦關係的劣勢以及視女性為劣性──女人禍水論──結果當然是：女子只是男人的從屬物，夫婦關係的極端例子便是妻子只是生小孩的工具。

這些事使得人子的結婚是為家而為，所以戀愛是被禁止的。對媳婦的評價，是以做為勞動力以及生小孩的機器之外無他，所以依「七出」的規定，前近代性不合理的離婚也被肯定而且可以強制。如上所述，在家的大義名分之下，家族成員不是個人，而婦女特別處於惡劣的地位。

在這家父長前面的，人子的沒個性、無批評性、服從性以及在家族內的權威服從關係，當然和新的自主、獨立、平等的民主結合原理是不相容的。

此家族主義的意識以及氛圍，與小農的家族勞作經營，以及由此產生的生活基礎，徹底地把個人綁在家而不放。而且可以推察，這種家族生活對民主的人的個性（人格）之形成是負面而不會是正面的。

那麼，社會近代化最主要的特徵「人的解放」被阻止，由而個人的自由、獨立自尊的精神幼苗則會被掐斷。

再者，以家族集團所形成的社會，家族主義無處不蔓延，在

家族內的民主的個人形成不被容許的話，做為社會人的個人不可能是民主人。那麼社會的結合，始終是前近代的，透過「家」或「姓氏」的結合，不會是近代性的對等、獨立、自主人格的個人對個人的結合。

這在公共道德層面的表現，家族內的道德德目，幾乎與公共道德沒有關係，家族的利己主義的行動方式，會毫不隱諱且表露無遺。

在政治上，民主的選舉終究也只是民主的美名而已，家族主義的價值體系被帶進選舉是常見的。

在行政面以及近代公司的人事關係也染上家族主義的色彩，正是朗奧嘉所指出的重用親屬（任人唯親）（朗奧嘉，前引書，上冊，頁237）的表現。

在經濟的層面，資本的結合不單單是物質的、做為財富的資本、追求利潤時表現在資本與資本的結合，而是以運用那些資本的人，或資本所有者的各個人的特定關係：第一是血緣、宗族；第二是親戚關係；第三是同鄉關係（地緣關係）的順序，以人的關係為中介來結合。

更甚者，發揮了阻止民族的結合機能，阻止近代國家的形成，阻止抵抗帝國主義侵略統一戰線的形成。令孫文大聲疾呼，在中國只有家族、宗族而沒有民族，令孫文慨歎中國人是一盤散沙。

結語

　　以上，先考察了家族主義基礎的家族制度以及家族結構，然後透過同族的共同意識觀察了家族主義的特質，思考家族主義如何阻止中國人的社會生活，與中國社會的近代化。

　　當然，家族制度以及家族結構自身有地區差別、時間落差與階級的不同，同樣地家族主義的機能與影響也有微妙的差異。

　　特別在動盪時期的年代——自辛亥革命到中華人民共和國成立期間——家族主義意識的崩潰，我認為極為顯著，可是我也不認為這已徹底地崩潰。要斷言從此個人已完全從家族的羈絆中被解放是言之過早。何況人的意識的進步，比起社會經濟結構的進步有偏差，那是更不必說了。

　　因此，家族主義的克服仍然是中國社會以及中國人的重要課題之一。這個問題我想又會發展成個人與組織，個人與社會，個人與國家的問題。

　　又，超越克服此家族主義的方法，以及新的社會體制下的「個人」與其他社會集團的關係，並附隨而來的問題，容待後日的研究。

參考文獻

清水盛光，《家族》，1953年，岩波書店

同上，《支那家族の構造》，1948年，岩波書店

馬家爾著，井上照丸譯，《支那農業経済論》，1935年，学藝社

戶田貞三，《家族構成》，1937年，弘文堂

朗奧嘉著，小川修譯，《中国の家族と社会》上、下，1954年，岩波書店

玉城肇，《日本家族制度の批判》，1948年，民友社

石母田正，《歴史と民族の発見》，1954年，東大出版会

福武直、日高六郎，《社会学》，1956年，光文社

清水泰次，《支那の家族と村落》，1931年，文明協会

費孝通著，市木亮譯，《支那の農民生活》，1939年，教材社

陳翰笙著，井出季和太譯，《南支那農業問題の研究》，1940年，松山房

尾崎秀実，《支那社会経済論》，1940年，生活社

鶴見和子，《パール・バック》，1953年，岩波書店

卡爾甫著，喜多野清一、及川宏譯，《南支那の村落生活》，1942年，生活社

天野元之助，《中国農業の諸問題》，1952年，技報社

仁井田陞，《中国の農村家族》，1952年，東洋文化研究所

中川善之助等編，《家族——家族問題と家族法》，1957年，酒井書店

福武直，《中国農村社会の構造》，1946年，大雅堂

同上，《日本農村の社会的性格》，1949年，東大出版部

日本人文科学会編，《封建遺制》，1951年，有斐閣

河出孝雄編輯代表，《家——家族制度全集・史論篇第四卷》，1938

年，河出書房

仁井田陞，《中国法制史》，1955年，岩波書店

竹內好，《現代中国論》，1955年，河出書房

竹內好等，《中国革命の思想》，1956年，岩波書店

吳虞，《吳虞文錄》，1929年，上海：亞東圖書館

陳東原，《中國婦女生活史》，1928年，上海：商務印書館

陶希聖著，天野元之助譯，《支那に於ける婚姻及び家族史》，1939
年，生活社

Buck, *Land Utilization in China*, 1956, New York American Book Company

Burgess and Locke, *The Family*, 1949, New York American Book Company

福武直等編，《講座・社会学4：家族・村落・都市》，1957年，東大
出版会

賽珍珠（Pearl Buck），《大地》，河出書房

陳正祥，《台灣土地利用》，1950年，台灣大學地理研究室

杵淵義房，《台湾社会事業史》，1940年，德友会

馮和法編，《中國農村經濟資料》，1933年，上海：黎明書局

中川善之助，《「女大學」批判》，1952年，河出書房

宮本百合子，《若い女性のために》，1957年，河出書房

牧野巽，〈支那の家族制度〉，《支那問題辞典》

本書係戴國煇碩士論文，東京：東京大學農業經濟系，1958年

中國甘蔗糖業的發展過程

◎ 陳進盛譯

一、甘蔗品種與甘蔗作物的地域性發展

　　中國原本的傳統糖業發展就要到達機械制製糖業門口時，正是在這個時間點與西歐產業資本競爭中落敗，如果以綜合的角度來看這段從其發展到遭逢挫敗為止的中國傳統糖業發展過程，大體上我們可以將之劃分為四個時期。

第一期：可以確認甘蔗存在的時期（大約是戰國時代的西元前300年到南北朝時代的西元550年前後）

　　現今所知中國最早出現有甘蔗記載的文獻是屈原的《楚辭》。至於有清楚記載栽培甘蔗的最早文獻，則是《齊民要術》與陶弘景的《本草書》。在這將近800年之間，雖然文獻可以確認中國有甘蔗的存在，卻無法確知這時期的中國人是否已經積極栽培利用甘蔗作物。這個階段還可以以漢朝為界，將之區分為前後兩期。漢之前的前期甘蔗分布於湖北、湖南與廣東一帶，這一

時期的甘蔗名稱有柘、諸柘、旰蔗、諸蔗，與竿蔗等多種名稱，一直要到了東漢時代楊孚所撰的《異物志》一書裡，才開始出現今天通用的名稱「甘蔗」。後期則是在秦始皇之後，因為漢高祖的向南越發展（有所謂南越王獻石蜜五斛的記載），因而出現南方的珍奇異物陸續流入中原的背景，為後來在三國、晉與南北朝時代的正史出現的甘蔗記述做了準備。特別是孫吳的南方開發，結果從交州（安南）取得了甘蔗餳，之後，晉朝時也從扶南得到扶南蔗的入貢。此為甘蔗向長江南岸一帶普及的第一階段。分布地區也拓展到了四川、江西與浙江一帶。當時是非常珍貴的物品，主要用途為宮廷料理調味料或生噉，或是做為糖漿飲用、藥用及當作贈品而被珍惜重視。

第二期：傳統糖業的創始期（南北朝中期【6世紀中葉】至唐、五代【10世紀初葉】）

　　最早明確記載中國栽培利用甘蔗的文獻紀錄是《齊民要術》。不過這是一本記述中國北方農業的著作，因此南方產的甘蔗在書中被當成是外國作物來記述。陶弘景是與該書大約同一時期的人，只因為他是南方人，他在本草書中對甘蔗的栽培利用有很詳細的記載。關於這一時期的甘蔗綜合記述，主要出現於本草書，而且出現了沙糖、稀沙糖與石蜜等加工產品。其生產的中心是蜀、嶺南與揚州等地，不過也已經向江東（長江下游）普及並在當地頗為興盛。品種除了前述入貢的扶南蔗記述外，又出現了竹蔗（加工用）、荻蔗（生噉或是稀沙糖用）與崑崙蔗三種甘蔗

品種。而且也出現了被稱作「糖坊」的小型甘蔗加工寮，甘蔗加工法也由印度引進，由於生產大為興盛，沙糖也開始出現在地方向中央提出的土貢之中。這一時期可以說是中國傳統糖業原型的創始期。

第三期：傳統糖業的確立期（宋【10世紀中葉】至元【14世紀中葉】）

從五代到北宋之間，吳國中部（江蘇省長江中游）一帶的甘蔗作物特別興盛，相關文獻中出現了各種前所未見的甘蔗品種名稱——崑崙蔗、夾蔗、苗蔗、青灰蔗、桄榔蔗與白岩蔗等——北宋末甘蔗的區域分布大體已經與今天的情況（除了海南島與台灣之外）相當一致。在此特別值得一提的是，這一時期開始出現生甘蔗買賣的文獻紀錄，而且也出現製造結晶糖——糖霜——的記述。這種結晶糖的出現擴大了消費空間與時間，加上在金朝等北方異族勢力興起壓迫之下南移的漢族上流階級，以及宋朝都市商品經濟的發展（包括貨幣流通與對外國貿易發展等）等，促使糖的消費大為增加，就像《糖霜譜》所記載的一般，旱田中有四成為甘蔗田，有三成的農家是製造糖霜的農家（以四川省小溪縣為例），可以看出這一時期糖業發展的興盛狀態。在可以做為這些佐證的文獻裡，有關於當時都市生活詳細描述的《東京夢華錄》、《都城紀勝》、《西湖老人繁勝錄》、《夢粱錄》與《武林舊事》五本書，這些書對於都市生活中砂糖消費的多樣性與廣泛範圍都有具體翔實的記述。這種發展情況記述在元朝時期也大

體獲得繼承延續，像是在《農桑輯要》裡所寫「新添」的甘蔗栽培法，以及《東方見聞錄》中所寫關於福建糖業的記述。而做為福建糖業興盛發展支持基礎的，則是江南一帶的農業生產力發展——特別是稻作技術的進步與二茬作物（不同作物年收穫兩次）的普及——以及因為大批中原漢人南移導致的福建大開發等，促使福建農民更為傾向商品作物的栽培。中國的傳統糖業在南宋到元朝階段獲得了確立，其產地的地域分布特性，也由內地移向華南沿海的福建與廣東，而且在此之前使用範圍只限於藥用與一部分上流階級的奢侈品，如今也相當程度地滲透到都市庶民的消費生活中。

第四期：傳統糖業的發展期（明朝中期【16世紀初葉】至明末清初【17世紀中葉】）

前期確立的中國傳統糖業因為遭逢元、明交替（14世紀中葉）的大戰亂而告衰退，不過因為明太祖所推行的各種恢復農業生產政策發揮了效果。到了中葉時，商品生產又重新獲得了發展。永樂年間之後，福建省各地都向中央提供砂糖做為上供，而且逐漸由早期的現物繳納改變為折銀（以白銀繳納上供），最後更變成隨附秋稅來徵收。而且從國內市場而言，除被譽為先進地帶的吳越地方為中心之外，幾乎已經遍及全國各地，外國市場則被當成對白銀輸入地的呂宋和日本的對價輸出品。在這種發展趨勢下，糖業利益終於超越了稻穀生產之利，甘蔗田與稻田幾乎各占一半，糖業也因此超越了原本農家副業的地位。特別是在廣東

的珠江三角洲地方，據文獻記載，當地的近半數農家與砂糖生產有所關係。與前一期種植甘蔗主要是為了獲取購買主要穀物所需的貨幣不同，這一時期的甘蔗種植的立地條件（自然與社會的條件）已經開始居於優勢地位，種植甘蔗的目的變成是為了獲取超額利潤──產業的地域性特產化──發展。在明末清初的廣東糖業裡，製糖業已經從蔗作分化出來，而且也看到貨款預付制等新型生產關係的萌芽出現，另外要提出的一點是，這一時期的農民抗租運動，也是由種植栽培商品作物──甘蔗──的農民所開始發動的。

二、甘蔗栽培的技術發展

在有關中國甘蔗作物發展的各種文獻裡，關於栽培方法的記載文獻很少。在此，我們要利用這些僅有的少數文獻，分為宋、元、明三代，來追溯其發展軌跡。根據北宋末年寫成的《糖霜譜》一書所記載的甘蔗栽培法，除了沒有關於灌溉的記述外，甘蔗種植作業確實是徹頭徹尾的「精耕細作」，進行深耕耙摟、施肥（含追肥）、除草中耕與培土等所有的精耕作業。另外又因為種植甘蔗會造成地力過度消耗，因此種植者都採取輪栽方式以防止地力過度消耗。

到了元朝，在官方撰述的《農桑輯要》一書裡，出現了甘蔗栽培法的「新添」。這是在以主穀中心主義的農業傳統中，甘蔗作物以具有濃厚「逐末之利」色彩而取得地位，這應該稱得上值得特別記述的重大進展。與《糖霜譜》記述相比較，施肥（含追

肥）與中耕培土雖然較為簡單，但比較新奇的是有關於灌溉與「臥栽」（平植）的記載。

到了明朝，農書的種類與數量大為增加，在關於甘蔗作物方面有比較詳細記述的有《二如亭群芳譜》、《農政全書》與《天工開物》。其中的《農政全書》是完全的引述沒有特別值得斟酌的地方，但《二如亭群芳譜》新提到平植與圍場灌溉，其中特別提到要增加灌溉次數但蔗田不要長時間蓄水。著名的《天工開物》則除了提到催芽法與分栽（移植）之外，也提到類似現今株出法（母株發芽）的栽培方法。特別值得一記的是，關於適宜種植甘蔗土地的記述——「凡栽蔗必用夾沙土，河濱洲土為第一」所展現的認識，即使是原始的方法，也可以想像是經過選擇試驗所獲得的栽培知識。應該避免在含有過度鹼性鹽類「苦」的土地，與排水不良的過黏質土「黃泥腳地」上種植，而應選擇富含有機質及有水利之便的良質沖積土「洲土」的適宜之地，這些是在沒有利用現代科學的土壤調查前所做出的記述，令人不得不佩服當時人所具的慧眼。從這裡可以知道，當時甘蔗栽培技術經驗累積所達到的豐富程度。

另外，與《農桑輯要》中所記載的株間相距五吋的密植相對，《天工開物》中有七尺三株的疏植法，其中還有中耕時切斷側根以及防止倒伏等的記述，可以證實此時擁有比前面二代更為進步的蔗園管理技術。在收穫方面，該書提到了甘蔗的成熟度、糖分變化以及收穫之後的糖分變化等，顯示當時已經知道這些變化差異，當然我們也可以想像當時的人對此有他們的因應方法。

到了明末清初，在屈大均所著的《廣東新語》裡，有更為詳

細的株出法、以胡麻粕當肥料，以及甘蔗、香蕉輪作以獲得成效等嶄新記述的出現。

三、甘蔗糖製造技術的發展

　　到了南北朝中期，甘蔗糖分利用的型態已經由生噉轉為柘漿，並進而發展到了甘蔗錫「糖」與石蜜，不過此時中國本身還沒有產製石蜜，當時只是因為從南越入貢品而知道有石蜜之物。在甘蔗糖分加工方面，則始於6世紀中葉前後，廣東一帶地方出現了被稱為「沙糖」的加工產品。之後到了唐朝時期，熬糖法從印度引進到中國，而且也出現以牛乳進行澄清及混入米粉來製作乳糖。該時期的製品雖然有稀沙糖與石蜜等，不過因為製作技術還很不成熟，製品品質不穩定，似乎經常擔心製品發生變質的問題。這種不穩定的狀況要一直到北宋末年才有所突破，《糖霜譜》詳述的製糖方法，可說是這種突破的文獻反映。根據該書的記載，北宋末年已經利用獸力驅動的石磨「蔗碾」，或人力的舂來從事壓榨甘蔗的工作。熬煉法則是將甘蔗榨汁煎熟後，再放進內部置有竹蔑（竹片）的甕中等待結晶。從種植到製成糖霜，總計要花上一年半的時間，還有從熬煉過程所見的「蒸泊」等精細作業，以及栽種甘蔗時必須投入的大量勞力等，可以推知當時的製糖業是一個具有高利潤的事業。由於是處於宋朝、明朝的過渡期間，研究元朝的製糖技術可以為宋、明的比較研究提供關鍵性的鎖鑰。其中特別值得一記的是，發現收穫後的甘蔗無法長久放置的事實，加熱時的竅門，使用被認為是明朝「瓦礶」分蜜法萌

芽的瓦盆，以及木灰的利用。其中分蜜法的發現讓製造精白糖成為可能，木灰利用法的引用，則是透過中和作用防止產品轉化變質，讓阻礙結晶析出的蛋白質轉化為不溶解物，有結合浮游纖維片等雜質並沉澱的機能，是糖汁澄清法的一大改革。

到了明朝中、末期，由於甘蔗作物的普及以及蔗作的地域特產化，華南的糖業大為發展，舊式的製糖法也隨之進入開花結果的階段。在弘治《興化府志》所記載——在地方志裡有製糖法的記述一事，就意味著糖業地域特產化的進展——的製糖法裡，製造黑糖使用灰分方法的普及、為提高沸點的油脂利用法、製造白糖時使用雞蛋的澄清法以及糖蜜分離器的「圂」與「窩」的利用等，都是值得注意的文獻紀錄。

在糖蜜經過初步分離之後，更接著利用覆土法洗去糖蜜以製作白糖。元朝使用的瓦盆至此時出現了更為進步的覆土法。

說到集中國傳統糖業製糖技術之大成者非《天工開物》一書莫屬，其中利用獸力的壓榨機「造糖車」是距《糖霜譜》非常長久之後的再出現，不過它並不是石製而是由堅木製成的。與以前不同之處在於將以前的上下式改變為直立並列式。另外，灰分的利用方法也清楚記載為每一石蔗汁使用石灰五合，與之前依靠作業者憑感覺添加的方法相比，是很大的進步。製造白糖的覆土法則變成了「淋下黃泥水」的直接法。其中特別值得一記的是，利用分蜜後的白糖以製作冰糖的方法開始清楚記載。繼《天工開物》之後的明末清初之書《廣東新語》裡面，更有關於多頭（牛）拉壓榨器的介紹。

四、台灣舊式糖業的發展

　　甘蔗在台灣的傳播一般認為發生於元朝以前從大陸的沿岸，而傳統糖業的較大規模興起，則始於荷蘭人入台（1624年）不久之後的1630年代後半期。從這時一直到荷蘭人被鄭成功驅逐離台的1661年為止，此一期間生產量大躍進，由初期的10萬多斤增加到末期約20倍的200萬餘斤，此時在台灣擔任主要甘蔗等生產工作的是大陸對岸來的漢人移民。產品有白、黑、冰糖三類，幾乎都不是供給內需，而是經荷蘭人之手，經巴達維亞銷往波斯或阿姆斯特丹，或是銷往日本。

　　到了鄭成功治台時期，初期因為需供養大批軍隊而實施屯田制，主要工作置於穀物的生產，不過到了1670年代時，為了確保台灣獨立政權的維持與推展反清復明運動所需的財政來源，遂又開始獎勵生產可做為主要輸出品的砂糖。由於有對岸移入的大批漢人勞動力與日本市場的存在，加上台灣內部的優良產糖條件——新開發的土地與豐富的燃料資源——的配合，傳統糖業獲得了進一步的發展。到了明末清初，台灣糖業從製糖技術到生產組織，都在中國境內具有最高的水準，糖廍的作業已經開始實施以雇傭關係為基礎的個別性分工合作。特別是在單位面積產量方面，當時台灣傳統糖業的生產水準已經不下於1903年的傳統糖業，可見當時台灣糖業生產力之高。

　　　　本書係戴國輝博士學位論文要旨，指導教授為東京大學農學部教授神
　　　　谷慶治，1958年

糖業在台灣經濟的地位
——戰前與戰後的比較

◎ 何鳳嬌譯

問題之所在

　　台灣可說是米與砂糖之島。尤其是糖業，不僅是台灣第一大產業，也一度在日本產業界中占有僅次於電氣及紡織的大企業位置。這可從過去著名的砂糖記者宮川次郎所說的話得知：

> 台灣產業以糖業為大宗而躍進，又台灣文化是以糖業為中心而提升。可以不忌憚地說，鐵道、港灣及其他眾多設施都因糖業這新產業的勃興而促進。在此，此事業的興廢對台灣統治的存續有至鉅的關係。（《砂糖講話·序文》）

　　本稿想描述過去被如此抬舉的台灣糖業在其經濟所占地位，戰後18年來有何變化？若有變化，又是怎樣的變化？進而加以描述與戰前相較又是如何等諸點問題。

一、戰後的蔗作與砂糖生產的變遷

在論及糖業占台灣經濟地位前,簡單介紹戰後台灣糖業的概況是重要的。

首先以戰爭結束當時的糖業概況對照戰前巔峰時期的種種指標來比較看看。

如表1所示,甘蔗的收穫面積在巔峰期(1939～1940年)的17萬公頃全面縮減為四分之一弱的36,000公頃。不只如此,即在土地的生產力方面,每公頃甘蔗收穫量從80噸左右掉到約40%的30噸左右。開工的製糖工廠數也從50間減為18間,140萬噸的產糖量下降到僅僅9萬噸,實有一落千丈之感。

演變至此的原因很多,不用說是戰爭末期的「南糖北米」政策和美軍的空襲等戰災,因不是本文的目的,在此不予詳論。

表1 戰前砂糖生產巔峰期與戰爭結束當時的各種指標比較表

巔峰時期	甘蔗收穫面積		每公頃甘蔗收穫量		新式工廠 開工工廠數	
	1939～1940	169,048 公頃	1938～1939	79,039 公斤	1941～1942	50
戰爭結束 1945～1946 年	36,205		27,801		18※	
	砂糖產量		製糖率		每公頃平均產糖量	
1938～1939	1,418,730,586公斤		1933～1934	14.10 %	1931～1932	9,912 公斤
	87,692,406		9.75		2,711	

資料來源:根據《糖業手冊》(1952年台糖公司版)製成。

※ 存留工廠數是36間。

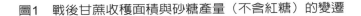

圖1　戰後甘蔗收穫面積與砂糖產量（不含紅糖）的變遷

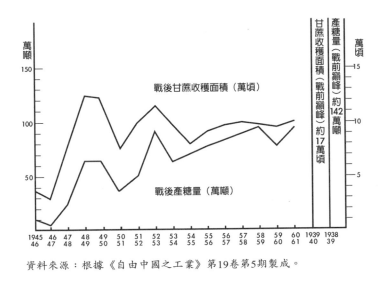

資料來源：根據《自由中國之工業》第19卷第5期製成。

　　然而產糖量降落到9萬噸後的變遷如何，可參照圖1。

　　戰爭結束當時的36,000公頃的收穫面積一度在1946至1947年降到3萬公頃左右，隨著戰後農村復興的各種措施和1946年5月1日台糖公司上海分店的開設，向大陸市場的發展等，從翌年開始慢慢地恢復，1948至1949年很快地回到12萬公頃左右。但是甘蔗平均單位產量因品種退化及肥料、勞動力的不足等，比起戰前巔峰時期的80噸，事實上是減少25％，僅止於60噸左右。

　　這種收穫面積的擴大傾向也因中國大陸內部的內戰和米價騰貴及前年度國際糖價的下跌等，儘管1950至1951年台糖公司拚命地努力，還是再度走向縮小化，落到8萬公頃左右。其間有關「生產米還是砂糖？」激烈的論爭記憶猶新。

　　然而1950年6月爆發的韓戰刺激了景氣衰退的自由世界經濟。特別具有國際商品性格的砂糖也不例外，糖價急速上升[1]，這影響台灣的蔗作農民，收穫面積再度突破10萬公頃，再擴大到11萬公頃左右。這個擴大傾向未長久持續，韓戰景氣的刺激下，當擴大種植的甘蔗輪到製糖時，國際糖價受到預估韓戰停戰協定和戰後從戰災中復興的歐洲甜菜糖生產等影響，開始有下跌傾向。又因中國大陸的赤化，國內市場的縮小和流入台灣人口的急增等國內要素下，糖價的下跌相反地形成米價危機。因此收穫面積再度縮小到8萬公頃以下，之後在當局的糧食確保政策和國際糖價的變動等複雜因素下，收穫面積直到今日〔1963年〕，大體上維持在9至10萬公頃左右。

　　其次是產糖量，因為原料甘蔗產量受收穫面積的強力限制，同期間產糖量的增減也大體上和收穫面積有相同趨勢，如前列圖1所示。想指出的是，圖1所示1955至1956年向上攀升的原因是新品種（NCO310）的擴大種植，又1959至1960年急遽下降是由於天候的原因，在此僅止於指點出。

　　一般來說，台灣農業從戰災中復興是1952年左右，砂糖生產也好不容易在1952至1953年重新恢復，直至今日，大體保持70至90萬噸左右。

　　但是國際砂糖生產過剩的情況（古巴革命和甜菜糖的歉收導致最近國際糖價的騰貴等現象毋寧是暫時的現象）、確保國內糧食和來自稻作及其他商品作物間競爭的壓迫，促使甘蔗種植面積

---

1 樋口弘，《糖業事典》，附錄四世界砂糖市場（現物）價格變遷表（1948～1957年）。

有縮小的傾向，這由以下三個方面開始呈現出來。

第一是地域性後退，一般來說是南退，若看現存製糖工廠的地域分布就很清楚地了解北部的工廠全部廢止。統計上呈現的北部小面積的甘蔗種植只是意味著現在只紅糖生產仍繼續著。

第二是量的縮小趨勢。這如前述（參照圖1），不再重複。

第三呈現的是，不只是量方面縮小的傾向，現在仍伴隨的是耕地的質的惡化趨勢也開始呈現嚴重的情況——即被趕到不良地及等則低的土地。

為了解決以上問題的對策，台糖公司苦思確保原料甘蔗各種方策的研究和立案，例如為了土地生產性的擴大，即提升單位面積產量，進行土地改良、品種改良、灌溉設施的擴大等（特別是挖掘水井開發利用地下水）、藉由荒地開墾、海埔新生造地等，積極地擴大面積（尤其這與自營農場的擴大相配合被一起考量）與競爭作物的調整及間作的普及化，提升耕地利用度的高度化——即新栽培體系的造出等的研究與實施。現在在比較上品種改良及地下水開發利用等雖然獲得成果，但自營農場的擴大等障礙很大，其他則還在實驗階段。

無論如何，在甘蔗種植面積縮小趨勢下，原料甘蔗的確保困難，這對台糖公司來說，較現在國際市場上的市場競爭更為苦惱。

如上所見甘蔗種植和產糖量的激減暫放一邊，其次在圖2中來看看平均每公頃甘蔗收穫量和每公頃平均產糖量變成如何。

圖2　戰後每公頃甘蔗收穫量與每公頃產糖量的變遷

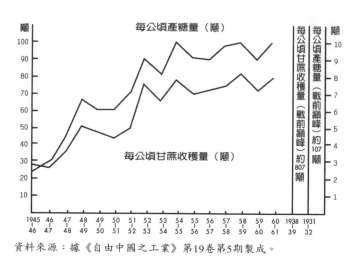

資料來源：據《自由中國之工業》第19卷第5期製成。

如圖2所示，可知在1952至1953年兩者大致恢復戰前水準。順便一提的是，1934至1935年以後十年平均每公頃甘蔗收穫量和每公頃產糖量來看，前者約65噸，而後者約8噸。

不僅是恢復，還可看到每公頃甘蔗收穫量多出約10噸，產糖量多出約1噸。又戰後收穫量與產糖量的各別巔峰稍稍超過戰前的各別巔峰，這事正因為戰災嚴重，所以值得大書特書吧！儘管前述的戰災和戰後的惡劣條件（栽培地的劣化傾向），單位面積收穫量高水準的維持，即使因栽培地的南退，而有適地適作化在氣候上優越的部分條件存在，對台糖公司和蔗作農民的努力應給予高度肯定。當然這不意味著迎合流於滿足維持舊狀的一般輿論，更高的土地生產性和勞動生產性（在本文割愛）的展開雖成為今後的課題是現實，但還存有可能性的意義上一併給以評價，

尚祈諸賢明察。

　　最後在經營方，即就資本體制來敘述的話，終戰前只有大日本製糖、台灣製糖、明治製糖、鹽水港製糖四大獨占公司經營的新式製糖工廠，在1946年5月10日中央政府資源委員會和台灣省行政長官公署合辦下，設立官營的台灣糖業公司。自此以來接收自日本方的製糖工廠為基礎，在單一企業的支配下，開始經營製糖業。根據最近的新聞報導，從中央政府所有股票中賣出300萬股給民間（《中央日報》，8月10日），這意味著在國家資本之外，民間資本部分地參加台灣糖業公司的經營。但民間資本所占的比例多少則不詳。

　　簡單敘述這個台灣最大企業的台糖公司（資本額約7,000億圓）[2]支配下的製糖工廠的運轉工廠數及製糖能力，終戰時的工廠數雖有42間，但受戰災比較嚴重的工廠占過半數的28間。在接收過程中，以生產緊急恢復為目標，修理其中損害比較輕微的18間開始作業。

　　之後其他工廠也逐漸修復，運轉工廠數至1952年時是36間，壓榨能力恢復到60,650噸[3]。

　　然而因前述的栽培地南退和企業經營的合理化等，整理北部和中部的工廠，變成現在27間，每日甘蔗壓榨能力公稱為56,600噸[4]。

　　若將此與日本經營當時（1940年）的49間工廠，榨蔗能力

---

2 久保田富三編，《日本の甘蔗糖業》，頁16。

3 台糖公司編，《糖業手冊》，頁32、57。

4 同註2。

69,400噸[5]相比，知道工廠數雖然減少，但能力方面幾乎恢復。但是在此必須一提的是，以台糖公司年產85萬噸的計畫來計算，在現有能力運轉時，無論如何也需要至少123天的運轉日數[6]。若是如此，調整甘蔗的成熟度與高成品率的維持是否順利就有疑問。這又與原料區的調整結合，成為相當麻煩的問題。

取代戰前的原料收買法，採用分糖法，其間分糖率：1946年，農家對公司是48：52，1947年改為50：50，繼續到近來的1961年為止，自去年開始改為55：45，各種的附帶條件也修正。因資料不足與篇幅關係，無法透過分糖法來探討公司與農民的關係，深感遺憾。

二、糖業在台灣經濟的地位和其變遷

在前節的簡單介紹中，關於戰後台灣糖業的概況，我想應有大致的輪廓。接著本節將基於幾個指標來看台灣糖業在台灣經濟所占的地位及其變遷。

（一）甘蔗生產在農業總生產的位置

台灣面積有3,596,000公頃，耕地面積雖每年多少有變動，但最近五年的平均為約占全部面積25％的88萬公頃。這個88萬公頃的總耕地面積中約11％做為糖業的農業部門，利用來種植甘蔗。

5　《台灣經濟年報》第一輯，頁184。

6　能力57,800噸×X日×12％（成品率）=85噸，X=約123日。

表2　最近五年甘蔗生產占農業總生產比例

	甘蔗面積A	總耕地面積B	A/B×100（％）	甘蔗生產額（元）C	農業總生產額（元）D	C/D×100（％）
1955	77,941.14	873,002.39	8.977	703,629,951	9,494,860,234	7.411
1956	90,900.67	875,791.09	10.379	833,502,772	10,574,045,432	7.883
1957	98,230.61	873,262.80	11.249	1,024,117,258	12,390,940,297	8.265
1958	101,454.02	883,465.86	11.48	1,083,094,863	13,709,273,168	7.901
1959	99,219.43	877,740.10	11.304	1,373,296,159	15,611,829,655	8.796
五年平均	93,549.17	876,652.45	10.671	1,003,528,201	12,356,189,757	8.000

資料來源：根據各年的《台灣農業年報》製成。

又將甘蔗生產換算成價格，知道產出占最近五年平均農業生產額124億元8％的10億元（參照表2）。又如表2所見，可以說最近五年的變遷雙方都有稍微增加，大體上可以說是沒有變動的傾向。

　　若將以上的狀況與戰前砂糖生產巔峰的那年（1938年）比較（參照圖3、4），知道甘蔗收穫面積所占比例從戰前的19％降到11％、甘蔗產量從戰前的17％降為9％。特別在生產額方面，過去占農業總生產第二位的甘蔗被豬超過，落到第三位，雖然栽培稻作面積從73％變成88％，大幅增加15％，相反地生產額卻從52％降至39％，急降13％，是值得注意的事。這個數字意味著什麼，因非本文的目的，所以無法詳論；其卻揭示與米價政策並非沒有關係。

　　糖業在農業部門地位後退的另一指標——蔗農占全農家戶數比例——也清楚地顯現出來。1938年期的蔗農戶數占全部農家戶數（約42萬戶）的28％，約12萬戶。到了1959年時，占全農家戶

圖3　甘蔗收穫面積占耕地面積比例

1938	米　73%	甘蔗 19%	
1959	米　88%		甘蔗 11%

圖4　甘蔗生產額占農業總生產額比例

1938	米　52%		甘蔗 17%	
1959	米　39%	豬 19%	甘蔗 9%	

資料來源：1938年依據《台灣農業年報》昭和14年版，1959年依據《台灣農業年報》1960年版製成。

數（約78萬戶）的18%，約14萬戶，即減少10%。然而現在算出直接間接依賴蔗作生活的農民絕對數來比較，1938年約82萬人（每戶農家平均人口數是6.8人），到了1959年變成約90萬人（每戶農家平均人數是6.4人）。由此來看，糖業在農業部門的相對地位確實倒退了，但依賴蔗作生活的農民絕對數不僅沒有減少，甚至是增加的。隱藏在農村的勞動人口把它認為現在猶成為農業生產（在此是甘蔗生產）的壓力，壓低勞動生產性應不會錯吧！在此另一個我們必須考慮的是，台灣的蔗作不像古巴的大農場方式（台糖公司所屬的自營農場，面積占全部收穫面積大約20%除外），大致上是確保自家用米糧後的蔗作，從農家每戶平均耕地面積1.1公頃中扣除自家用食米確保耕地，剩下約0.4公頃的小規模經營占多數是事實。這種小規模的經營無疑是妨礙了糖業在農業部門的發展，是毋庸贅言的。

（二）砂糖生產在工業總生產的位置

在農業部門之地位之後，我們透過表3來看看糖業在工業部門的地位。因身邊沒有適當的資料，為幫助理解大概的狀況，製成表3。

就表3來看，包括鳳梨罐頭工業的官營食品工業占全部工業生產比例，最近五年平均約15.1％，1959年大約15.2％。將這個數字與1938年的總工業生產額36,000萬日圓對照，當時的糖業生產額2億餘日圓，占60％壓倒性的地位，可知出現相當大的差距。這件事清楚呈現過去農產加工業性格濃厚的台灣工業結構有相當的改變。

以1962年度來看，製糖業所屬的食品工業儘管最近的鳳梨及洋菇加工有驚人的發展，但被紡織工業超過而屈居第二位。（參照表4）

表3　最近五年砂糖生產占工業總生產比例推測表

	官營食品工業 A（百萬元）	工業總生產額 B（百萬元）	A/B×100 （％）
1955	1,457	10,084	14.4
1956	1,659	12,285	13.5
1957	2,588	14,897	17.4
1958	2,315	15,692	14.8
1959	3,129	20,713	15.2
五年平均	2,230	14,734	15.1

資料來源：根據《自由中國之工業》製成，但因為沒有砂糖生產的項目，所以用官營食品工業充當，因為官營食品部分除了鳳梨等少部分外，全是砂糖。

　　就最近這個傾向來看，指出台灣已經不是「米與砂糖之島」的外國人也不少。

　　戰前1916年的46.84％是農業生產占國民總生產比例低於50％的第一次，其後雖然曲曲折折，大致上以滿洲事變為界，固定於50％左右，進入中日戰爭的1937年以後，變成40％左右。但是此工業生產額的大部分，如前述是在製糖業。必須先提醒的是當時重工業和近代的紡織工業幾乎是接近零的狀態，可是戰後的農業生產額占國民總生產額程度如何？從表5也可得知，從戰前的40％左右變成30％左右。至於如何演變，因手邊沒有資料，無法分析，但變成30％左右且還朝向漸減的趨勢則是事實，也是好事。

　　但在此必須提及的是（之前也稍稍提到），農家戶數和農業

表4　各種工業生產額占製造工業總生產額的比例

分類	生產額（百萬元）	％
製造工業總生產額	28,551	100.00
紡織工業	6,327	22.2
食品工業	5,423	19.0
化學及石油工業	4,553	15.9
金屬工業	3,730	13.1
菸草工業	2,586	9.1
木材及製紙工業	2,553	8.9
飲料品工業	1,704	6.0
電氣及機械工業	758	2.7
橡膠及皮革工業	468	1.6
運輸工具工業	341	1.2
其他	107	0.4

資料來源：根據《自由中國之工業》1962年度製成。

表5　1955至1959年間農業生產占國民總生產額的比例

	農業生產 A（百萬元）	國民總生產 B（百萬元）	A/B×100 （％）
1955	9,495	27,885	34.05
1956	10,574	32,297	32.73
1957	12,391	37,985	32.62
1958	13,709	41,650	32.91
1959	15,612	48,675	32.07

資料來源：農業生產是由《農業年報》；國民總生產額是由《自由中國之工業》製成。

人口呈現出不是漸減，而是漸增傾向。

　　以1947年為基準年來看，1959年農家戶數的指數112.84，約增加23％。實際數字，1947年的666,508戶變成818,953戶，增加152,445戶。一方面來看農業人口，同樣地以1947年為基準年，1959年的指數是126.42，約增加將近23％。實際人數的話，由大約是410萬人變成520萬人，增加約110萬人。又農業人口占總人口的比例，自1959年首次少於50％，變成49.81％。[7]

　　將這些資料對照來考慮，知道台灣工業開發或是台灣工業化的議論絕不是可放手，喝采叫好之事。尤其是戰後農業主要產品的米、砂糖價格的機制與戰前相當不同，農產品價格比起工業製品價格相對地低，不就是隱藏在前述的30％左右的一面嗎？

---

7 袁穎生，〈台灣之農業人口〉，《台灣銀行季刊》第13卷第1期。

（三）砂糖占貿易額的地位

開發中國家的工業化所需資金的調度，一般來說農業部門是其泉源，這是常識，台灣的情況是米和砂糖就是主角。

過去的台灣糖不僅幫助日本國內解決食糧問題，也靠關稅壁壘驅逐外國的砂糖，防止巨額外匯的流出，有助於日本貿易收支的改善。

從糖業資本這方來看，他們蓄積的資本在投資相關產業的同時，對進入中國大陸糖業和南方糖業扮演重要的角色。

戰後的砂糖除小部分供應島內消費外，輸出中國大陸市場取代了過去輸出日本市場。之後失去中國大陸市場，再度轉向輸出

表6　砂糖輸出量占總產量之比例

	輸出量 A（噸）	總產量 B（噸）	A/B×100（%）
1952	460,540	623,980	73.8
1953	874,697	947,899	92.3
1954	522,188	642,022	81.3
1955	585,901	802,925	73.0
1956	600,507	775,797	77.4
1957	748,420	917,861	81.5
1958	816,634	866,847	94.2
1959	733,867	887,568	82.7
1960	862,535	845,696	102.0※
1961	695,724	851,856	81.7
1962	632,417	686,364	92.1
平均	684,856	804,438	85.1

資料來源：根據《自由中國之工業》製成。
※輸出量比生產量大可想是包括庫存品的輸出。

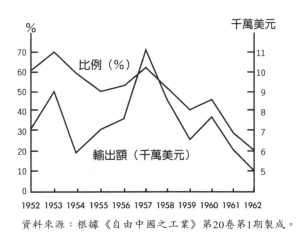

圖5　砂糖輸出占輸出總額比例的變遷

資料來源：根據《自由中國之工業》第20卷第1期製成。

他國，相當於生產量約85％（參照表6），做為獲得珍貴外匯的
佼佼者而活躍著（戰前的輸移出量占生產量的比例，在1938年是
92％）。到了近年，由於國際砂糖情況和國內輕工業的發展，佼
佼者的活躍場地變窄，活動力開始鈍化。

　　最近11年平均來看，每年約輸出68萬噸的砂糖，賺取
73,549,000美元的外匯。雖然1959年以前靠著貿易（砂糖）賺到
外匯收入額五成以上，可是之後呈現漸減趨勢，到了1961年開
始，急減為30％以下。砂糖賺得外匯減少這件事之外，應思考
砂糖地位在貿易結構和規模變化及擴大過程中相對地降低才是
妥當的。試查表7所呈現的獲得外匯實數，1962年比1952年減少
29％，在輸出總額所占比例減少38％應可推測。

　　順便一提的是，1962年度因貿易獲得外匯總計是24,000萬美
元，比起1953年的13,000萬美元，約增加2倍。圖5是表7資料的曲

線圖，砂糖輸出占輸出總額的比例呈現向下傾斜，如先前所敘述的，毋寧是受到歡迎的。

在世界市場做為國際商品交易的砂糖幾乎是甘蔗糖，這是眾所皆知的事，這種蔗糖原料的甘蔗生產於熱帶或是亞熱帶，其生產國大多是過去已開發諸國殖民地的開發中國家。

這些國家的經濟大多對砂糖的生產及貿易的依賴度很高，具有單一作物栽培的性格。

台灣也不例外，在進入中國大陸市場以前，跳脫出單一作物栽培，藉由紡織製品和其他輕工業製品，重編了以往對砂糖過度

表7　輸出砂糖的量與價格歷年表

	重量（噸）	指數	金額（100美元）*	指數	占輸出總額的比例%
1952	460,540	100	69,684	100	58.86
1953	874,697	190	90,255	130	67.23
1954	522,188	113	58,636	84	58.03
1955	585,901	127	67,920	97	49.85
1956	600,507	130	76,060	109	52.21
1957	748,420	163	110,783	159	62.37
1958	816,634	177	84,689	122	51.83
1959	733,869	159	65,929	95	40.65
1960	862,535	187	74,401	107	44.01
1961	695,724	151	61,096	88	29.25
1962	632,417	137	49,588	71	20.85
平均	684,857		73,549		

資料來源：根據《自由中國之工業》第20卷第1期製成。

---

*　應為1,000美元。

依賴的貿易結構，這意味著某種程度的工業化或是經濟進步應該是受歡迎的。圖6所見台灣輸出結構的變化可以說是某種程度的暗示。

即占過去（1952年）主要農產品及農產加工品90％的輸出結構經過十年的今天，農產品及其加工品所占比例約減少一半，變成51％；相反地，從前是零的棉布變成7％、水泥變成2％、煤1％，過去只有1％的金屬類增加6％，變成7％，這些與鹽的1％合計的主要工礦業製品變成17％。與1952年度的3％相比有如隔世之感。

最後想提提台灣單一企業的規模中，可以說是台灣第一大企業的台灣糖業公司所占的地位。手邊因沒有台灣工業公司的已繳資本額和銷售額或是生產額等資料，無法做這種比較，不免有遺憾。但據說台糖公司的員工有17,000人、臨時工2萬人。鋪設於公司所有蔗作地的私有鐵路3,000餘公里，成為地方交通上的重要設

圖6　重要商品輸出額對輸出總額比例

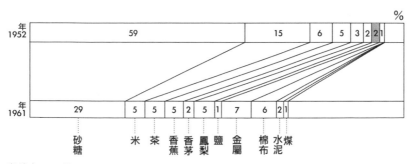

資料來源：據《自由中國之工業》製成。

施。台糖公司在製糖工廠之外的附屬企業——新營有日產40噸的
酵母工廠，彰化有日產5,000張的蔗板工廠，高雄有最新式的人造
合板工廠，台東有年產60萬箱的鳳梨罐頭工廠，及埔里有飼料工
廠等。

據楊博清[8]的推算，直接、間接生活受這種龐大規模和多角
經營的台糖公司支配的人口數達到150萬人，約相當於台灣總人
口的七分之一。

台糖公司支配的產業和人口數雖有這樣的程度，但其影響不
止於此。之所以這樣說是以台糖公司支配下的10萬公頃農地所需
的肥料為大宗，其他機械工具等對關聯產業的影響至今尚不知如
何計量。

結論

以上簡單地敘述台灣糖業占台灣經濟地位及其變遷的概略。
總而言之，台灣糖業在工業部門和農業部門所占的地位相對地逐
漸低下是無奈的事。在工業部門的衰退，因第二產業規模絕對量
的擴大與產業結構（儘管有中小企業性格的缺陷）朝向近代化的
傾斜下發生是值得歡迎的。然而在農業部門的衰退，農產物價的
相對低水平與內藏農家戶數及農業人口絕對數漸增傾向的矛盾，
是不能一概以鼓掌來歡迎的事。尤其是輕工業確立後，國內市場
的擴大是必須的要件，因此問題相當深刻。藉著將勞動力從農業

8　參考《中國經濟》第142期楊氏論文。

部門移轉至非農業部門來提高勞動生產性，即靠著農業所得的增加來擴大國內市場，不外是台灣的中小企業的輕工業生存上的必要條件。農業部門甚至於第一產業相對地位的衰退，農業所得若不能相稱遞增，其禍根將可能殘存於將來。在此必須想到的是糖業在農、工兩部門的結合依然是雙重結構的原貌。新式機械製糖與土地改革的結果，地主、佃農關係的矛盾雖說相當緩和或是解除，但極零星的、依然與前近代的農具來經營的農業部門之結合，實在是奇怪的事。做為殖民地時代的殖民地宗主國農業——日本農業的外延的台灣農業，沒有理由沿襲固有的狀態。如何脫離這種框架，又如何將在不良地發揮成果的自營農場（大規模耕種、機械農耕、大規模經營）不是把影響如何浸透於農民或不浸透，而是農民內部若有阻礙條件，這些條件是什麼？如何排除這些條件？應該是研究的課題吧。

又前述的衰退狀態今後如何演變的預測與將來的政治動向是有關係的，此無須贅言。將來考慮與中國大陸市場合併的情況，在適地適作和分工觀點這種邏輯的展開，自然將與上述是完全不同的！

最後由於編輯者所給題目之關係與資料不足，沒有進行結構分析，僅止於羅列而已，不充分之處深切盼望讀者原諒。謹此附記。（筆者今年春天修畢東京大學經濟研究科博士課程，專攻農業經濟學）

本文原刊於《今日之中國》第1卷第6號，東京：今日之中國社，1963年11月，頁4～11

戴國煇全集 ⑩

華僑與經濟卷・一

中國甘蔗糖業之發展

林彩美　譯

圖版1　宋朝的甘蔗寫生圖

膜明目蜀中波斯者良東吳亦有並

蔗汁及生乳汁則易細白耳稼棗肉

每食後合十兩先潤肺氣勘五藏津

川浙最佳其味厚其他次之煎煉成

都至夏月及久陰雨多自消化土人謂

石來埋之今不得見風遂免今人謂之餳

色者今人又呼謂之餳糖易消化入藥

圖版2　《南方草木狀》附圖的甘蔗圖

資料來源：上海市歷史文獻圖書館所藏，晉・嵇含撰，〈南方草木狀
　　　　　圖〉，《南方草木狀》（附圖），商務印書館版，1955年11
　　　　　月初版。

圖版3　《和漢三才圖會》所載

①甘蔗圖　　　　　　　　②紫餹・餹霜・冰餹圖

資料來源：寺嶋良安，《和漢三才図会・卷九十・蓏果類甘蔗條》（文政7年
　　　【1824】補刻版）②爲紫餹條。

圖版4 傳統糖業的各種壓榨機

①江西省Kien Chang（建昌）地方的壓榨機

資料來源：Hommel Rudolf, P.,*China at Work*, Fig.170（參照文獻解題）。

②江西省Kien Chang（建昌）地方的壓榨機與壓榨小屋

資料來源：Hommel Rudolf., P., *op. cit.*, Fig.171.

③圖版5之①中石臼橫放於地的照片

資料來源：由亞洲經濟研究所高橋彰提供。

（Uttar Pradesh〔印度的北方州〕Jaunpur〔江布爾〕地區
的Senapur村），拍攝於1965年。

圖版5　印度傳統糖業的壓榨機與壓榨情景

①Mortar & Pestle Type of Stone Cane Crusher
　（Banaras, U. P.）

資料來源：S. C. Roy, *Gur, Monograph*, 1951, Photo No. 1.

②台灣的甘蔗壓榨情景——壓榨機與壓榨小屋

資料來源：臨時台灣糖務局，《糖業記事》（第二次）。

③Two-Roller Cane Crusher

資料來源：S. C. Roy, *op. cit.*, Photo No. 2.

④改良型壓榨機——由鐵車代替石車

資料來源：由亞洲經濟研究所伊藤正二提供。（Bihar〔印度比
　　　　　哈爾州〕Patna〔巴特那市〕近郊的Saraiya村），拍
　　　　　攝於1966年3月3日。

⑤利用改良型壓榨機的壓榨情景

資料來源：與前引④相同。

＊本文因無餘力觸及與他國製糖技術之比較研究，此處以印度的
　傳統製糖技術（特別是壓榨過程）做為參考資料，以壓榨機進
　化過程之照片來顯示由石臼、石車到鐵車的過程（其動力來源
　皆為畜力）。

誌謝

　　本書是亞洲經濟研究所昭和40年（1965）調查研究計畫的一環，為有關「中國甘蔗糖業之發展」之委託研究的成果，將之結集成冊。

　　在此刊行之際，再向受託本研究的戴國煇（當時為女子營養大學講師）深表謝意。

昭和42年〔1967〕2月

亞洲經濟研究所

本書體例

（一）月日如未特別說明，即採用陰曆。

（二）人名後之括弧內的年數是生歿年或推定生歿年，依據《歷代人物年里碑傳綜表》（姜亮夫纂定，陶秋英校，香港：中華書局，1961年7月初版）。

（三）引自漢籍文獻一切照原文。

（四）其他引用以「　」表示。

（五）本書所指之砂糖均指以甘蔗為原料者。

（六）字下黑圓點如未有說明均為著者所加。

（七）引用文中的「支那」、「支那人」均改為中國與中國人，但在書名與論文名中則未更動。

（八）本書係據東京：アジア経済研究所版本（1967年3月15日發行）錄入，誤訛之處並據本書附錄中的書評文修訂。

序論

　　中國經濟史以及中國農業史的研究歷史並不長，其成果是在第二次世界大戰後才逐漸出現，但多限於某特定的時代與個別題目的微觀研究。1949年以後，中國境內發生的新局勢，同時也促進了史料的發掘、整理以及出版，有利於研究的基礎工作也慢慢被整頓起來。

　　在這種狀況下，筆者認為此階段以單一商品做產業史的研究是十分必要的。而選擇砂糖為單一商品來研究，其理由如下：

　　第一，砂糖在人類進入近代社會高度物質生活以前，並不一定是生活必需品。此種特性使得經濟史的研究者，躊躇於把砂糖做為研究對象。但正因非生活必需品之故而富於「所得彈性」〔譯註：即依所得多寡而增減其消費量〕，且自始即不具自給的性格，所以特別具有顯著的商品性格。

　　因此，將其生產動向闡明，可做為方便確認各年代的商品流通或商品生產的標識之一。

　　第二，中國是世界上最古老的產糖國之一，此事實更加強了研究糖業史的必要性。糖業史的研究，雖不像棉業、稻作、鹽政、土地制度等歷史研究，在中國史的舞台上可扮演主角，但其

有良好條件可做為襯托主角的好配角。

　　中國的資本主義萌芽在地域上被認為是以東南沿海為中心，砂糖則是這一地帶的特產品，所以砂糖的研究應有其重要意義。

　　第三，糖業在甘蔗的栽培與農業有關，製糖過程與工業有關，因此砂糖可做為探討工業從農業分化過程的研究對象。另一方面，追蹤製糖技術的歷史發展，也是弄清楚開發中諸國的產業革命，其自然發生的條件是在何種狀態下不得已中輟，為此提供可能解謎的關鍵。

　　第四，追溯帶有顯明商品性格的甘蔗栽培法的發展，也可提供給不同的作物栽培法與在不同地域的農法上比較研究的方便。

　　以上是筆者選擇砂糖為研究對象的理由。本書主要目的是以甘蔗的品種與甘蔗栽培的地域發展、甘蔗栽培法以及甘蔗糖製造法為三大基柱，藉此追溯近代製糖業在中國萌芽之前的甘蔗糖業發展過程，以及具體闡明其發展的歷史。次要的則是闡明在特殊型態下——做為殖民地統治的產物——被「近代化」的台灣糖業前史。

第一章　甘蔗的品種與甘蔗栽培的地域性發展

第一節　早期記載甘蔗的文獻

一、前言

　　甘蔗的原產地在印度，諸說的看法幾乎一致[1]。特別是杜·坎德爾（De Candolle）所說「我認為確實的原始生育地像是從交趾支那到孟加拉」[2]。

　　從原產地的印度經由何種路徑傳到中國，至今還不明確。一般的說法認為是自原產地傳進交趾支那，再被移植到中國本土。以同意此說為前提，加藤繁博士說：「某一種類的甘蔗自西域傳入中國的可能性當然也有。」[3]考慮古代中印兩國的交流，此乃

---

1 根岸勉治，〈甘蔗糖業史考〉，頁3。參照《農林経済論考》第2輯。

2 De Candolle, *Origin of Cultivated Plants*, pp.154～160。De Candolle著，加茂儀一譯，《栽培植物の起源》（岩波文庫版·上），頁351。又《糖業便覽》（製糖研究会編，1937年版）頁199有「有以印度為原產地的一元說與印度和波爾犀島為原產地的二元說」的介紹，但誰主張後說（二元說）則未說明。

3 加藤繁，〈支那に於ける甘蔗及砂糖の起源に就て〉，《東亜経済研究》第4卷第3

當然之推論。

那麼，自交趾支那或印度傳來的甘蔗，是從何時、在中國的何處被栽培、開始製糖，是非常有趣的課題。回答此課題之前，我們應先了解，甘蔗為具有特別顯著商品性格的作物。因有此商品性格，從原產地被傳播到被普遍栽培期間（在古代）可推測應經過很長的時間。甘蔗在中國文獻上最初出現，是如後述於西元前4世紀以後，所以自原產地傳播到中國，應是在這之前。

由上可知，甘蔗傳播到中國，到被普遍栽培的期間，設想大約是自西元前4世紀（戰國時代末期）到6世紀中葉（南北朝中期）之間。

推測此時期的甘蔗栽培主要只限於貴族、諸侯自家栽植，其主要用途是藥用與當作贈品。

本節主要視此時期中國已有甘蔗，並檢出斷簡殘編之文獻記載，來探討當時大概的狀態。

二、西元前的文獻

首先應提出的文獻是《楚辭·招魂·卷九》[4]。〈招魂〉有：「膢鼈〔一作鱉〕炮羔，有柘漿些。」[5]東漢的王逸對此章

號，頁12。又該論文經過相當多修訂後，再錄於《支那經濟史考証·下卷》，頁676，但不知為何未作修訂說明。

4 利用漢·劉向編輯，王逸章句，《楚辭章句》一七卷（湖北叢書）。依王逸（東漢人，順帝時代〔126～144年〕侍中官）章句，〈招魂〉為宋玉（戰國時代楚國人，屈原之弟子）之作。

5 郭沫若將此部分譯為現代文「紅燒甲魚、叉燒羊羔，拌甜醬」。參照《屈原賦今釋》

句做註為：「柘，藷蔗也，言復以飴蜜，臑鱉炮羔令之爛熟，取藷蔗之汁為漿飲也。或曰血鱉炮羔和牛五臟，為羔臑鷍為羹。」對此加藤博士也講過，這可能就是中國文獻最早出現甘蔗的記述[6]。

宋玉所講的「柘」，王逸在其章句註釋為「藷蔗」。比王逸早，而同為東漢人的許慎（30～124）[*1]在其《說文解字》一五卷[7]‧第一下之「藷」與「蔗」條，個別註解為「藷，蔗也」以說明字義（參照圖1）。

《說文解字》的「藷」與「蔗」兩字的註，到五代宋初徐鍇（920～974）著之《傳釋》[8]可見：「藷，藷蔗也……臣鍇按今之甘蔗也。」與「蔗，藷蔗也。」（參照圖2）

時代往後推移至清朝，《說文解字》的註解本中，被認為是最好的一本：清‧段玉裁《說文解字注》一五卷（《皇清經解‧卷六四一》）可見，蔗的註同樣是藷蔗，「藷」則如後述有更詳細的字義解釋：「藷，藷蔗也。」（三字句或作「藷蔗」或「都蔗」。「藷蔗」二字疊韻也，或作「竿蔗」或「干蔗」，象其形也，或作甘蔗謂其味也，或作邯睹。服虔《通俗文》曰：「荊州

（1953年版）。又由上述可知當時宮廷料理已經利用甘蔗之汁。郭先生又否定〈招魂〉為宋玉作之說（參照《楚辭‧卷八》【《四部叢刊‧集部》】之東漢‧王逸的註），主張為屈原自作。即楚懷王末年（西元前300年前後）期願懷王之招魂而作（參照前引書，頁40註，以及頁206後記）的看法。

6 參照加藤繁，《支那経済史考証‧下卷》，頁676。

*1 其生卒年另有一說為58～147年。

7 漢‧許慎撰，宋‧徐鉉等奉敕校定，《說文解字》十五卷（《四部叢刊‧經部》）。

8 南唐‧徐鍇，《說文解字繫傳（四十卷）‧卷二‧繫傳二》（《四部叢刊‧經部》）。

圖1 《說文解字》十五卷

《說文解字》十五卷（《四部叢刊・經部》）

圖2 《說文解字繫傳》四十卷

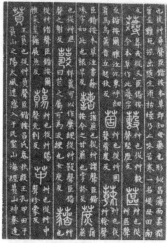

《說文解字繫傳》四十卷（《四部叢刊・經部》）

竿蔗」。）

　　〈招魂〉之註在唐朝[9]則釋為「臑鱉炮（蒲交）羔有柘（是夜五臣作蔗）漿些（逸曰羔羊子也。柘謂蔗也，言復以飴蜜臑鱉炮羔，令之爛熟取諸蔗之汁以為漿飲也。銑註同）。」柘之註有「五臣作蔗」。可知唐朝人（五臣指李善之外的呂延濟、劉良、張銑、呂向、李周翰）把柘與蔗等同視之，宋初之徐鍇也將諸蔗與宋朝的甘蔗視為同物。

　　繼宋玉之後，另一位舉出甘蔗文獻者為漢・司馬相如（西元前179～117）。他在漢景帝（西元前156～141）時代遊梁（楚國

9　梁・昭明太子蕭統編，唐・李善、呂延濟、劉良、張銑、呂向、李周翰共註，《六臣註文選・卷三三》（《四部叢刊・集部》）。

之地）而寫了〈子虛賦〉[10]，他看了楚之七澤之一的「雲夢澤」
（在今湖北省安陸縣南，北緯31度，跨長江南北），舉出澤之
東的產物：「其東則有蕙圃。……菖蒲、茳蘺、蘪蕪、諸柘、
巴苴。」唐・李善對諸柘做註解為：「張揖曰……諸柘，甘柘
也。」

　　司馬相如所遺留有關甘蔗的紀錄，又可見於被認為是東亞最
古老的植物文獻《南方草木狀》上卷的引用文：「甘蔗可消酒，
又名干蔗。司馬相如〈樂歌〉曰：『太尊蔗漿析朝酲。』是其義
也。」同句宋・史繩祖在〈煎糖始於漢不始於唐〉[11]一文中引用
為：「前漢郊祀歌，柘漿析朝酲，注謂取甘蔗汁以為飴也。」

　　由此而查《前漢書・卷二二・禮樂志第二・郊祀歌・天門一
一》即有「泰尊柘漿析朝酲」。其註為：「應劭曰，柘漿取甘柘
汁以為飲也。酲，病酒也，析，解也，言柘漿可以解朝酲也。」

三、西元後至東漢的文獻

　　西元前之文獻筆者所知僅止於上列。

　　西元後之文獻，首先必舉為前引許慎的《說文解字》（成書
年為漢和帝永元12年，西元100年）。但本書僅止於字義解釋，
不能由此得知甘蔗存在於何處。

10　前引《六臣註文選・卷七・子虛賦》。

11　宋・史繩祖，《學齋佔畢・卷四》（影刻咸淳本左圭《百川學海》第2冊甲集二），附
　　帶說明本書成書為南宋淳祐庚戌（1250年，參照同書序文）。又郊祀歌的引用在清康
　　熙帝敕撰（1710年成書）《淵鑑類函・卷四〇四・果部六・甘蔗》也有「《漢書・郊
　　祀歌》曰：百味旨酒布蘭生，太尊蔗漿析朝酲」。

　　其次舉列者為《通俗文》[12]。此書有：「西域出蒲萄，荆州出竿蔗。」的紀錄。據《中國古今地名大辭典》指出，荆州為「後漢荆州刺史治漢壽，故城在今湖南常德縣東四十里」[13]，故應視作今湖南省一帶。

　　第三要舉列者為著名的東漢議郎楊孚撰的《異物志》[14]：

甘蔗遠近皆有，交趾所產甘蔗特醇好[15]，本末無薄厚，其味至均，圍數寸，長丈餘，頗似竹。斬而食之既甘，迮取汁如飴餳，名之曰糖，益復珍也。又煎而曝之，既凝而[16]冰，破如塼，其食之，入口消釋，時人謂之石蜜者也。

　　以上是有關甘蔗的全文。楊孚為南海（廣東番禺）人，可見

12　《玉函山房輯佚書・卷六一・經編・小學類》所收《通俗文》。有關本書的作者，《玉函山房輯佚書》該書的編者馬國翰在序文說明有各種說法。在此採馬國翰之說──東漢・服虔著，晉・李密（又名李虔，224～287）增補。

13　《中國古今地名大辭典・荆州》，商務印書館，頁940。

14　楊孚的《異物志》像是未以完整的型態留下。現存的為道光辛巳年（1821），南海人曾釗輯宋朝以前的群書所引用而輯成二帙（一帙收集註明楊孚撰者，另一帙則收集未記作者名，但記《異物志》者）（《嶺南遺書》第五集）。有關甘蔗的記載曾釗採《齊民要術・卷十》所引用《異物志》的部分。曾釗在該書的跋中說明如下：「群書引用必著撰人之名。惟引議郎書……直稱異物志而已。然則群書所引異物志，疑皆為議郎書。蓋異物志創自議郎，惟議郎得以專其名。斯亦引述者之義例歟。」同樣寫跋文的伍崇曜也是同一意見。又加藤繁博士也說《齊民要術》中的《異物志》可認為是楊孚撰的《異物志》，見前引書，頁686，註2。

15　加藤博士在「醇」字後加句讀（前引書，頁678），但似乎在「醇好」之後加句讀較為妥當。

16　加藤博士的引用文（前引書，頁687）及《齊民要術》（中華書局，1956年第1版）皆作「如」，《嶺南遺書》所收之《異物志》照引用作「而」。

其對甘蔗有相當詳細的觀察，不同於以往片斷的紀錄。其記載與本書課題相關者為最初一節：「甘蔗遠近皆有，交趾所產特醇好。」加藤博士對此部分的解釋為：「當時（即東漢時代），甘蔗似已於遠近各地均被廣泛地栽培著。交趾必然是甘蔗栽培地，其接鄰的廣州亦生產，近者如荊州也有出產，所以總括來說遠近皆有吧。」[17]筆者則以《異物志》的書名與楊孚為南海人為據，認為未必是加藤博士所說範圍廣泛，南方即只指當時中原視為邊疆地帶的南越（廣東、廣西、交趾、安南）一帶的「遠近」。這是因為南北朝時代以前，很難推測出甘蔗已在鄰近廣東以外的廣大地域廣泛存在（參照後述）。

　　由以上考察得知，早期甘蔗的存在可追溯至西元前4世紀（〈招魂〉的成書年並未確定。如採用郭沫若之說則是楚懷王末年，西元前300年前後）。戴之川則推定為考烈王22年以後，秦始皇滅六國以前（西元前241～222年）[18]。筆者願以郭說來推論之。

　　又可知戰國至東漢期間，甘蔗的分布已跨越湖北、湖南、廣東一帶地域。此期間甘蔗的名稱由柘、諸柘、邯睹、藷蔗、竿蔗而演變至最後楊孚的《異物志》已使用現今的「甘蔗」一詞。

　　此外，此時期甘蔗的利用型態是以生噉或飲用蔗漿為主。蔗漿的加工物石蜜入貢的傳說在漢高祖時代（西元前206～195年）

17　參照加藤繁，前引書，頁678。

18　戴之川，《中國糖業起源史》上，頁2，《台糖通訊》第5卷第6期。可惜戴之川未明示推定之根據。

由「南越王獻五斛」[19]為嚆矢。中國的都城地帶至今仍未發現此時期製造石蜜的紀錄。

反之，南越一帶在甘蔗的利用型態上則領先一步。值得注意的是：將蔗漿濃縮（煎），曬太陽令之凝（曝）為固體物（既凝而冰，破如塼）的利用方式已開始。此濃縮液為甘蔗餳，固形物為石蜜（此時期文獻敘述，與其說是固形物，不如說是黏稠狀的東西），也是入貢的珍品。

西元前4世紀，石蜜只有些許傳入中國，東漢以降其存在的事實即明確起來。形狀也如《異物志》所記，有相當具體的記述留傳下來。此時之歷史背景為元鼎6年（西元前111年）漢武帝以大軍平定南越，將其地劃分為南海（廣東番禺）、蒼梧（廣西蒼梧）、鬱林（廣西桂平）、合浦（廣東海康）、儋耳（廣東儋縣）、珠崖（廣東瓊山）、交趾（東京河內）、九真（安南清華）、日南（安南順化）九郡。不能忽略此次漢族向南方之進展，是繼前世紀秦始皇後漢族再次向南方擴張，且此次發展比秦時延續更長，南方的珍奇異物陸續被輸入自不待言，甘蔗也是其中之一。

四、三國、晉、南北朝時期的文獻

隨著漢族向南方進展與開發，甘蔗也急速地被引入長江南岸流域栽植。此情形在三國鼎立時期、晉、南北朝的文獻中顯著地

---

19 漢・劉歆撰，晉・葛洪編輯，《西京雜記》（《津逮秘書》第十集）卷四有「南越王獻高帝，石蜜五斛……高帝大悅，厚報遣其使」的記載。

出現。特別的是，正史上片斷地出現甘蔗的記載也從此時期開始。

　　三國時代的魏文帝（即曹操長子曹丕。在位期間為220～226年）所撰《典論》有：「嘗與平虜將軍劉勳、奮威將軍鄧展等共飲……酒酣耳熱，方食竿蔗，便以為杖。下殿數交……左右大笑」[20]，記錄了生嚼甘蔗，再以之為杖而跌跤引起大笑之事。

　　比文帝稍晚，吳・孫亮也有一個與甘蔗相關的小故事[21]。在《吳志・卷三・孫亮傳・江表傳》有：「亮使黃門，以銀椀並蓋，就中藏吏取交州所獻甘蔗餳。」可知從交州（安南一帶）有甘蔗餳的入貢。

　　吳往南方開發，在當時已擴張到西南交趾（即今之東京地方），其南邊之國林邑（今之安南、交趾支那方面）、扶南（柬埔寨）的入貢漸漸頻繁（參照《吳志・呂岱傳、孫權傳》）。

　　到晉朝入貢仍持續，關於甘蔗文獻有前引的《南方草木狀・上卷・諸蔗》有「太康6年（285）扶南國貢諸蔗，一丈三節」的記載可佐證。關於此扶南蔗，南北朝時代的劉義慶（403～444）所撰《世說新語》有「扶南蔗一丈三節，見日即消，風吹即折」[22]的記載，如上所說的應為日後被稱為崑崙蔗、紅蔗的食用甘蔗，為軟脆的品種（能確認「扶南蔗即崑崙蔗」的資料，現今

---

20 魏文帝御撰，清・（瀋陽）孫馮翼輯，《典論》一卷（《問經堂叢書・逸子書》第7種）。

21 小故事即黃門對藏吏（管理倉庫的官）有所怨，把鼠糞放進甘蔗餳中以圖陷害藏吏，孫亮令剖鼠糞，鼠糞內部乾燥，由是而看穿黃門的陰謀。

22 本文引用自《淵鑑類函・卷四〇四・果部六・甘蔗》。《說郛・卷九一・世說新語・卷六》，以及《惜陰軒叢書・世說新語》二者均無類似記述。

未見）。

　　繼《三國志》後，在正史中出現甘蔗紀錄的是《晉書·列傳·文苑》的「顧愷之」（341～402）條（《晉書·卷九二》）有關甘蔗生噉的幽默描寫：「愷之每食甘蔗，恆自尾至本，人或怪之，云漸入佳境。」因甘蔗直立生長，根部較甜，顧愷之啃甘蔗經常從尾到根〔譯註：甘蔗頭〕，別人覺得奇怪，他總答說：「漸入佳境」。

　　至南北朝時期，《南史·列傳》也頻頻出現甘蔗的記載。該書卷三二·張邵傳載元嘉27年（450）魏太武帝攻擊彭城（今江蘇省銅山縣）之際，受宋孝武帝贈送甘蔗的故事為首，同書卷四三·宜都王鏗傳：「取甘蔗插地，百步射之，十發十中。」又同書卷五七·范雲傳可見到「永明十年（492）范雲使魏，魏使李彪宣命至雲所，甚見稱美，彪為設甘蔗」等。

五、結語

　　簡單總結上面早期中國記載甘蔗的文獻可知，甘蔗最早存在的時間可回溯至戰國末期，到東漢時只有些許傳布，三國以降，因吳國積極促進南方開發，交趾、扶南地方有甘蔗餳（晉·郭義恭在《廣志·卷一》記述「干蔗其餳為石蜜，今蜀人謂之竿蔗」[23]）與扶南蔗的入貢（盛行以甘蔗及甘蔗餳入貢，證明甘蔗在中國中心地帶是很珍貴的）。

---

23 晉·郭義恭，《廣志》（《玉函山房輯佚書·卷七四·子編·雜家類》）。同書把「餳」做為「錫」顯然是誤植，故改為「餳」而引用之。

圖3　南北（朝）時期的長江、珠江周邊形勢圖
（宋文帝元嘉16年，西元439年）

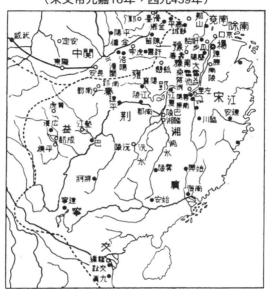

資料來源：箭內互編，《東洋讀史地圖》訂正增補版（昭和6年第5
版）縮小借用。

　　此種入貢行為同時影響了長江流域一帶適種甘蔗的土地引進
甘蔗來栽培，此說明了為何三國以降的正史頻頻出現甘蔗記載的
原因。

　　始於交趾，擴展到兩廣、兩湖再進入四川[24]的甘蔗種植區
域，漸次普及到長江南岸地域（至江西、浙江一帶）。與此同
時，甘蔗的名稱也由以往的多種稱呼而被統一成現在通用的「甘
蔗」。然而中國（中原周邊之意）的甘蔗，栽培在哪裡、採取何

---

24 關於四川，是據晉‧左思之〈蜀都賦〉有「甘蔗辛姜，陽蕆陰敷」而推定。

種利用型態等具體紀錄，則要等到南北朝末期，中國現存最完整最古老的農書《齊民要術》成書方得見。

第二節　南北朝中期至唐朝的甘蔗栽培

有關甘蔗的記載出現在農書上，要以《齊民要術》為嚆矢。然而依《齊民要術・卷十》的記述來看「五穀、果蓏、菜茹非中國物產者」（外國物產志），如此被定位，可知道屬於北朝的區域未有種植（氣候因素）。又《齊民要術》是以南北朝分裂時的黃河流域（所謂北方地區）的農業為主要對象來記述的農書，其卷十・甘蔗條有「雩都縣，土壤肥沃，偏宜甘蔗」[25]之句。甘蔗在中國中心地區的具體產地雩都縣（今江西省南部雩都縣）始出現。至於其栽培法則引用《家政法》如下：「家政法曰，三月可種甘蔗。」即只言及三月可種甘蔗，關於品種名全未提及。

《齊民要術》以降，甘蔗在農書類之出現，要等到元朝之司農司所撰《農桑輯要・卷六・甘蔗》。有關甘蔗之記載在此兩書之間（大約6世紀中葉至13世紀末葉之間），主要可見於本草書，而地方官吏的上奏文與地方志片斷記述則有補缺之意義。

本節主要依據本草書闡明當時甘蔗不但存在，而且有明確的栽培事實始出現於南北朝中期的文獻，到唐、五代，甘蔗除福建外，業已普及到長江以南的地域。欲明瞭此期間甘蔗栽培的發展情形，首先必提的是梁・陶弘景（452～536）本草書的敘述：

---

25 後魏・高陽太守賈思勰，《齊民要術》，中華書局，1956年10月刊本。參照日本金沢文庫本《齊民要術》九卷（日本農業総合研究所影写本）。

「今出江東為勝，盧陵亦有好者，廣州人種數年生，皆如大竹，長丈餘，取汁以為沙糖，甚益人。又有荻蔗，節疎而細，亦可噉。」[26]。

圖4　《新修本草殘卷五冊》

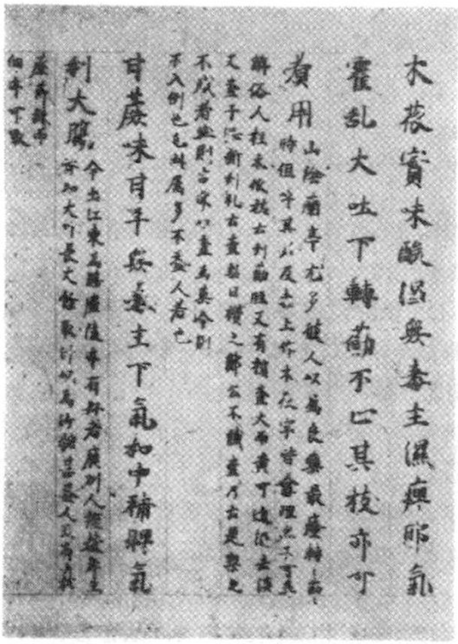

資料來源：《新修本草殘卷五冊·菓部·一七·甘蔗條》（仁和寺本）。

此乃引用《新修本草·菓部卷一七·甘蔗》之註。單從文字不能直接判定為陶弘景之言，但《新修本草》成書的目的為補修陶弘景的本草，再者為《重修政和經史證類備用本草》（以後略稱為《證類備用本草》）卷二三·甘蔗引用：「陶隱居云：『今出江東為勝，盧陵亦有好者，廣州一種數年生，皆如大竹，長丈餘，取汁以為沙糖，甚益人。又有荻蔗，節疎而細。亦可噉也』。」兩文相比，只「廣州人種」變為「廣州一種」之外，幾可視為同一文章，就此判定為陶弘景的文章應該無誤。

《齊民要術》，一般推定其著作時間是在西元530至550年間[27]，與陶弘景屬同時代，然陶弘景記述甘蔗之產地是江東（跨現今江蘇、安徽、浙江三省長江下游之總稱）、盧陵（江西省吉安縣）與廣州等地，與《齊民要術》相較，為相當廣的範圍。主

26　《新修本草（殘卷五冊）菓部·卷一七·甘蔗》，仁和寺本，本草圖書刊行會發行，昭和11年（1936）8月1日。

27　參照西山武一、熊代幸雄譯，《齊民要術·上卷》，頁309。

要因為賈思勰任職的高陽郡是現今山東省益都縣一帶，而陶弘景
則為丹陽秣陵（今之江蘇省江寧縣）人，其後隱居的句曲山在今
之江蘇省句容縣東南部。見解不同應是因兩者觀察範圍與見聞之
差異。事實上《新修本草》敕撰理由之一為陶弘景僻在江南不能
遍識藥：

> 四年正月十七日撰成奏上。問曰，本草行來自久，今之改修何
> 所異也。于志寧對曰，舊本草是陶宏景〔譯註：原文如此〕
> 合神農本經及名醫別錄而注解之。宏景僻在江南不能遍識
> 藥……[28]。

因此新修了陶弘景之本草書。此軼事正好說明陶弘景居住地為較
熟悉甘蔗的地方。（附帶說明，陶弘景亦為宜都王鑒幼年時的老
師，請參照前引王鑒傳。由王鑒之故事可知，當時梁國境內有相
當多的甘蔗存在）。再者，《齊民要術》中未見的品種名，至陶
弘景始有「荻蔗」一詞出現，又有：「廣州一種數年生，皆如大
竹，長丈餘。取汁以為沙糖。」如上雖未明確指名，但日後則出
現了名為「竹蔗」的品種。

　　《新修本草・卷一七・石蜜》更記述：「石蜜……出益州及
西戎。煎鍊沙糖為之。作餅塊黃白色。」而在其註有：「云用牛
乳米粉和煎乃得成塊。西戎來者佳，近江左亦有殆勝蜀者。云用
水牛乳汁和煎之糖，並作沙餅堅重蜀者也。新附。」這在《證類

---

28 宋・王溥，《唐會要・卷八二・醫術》，顯慶2年（《武英殿聚珍版全書・史
　　部》）。

備用本草・卷二三・石蜜》可看到：「石蜜（乳糖也）……出益州及西戎煎鍊沙糖為之。可作餅塊黃白色。」註則在開頭寫明唐本註：「云用水牛乳米粉和煎，乃得成塊。西戎來者佳，江左亦有殆勝蜀者，云用牛乳汁和沙糖煎之，並作餅堅重。」

　　二文相較（《新修本草》之註有抄錯之處），《證類備用本草》之「唐本註」的「唐本」顯然即為《新修本草》。唐顯慶4年（659）成書的《新修本草》所指唐初產地（非甘蔗直接產地而為石蜜產地），新出現益州（蜀，即四川省）與西戎。又江左指長江最下流的地域，江東之謂。關於產地，同為《新修本草》「沙糖」之條，證明石蜜為「沙糖……笮甘蔗汁煎作。蜀地、西戎、江東並有，而江東者先劣今優。新附。」

　　有趣的是，沙糖（沙糖為甘蔗汁濃縮煮稠並凝固者）品質之敘述，江東者先劣今優。註之「新附」可推定「沙糖」的項目是在本草書新確立的。做為產地益州、江東考證無疑，但「西戎」所指為何處卻有幾個可能性[29]，若假設係中國地名，但經查證卻均非砂糖產地，因此推斷為當時外國的西域，也就是印度較適當。因為「石蜜」條的「西戎來者佳」與「沙糖」條的「江東者先劣今優」的記述，正好與《新唐書・卷二二一・西域列傳・摩揭陀國》：「貞觀二一年，始遣使者。自通于天子……太宗遣使取熬糖法，即詔揚州上諸蔗，作瀋如其劑，色味愈西域遠甚。」相對應。又貞觀21年即西元647年，所以顯慶4年（659）成書的《新修本草》的執筆者們稱讚西戎（即西域）產石蜜品質佳，而

29　《中國古今地名大辭典》（商務印書館版）記載屬甘肅或新疆省域。《辭源》則為「王肅云：西戎，西域也」。

揚州（當時屬江東）因唐太宗引進製糖技術（熬糖法）使砂糖品質提高，也與文章前後敘述連貫一致。

　　接著來看被認為在《新修本草》之後撰著的《食療本草》。《食療本草》今僅見殘本[30]，《證類備用本草》引用如下：

> 今按別本注云：「蔗有兩種，赤色名崑崙蔗，白色名荻蔗，出蜀及嶺南爲勝，並煎爲沙糖，今江東甚多。而劣於蜀者，亦甚甘美，時用煎爲稀沙糖也。今會稽作乳糖，殆勝於蜀」。

　　明·李時珍將此段文章標以孟詵（621～713）之《食療本草》[31]，引用於《本草綱目·卷三三》。此段記述出現了《新修本草》未曾出現的甘蔗品種，有已知的荻蔗、竹蔗再加新的崑崙蔗，總共為三種。崑崙蔗或許與扶南蔗同樣是冠上產地名的品種名，若真為此，則與前述的西戎相通[32]，假設貞觀21年該熬糖法前後時期，新品種甘蔗也可能從印度帶進來。不只品種依孟詵《食療本草》記錄，蜀（四川）與嶺南（廣東）被強調為名產地，江東雖亦為盛產地之一，但荻蔗就比不上蜀地與嶺南所產。另外，會稽所產的乳糖則又稍勝蜀產。

　　關於甘蔗栽培地之資訊，在文獻上雖逐漸被載明且更擴大，

30　有羅振玉校錄，《食療本草（殘卷）》（《敦煌石室碎金》所收之殘卷）。

31　參照加藤繁前引書，頁681。又李時珍的《本草綱目》有：「銑曰，蔗有赤色者名崑崙蔗，白色者名荻蔗，竹蔗以蜀及嶺南者為勝。江東雖有，而劣於蜀產，會稽所作乳餹，殆勝于蜀。」的記載。

32　《中國古今地名大辭典》之「崑崙山」條引用〈疏〉：「鄭玄云，衣皮之民，居此崑崙……三山之野者，皆西戎也。」的記載。

但仍因文獻之不足，要與時間的經過串連闡述，也無法完善，特別是與交趾鄰接的兩廣地帶，早在漢族南下以前，從前引文獻上就已知有甘蔗存在。而蜀地產蔗也非初見於《新修本草》。晉・左思之〈蜀都賦〉已見「甘蔗辛姜，陽藷陰敷」[33]

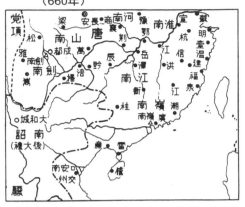

圖5　唐高宗時期的長江、珠江周邊形勢圖（660年）

資料來源：箭內編，前引《東洋讀史地圖》縮小借用。

的記述。雖無法明確斷定，但甘蔗自交趾進入兩廣，再傳至兩湖時，亦可能也傳到蜀。再者甘蔗是由湖廣到江西南部的雩都，再經吉安徐徐北上，止於長江北岸，之後轉東部普及到江東。此時期只有福建省域是否植蔗未曾出現於文獻，然不見得當時此地域未有甘蔗（由地理位置觀之），倒是由「七閩」的稱呼即可知，閩地對於漢族的知識分子而言，屬未開、未知的地域之故，因而未被記錄於文獻。然到宋朝，文獻也出現閩地甘蔗栽培的紀錄。

接著討論甘蔗於此時期的用途。當時甘蔗似乎還很珍貴，被當作諸王侯間的贈品，另外是當作沙糖、稀沙糖及石蜜的加工原料。加工品主要為藥用，另一部分是貴族們的奢侈品。當作貴重品在諸王侯間餽贈的紀錄可見《齊民要術・甘蔗》：「雩都

---

33 引用《佩文齋廣群芳譜・果譜一三・蔗・賦》。

縣⋯⋯偏宜甘蔗。⋯⋯郡以獻御。」今江西省雩都縣因土地肥沃
適甘蔗栽培，因此該地獻甘蔗給天子。

　　又，同時代的《魏書・卷五三・李孝伯傳》有「武陵王駿，
遣人獻酒二器，甘蔗百挺」的記述，又《南史・卷三二・張邵
傳》也有「太武，遣送應至小市門，致意求甘蔗及酒。孝武，遣
人送酒二器，甘蔗百挺」的紀錄。由此可知，當時甘蔗被當作諸
王侯間的贈品。這段記述清楚呈現南北朝時代，北朝所屬地方因
沒有甘蔗而珍重甘蔗的事實。

　　宋孝武帝的故事也很值得一說，因宋・梁克家於《淳熙三山
志・卷四一・甘蔗》記述「二種，短者似荻，節而肥長者可八、
九尺，似竹管。宋孝武帝送蔗百挺與魏太武，今閩人稱挺為丈」
而流傳。這在第一節時已略說明過，即元嘉27年魏太武率兵攻彭
城時之事。附帶說明的是，宋孝武帝年輕時曾為武陵王。

　　時間來到西元8世紀，唐代宗（763～779年在位）時甘蔗還
是被當成珍品，甚為珍重。王象晉《二如亭群芳譜》（天啟元
年，1621年刊）之果譜四・甘蔗引用《唐史》：「郭汾陽在汾
上，代宗賜甘蔗二十條。」[34]有此記載，可知其梗概。然而甘蔗
並非視為贈品而是以商品被買賣的紀錄，則要遲到宋朝之《圖經
本草》才出現。此事詳見後節。

　　並非記述生甘蔗，而有關甘蔗加工利用的紀錄，可見《齊民
要術》所引用之《異物志》所載交趾的石蜜、陶弘景所介紹的沙
糖、蘇敬等在《新修本草》所敘述的石蜜及沙糖、孟詵在《食療

---

34 經查新舊《唐書》之本紀代宗、列傳郭子儀（即郭汾陽），未能尋出該記事。

本草》所載的稀沙糖等等。特別一提的是，陶穀（903～970）首次在《清異錄》內提示糖坊的存在（詳細參照第三章）。這些製品大概也由鑑真和尚帶往日本。

　　如上所述，比起前朝，唐朝時的甘蔗更加普及。當時亦是中、印交流的飛躍期，佛教文化興盛，因當時高等知識分子多為僧侶之故，沙糖與僧侶相關的故事相傳頗豐。例如唐太宗由印度引進熬糖法的故事：「貞觀二一年。……太宗遣使，取熬糖法，即詔揚州上諸蔗，作瀋如其劑，色味愈西域遠甚。」[35]這是著名的玄奘由長安去印度經十數年留學歸國（貞觀19年）後第三年的事。由揚州第二次計畫去日本（天寶2年，西元743年）的鑑真和尚在船上攜帶有「又有畢鉢、詞棃勒、胡椒、阿魏、石蜜、蔗餹等五百斤，蜂蜜十斛，甘蔗八十束……」[36]，裝載石蜜、蔗餹與甘蔗等，卻因船隻失事而失敗。稍晚於鑑真和尚，唐朝大曆年間（766～779年），也得見鄒和尚把糖霜的製造法傳給黃氏的傳說[37]。正可說明此時期隆盛情況。查閱《新唐書・地理志・土貢》，於卷三九・志第二九記載了潞州上黨郡有石蜜（潞州屬山西省，並不適合做為甘蔗產地，此一敘述可能有錯）。另，卷四一・志第三一記載了越州會稽郡（浙江紹興）有石蜜；卷四二・志第三二記載了成都蜀郡有蔗糖，眉州通義郡（四川眉山）有石蜜，梓州梓潼（四川三台）有柑蔗糖等的紀錄。由以上敘述，大

---

35 《新唐書・卷二二一・西域列傳・摩揭陀國》。

36 真人元開，《唐大和上東征傳》（塙保己一編，《群書類從卷・第六九・伝部六》）。

37 參照宋・王灼，《糖霜譜・原委第一》（《學津討原》第一五集）。

致可說明中國甘蔗糖業的原型成形於唐朝。

第三節　關於宋元兩代甘蔗栽培的商品生產發展

　　如前節所述，中國甘蔗糖業原型之形成已於唐朝萌芽，唐之後的宋朝，特別是南宋，據江南半壁之地，朝風尚文，江南的開發頗見發展，國富民饒[38]。隨著糖霜的出現，消費因而增大，糖業勃興，到了吞併南宋的元朝時，糖業仍持續發展。北方民族出身的元朝，對糖業的振興特別用心。具體情形見下列逐一記述。

　　宋朝最初的文獻可舉陶穀的《清異錄》[39]為例。

　　本書係依倉田淳之助所記述為「唐、五代時所行使的機智新語〔譯註：機智新語為比較新奇、不古板的話語〕採集848條〔譯註：應為648條〕，以天文、地理……等分成37門，個別舉出實例……」（平凡社版《亞洲歷史事典》第5卷，頁152，1960年8月30日初版）。陶穀在本書「果」條所提及與甘蔗有關者為「青灰蔗、黃金額、假蜂蔗」三項目，而對本稿較為重要的是「青灰蔗」。陶穀在青灰蔗項加上說明：「甘蔗盛于吳中，亦有精粗如崑崙蔗、夾蔗、苗蔗、青灰蔗，皆可煉糖。桄榔蔗、白岩蔗乃次品。」

　　吳中即現今江蘇省吳縣。唐至五代時吳中甘蔗栽培盛行，繼前文陶弘景之言，此史料使江東的甘蔗栽培更加明確，記載品種名原有荻蔗、竹蔗、崑崙蔗，另加上夾蔗、苗蔗、青灰蔗等製糖

38　參照和田清，《中国史概說・上卷》，頁193。

39　宋・陶穀，《清異錄》（《說郛・卷六一》）。

用品種，而較為低劣的品種有栟櫚蔗、白岩蔗（在別的項目內還列有假蜂蔗之名）。但據筆者所知，這些品種名並未出現於日後的文獻內，大概是除了崑崙蔗之外，僅通用於吳中近鄰地方的品種名。

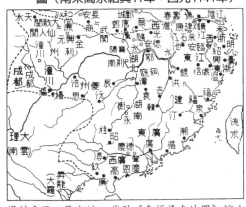

圖6　宋・金對立時代的長江、珠江周邊形勢圖（南宋高宗紹興11年，西元1141年）

資料來源：箭內編，前引《東洋讀史地圖》縮小借用。

陶穀在「青灰蔗」之項繼續記述：「糖坊中人，盜取未煎蔗液，盈盌啜之。功德漿即此物也。」

陶穀所提之點值得注意。糖坊即指小規模的手工業制製糖寮，被僱用的工人偷偷啜飲加工前的甘蔗榨汁，稱之為功德漿。由此或可說，江東地域小規模手工業制製糖業的原型，在唐、五代時期大體已成形（糖坊的紀錄於此文獻首度出現）。

《清異錄》之外，著名的本草書逐步出版。先有已引用過的蘇頌《圖經本草》（1061年刊），本書所舉之甘蔗產地範圍，比之前所有的記載更廣，另外新加上了閩與湖南[40]。這當是漢族開發福建，且開始反映在文獻上。

單從文獻上看產地（如表1），本書所舉之處與現今甘蔗種

---

40 李時珍之《本草綱目》的引用文更加上湖南。湖南甘蔗可追溯到西元前，所以這並非初見。

表1　文獻上所見甘蔗的地域性分布

文獻名①	著作年代（推定）②	地名③
子虛賦	156～141（西元前）	楚・雲夢澤
異物志	25～220（西元）	遠近、交趾
通俗文	224～287	荊州
蜀都賦	266～316	蜀
齊民要術	530～550	雩都縣
陶弘景（本草書）	452～536	江東、廬陵、廣州
新修本草	659	益州、西戎、江左④
食療本草	621～713	蜀、嶺南、江東、會稽
清異錄	903～970	吳中
圖經本草	1061	江浙、閩廣、蜀川、湖南⑤

附註：

①包含被引用而殘存的文獻。

②若著作年代不明，即以作者生卒年充當。

③以文獻上的地名記載，參照本書內文。

④非以甘蔗產地，而以石蜜之產地記載。

⑤《重修政和經史證類備用本草》所引用的《圖經本草》缺漏湖南，而《本草綱目》的引用加了湖南。

植分布的所有地域，可看出大體上一致（現今海南島、台灣除外）。

　　甘蔗本來是熱帶植物，栽培地大概在北緯33度至南緯30度之間，長江主流流經最北的江蘇省鎮江市一帶，僅位於北緯32度之稍北而已，所以至今出現的產地主要以長江流域為北限（附帶說明，屬於此地域之省域而未以甘蔗產地出現於文獻者僅有貴州省，然其實際情況不明）。

　　關於甘蔗的品種，《圖經本草》只舉出荻蔗與竹蔗二種，不

見崑崙蔗之名。此書之記述可貴的是甘蔗由商人賣到首都（本書刊行時首都為開封），以荻蔗多、竹蔗少的紀錄。此被引用於《證類備用本草》：「圖經曰……商人販貨至都下者，荻蔗多，而竹蔗少也。」李時珍的《本草綱目‧卷三三‧甘蔗》引用者與此稍有不同：「頌曰……南人販至北地者，荻蔗多，而竹蔗少也。」並未明確記載出都下，僅是南方人到北方去賣。由此可知，甘蔗在北方以生食為商品，不是做為沙糖的製造原料，而是生食用。因先前已見荻蔗為「但堪噉」，而竹蔗則為「笮其汁以為沙糖，皆用竹蔗」，所以筆者以為竹蔗主要是留在南方，加工後才賣到北方。南方沙糖的名產地依照《證類備用本草》的引用為「圖經曰……泉、福、吉、廣州多作之。鍊沙糖……」如上所記為福建省之泉、福兩州及吉州（即前出之盧陵，江西省吉安縣）與廣東省的廣州四地。特別是將泉、福兩州提升至前，因為福建一帶的自然條件（特別是氣候）原本適合甘蔗栽培，加之如前所述福建省的開發有進展。又值北方的遼、西夏興起，大舉南遷的漢族上層階級砂糖需要量增大之故（參照後述）。

　　繼蘇頌的《圖經本草》，以其獨特性與可信度之高而有好評的本草書，則是同為宋朝人寇宗奭所撰的《本草衍義》[41]（西元1116年成書，1119年刊行）。本書卷一八立了「甘蔗」、「石蜜」、「沙糖」三個項目，特別在「甘蔗」列出甘蔗的產地為「今川、廣、湖南、北、二浙、江東、西皆有。」

41　本稿參照商務印書館1957年重印第1版。另又參酌《十萬卷樓叢書》（初編）所收《本草衍義》。

　　依據此書，印證了蘇頌在《圖經本草》（《本草衍義》刊行約晚《圖經本草》半世紀之久）新加上的湖南，又，於司馬相如之時已有紀錄的產地雲夢澤（湖北省）重新受到注意。另浙江省依宋朝的行政區分為浙江東路與浙江西路並稱為二浙。而在此以前只有江東被論及，從此江西（在此可能不只意味江西省，而是相對於江東之謂）明確地開始被關注。甘蔗之項更記述了往昔本草書都未提及關於收穫的事宜：「自八、九月已堪食收。至三、四月方酸。」即八、九月已可食、可收穫，到三、四月才變酸。

　　關於砂糖留待下章詳細討論，在此筆者舉出《本草衍義》甘蔗之項，其於以往的石蜜（或乳糖）與沙糖記載外，另新加上糖霜。石蜜之項又出現捻糖的記載。據筆者所查，糖霜與捻糖之名稱，為現存文獻首次出現。

　　糖霜則待後敘述，捻糖在石蜜之項為：「石蜜……今人謂乳糖，其作餅黃白色者，今人又謂之捻糖。」如上述，可知為乳糖之別稱。對於石蜜則有「以鉶象物達京都……」的記載。以如圖7的鉶（裝菜與湯的容器）狀的器皿送達京都，可知石蜜不一定是乾燥物。順帶提及江表傳中的甘蔗餳也是濃縮液，《證類備用本草・卷二三・荔枝・石蜜》引用《唐本草》（其所指實為《新修本草》）如下：「……用牛乳汁和沙糖煎之……」，或前出《食療本草・石蜜項有「此皆是煎甘蔗汁及牛乳汁，煎則細白耳。」

　　由以上的敘述可推測，此時期之石蜜由甘蔗汁與牛乳邊煮邊煉成黏稠狀物（關於石蜜的解釋有李時珍、洞富雄兩人之說，留待後節介紹）。

　　從鉎象物還可有另一個推測——唐、宋時期陶瓷器取代了漢魏時代的土器，但為何不將石蜜裝入缸（甕）之類而裝入金屬之鉎象物？由此可推測石蜜之類猶為藥用而被視為貴重品使然。

圖7　鉎圖

資料來源：《辭海》（中華書局）。

　　在此記述之同時期，另有新的糖霜（乾燥的砂糖）出現。不論從製糖技術、搬運與保存等面向來看，此都為重大的進步。以往甘蔗的利用過程為生食再到飲用甘蔗汁，往後以甘蔗餳為名的濃縮液保存與利用。結晶的乾燥物是利用型態上的進步，為促進甘蔗栽培發展的重要原因（以往因甘蔗不便長期保存，濃縮液的利用型態容易起化學變化，把有限的消費可能量又縮小）。甘蔗栽培在宋朝有飛躍性的發展，重要原因為都市商品經濟的發展與消費生活的提升喚起需要之外，糖霜的出現也是另一重要原因，其因方便搬運而擴大了消費空間，乾燥的結晶（指糖霜外形是結晶物）把消費期間從季節性、短期的限制，改變為恆常性、較長期的型態。換言之在空間與時間上擴大了以往消費的可能量。

　　糖霜在王灼《糖霜譜》有詳細的敘述。《糖霜譜》的出版年不詳，但書中〈第六〉有「宣和初……」的記述，又書末守元的跋文有「紹興三四年甲戌」之記載（但紹興年號沒有34年，甲戌當為紹興24年），故推斷這些記述可視出版年為1119至1154年之

間。由此推測本書刊行應比《本草衍義》稍晚。王灼為遂寧縣
人，該地屬甘蔗名產地涪江流域。

《糖霜譜》不只是中國最古老且最具規模的砂糖文獻。從質
來看，到此時期幾乎未曾被提及、包含甘蔗栽培與糖霜製造的技
術面以及在社會經濟史上有重要意義，即鄉村甘蔗栽培農家戶數
及製糖農家戶數占全農家戶數之比例，均有某程度的記述等，可
說是理解中國最古老的工廠制手工業製糖業原型不可或缺的貴重
史料。甘蔗的栽培方法以及糖霜的製造方法，容後另闢一節論
敘，在此主要介紹產地、品種與甘蔗栽培的發展。

首先就產地來看。本書並未直接舉出甘蔗產地，但在〈原委
第一〉直接舉出福唐（福建省福清縣）、四明（浙江省鄞縣）、
番禺（廣東省番禺縣）、廣漢（四川省廣漢縣）、遂寧（四川省
遂寧縣）五地為糖霜的產地，而有「至結蔗為霜，則中國之大，
止此五郡」的記述。由此可窺知當時最高級的砂糖、糖霜的產地
限於上述五郡。

甘蔗栽培除了在早期由貴族諸侯自家栽植，之後即帶有濃厚
的商品作物傾向，因而有本書〈第三〉的記載：「繖山在小溪
縣，涪江東二十里，孤秀可喜，山前後為蔗田者十之四，糖霜戶
十之三。」在當時可說是令人驚訝的數字。關於繖山前後的描寫
在數量上不免模糊不清，但其周邊甘蔗田占水田十分之四，糖霜
製造戶數占總戶數之十分之三的意義是重大的。可證實此數字的
另一記述也在〈第三〉：

糖霜成處，山下曰禮佛壩，五里曰乾灘壩，十里曰石溪壩。江

> 西與山對望曰鳳臺鎮，大率近三百餘家，每家多者數十甕，少
> 者一、二甕。山左曰張村、曰巷口，山後曰霤池、曰吳村，江
> 西與山對望曰法寶院、曰馬鞍山，亦近百家……（張村屬蓬溪
> 縣、鳳臺鎮屬長江縣）。並山一帶曰白水鎮、曰土橋。雖多蔗
> 田……。

即敘述繖山周邊諸村約三百餘戶農家，擁有使糖霜結晶的甕，多
者數十，少者一、二。

　　然而甘蔗栽培農家非全部製造糖霜，也有只製造糖水（甘蔗
汁之謂）或沙糖的農家，因此栽植甘蔗的面積，與前面十分之四
之數字合起來可推測應達到相當大的面積。

　　關於甘蔗的品種，王灼也留下至今無例可尋的詳細記述，同
在〈第三〉：「蔗有四色，曰杜蔗、曰西蔗、曰芳蔗，本草所謂
荻蔗也、曰紅蔗，本草所謂崑崙蔗也。」即甘蔗的品種有杜蔗、
西蔗、芳蔗（荻蔗）及紅蔗（崑崙蔗）四種，繼而記述其各自的
用途為：「紅蔗止堪生噉；芳蔗可作沙糖；西蔗可作霜，色淺土
人不甚貴；杜蔗紫嫩味極厚，專用作霜。」即紅蔗為生食用，芳
蔗製造沙糖，西蔗與杜蔗都為製造糖霜，但前者色淡不為當地人
所喜，後者紫嫩味濃厚，專製糖霜。

　　先前已述及甘蔗本具有特別顯著的商品作物性格，此外甘蔗
在圃時間比任何水田作物都要長，地力消耗極大。思考此等特
性，該時期的甘蔗栽植對主穀農業（以自然經濟為主的農村經
濟）有偌大的侵蝕作用，令人瞠目，且可視為不只局限於四川省
而已。當時的砂糖消費主要限於都市城鎮，且所謂北宋四京——

汴京（東京，今開封）、應天（南京，今河南省商丘縣）、河南（西京，今洛陽）、大名（北京，今河北省大名縣），都市分布主要在黃河流域以南（大名除外）。王灼的時代北方的金朝已勃興，又正值宋朝南遷前後，與江東、江南的開發蓬勃進展時期，這以後都市的繁榮及與外國貿易主要是以華南，特別是沿海地帶為中心。從四川省甘蔗栽培的發展來看，應可想像江東、江南也發生類似的情形，這亦可由王灼所舉糖霜的五大名產地之中的三個（浙江、廣東、福建）屬於此地帶一事得知。

接著來看南宋以至元朝甘蔗栽培的發展呈現何種情況（可惜的是沒有能與王灼對遂寧縣周邊的甘蔗栽培做比對之文獻）。

前面提過，到北宋末甘蔗栽培的地域分布大體已與現今之分布[42]接近一致。元朝雖為時甚短（1271～1367年），留下來的文獻也較少。而南宋因宋學的發達可看到頗多地志、隨筆、文集的留傳。檢討這些文獻，似有能確認其產地分布之可能性（筆者對現存文獻並未全數過目，故無法明確說明）。然而筆者認為更重要的是，自南宋至元朝，對甘蔗栽培更加傾向商品化的實際情況，要以對應內陸的江南沿海地帶，特別是以福建省為對象去考察。

前面提過北宋末到元朝，砂糖已是都市生活者的必需品，以下先自既有的諸文獻裡印證砂糖登上外國貿易品目的實際情況。

詳細描寫當時的都市生活（特別是北宋首都開封與南宋首都臨安）的五本著名書──《東京夢華錄》、《都城紀勝》、《西

---

42 現今的狀態大致參考王逸飛，〈我國糖料作物的分布〉，《地理知識》10卷10期，1959年10月，頁455～457。

湖老人繁勝錄》、《夢梁錄》、《武林舊事》[43]，以下依成書年代順序做檢討。

《圖經本草》於宋嘉祐6年（1061）成書，比此書晚了半世紀（宋崇寧至宣和年間【1102～1125】），描寫當時開封都市生活，由孟元老著的《東京夢華錄》（紹興17年成書）中似也可印證《圖經本草》記述買賣甘蔗的事實。該書卷二・飲食果子之條有甘蔗、西川乳糖、獅子糖的出現，又「州橋夜市」條也有各種砂糖加工品，「素簽沙糖、雞頭穰沙糖、香糖果子、間道糖」等等都在夜市販賣。

這種情況直到南宋首都移到臨安（杭州）之後也一樣。隨著商品經濟發展而繁榮的臨安物質生活，可看到砂糖消費量的增加，砂糖加工品的種類比開封更多（特別是小孩用的糖果類增加），又盛行在料理上使用砂糖。據說南宋端平2年（1235）成書、灌圃耐得翁撰之《都城紀勝》的「市井」條有：「其他街市，如此空隙地段，多有作場之人。如大瓦肉市、岩橋藥市、橘園亭書房，……其餘如五間樓福客，糖果所聚之類，未易縷舉。」之記載。而在專賣店化的商店中也有「糖果店」的記述，又「食店」條有小孩用糖果專賣店的記述：「又有專賣小兒戲劇糖果，如打嬌惜、蝦鬚、糖宜娘、打秋韆、稠餳之類。」有關料理用砂糖在同書「四司六局」條有「官府貴家置四司六局，各有所掌……蜜煎局，專掌糖蜜花果……」的記載。當時的大官、有錢人家，設四司六局負責烹飪，又記述六局中特別掌管「糖蜜花

---

43 本稿引用《東京夢華錄（外四種）》，中華書局1964年版。

果」部門設有「蜜煎局」。

比《都城紀勝》稍晚，據說於1253年成書的西湖老人撰之《西湖老人繁勝錄》，在食店之條，商品中有甘蔗與糖霜的記載，此時砂糖蜜煎食品已成一股勢力，由下列所舉的繁多蜜餞名稱可為證：

> 蜜煎……蜜金橘、蜜木瓜、蜜林檎、蜜金桃、蜜李子、蜜木彈、蜜橄欖、昌圓梅、十梅、蜜楂、蜜杏、瓏纏茶果。糖煎尤多……乳糖魚兒、蜜棗兒、糖壽帶、玉桂糖、糖烏李、楊梅糖。

僅以此紀錄，並不能說明是否全為砂糖加工品，蜂蜜之可能性也不是沒有。但是明·宋應星所撰《天工開物·上卷·甘嗜第六卷·蜂蜜》有「西北半天下，蓋與蔗漿分勝云」的記載，可想像在南方少用蜂蜜而以甘蔗為主（雖然由明朝史料回溯南宋以類推不免危險）。但往後章節也會提及，由北宋末期至南宋所發展的四川、福建的糖業，主要是因為南方都市生活繁榮，與伴隨而來莫大之砂糖需求做為背景。

前面提到砂糖進入烹飪之事，在同時代──特別是淳祐至咸淳年間（1241～1274），詳細描寫臨安，吳自牧所撰《夢梁錄》（約1275年成書）的卷一九也有提及「蜜煎局」。同書更介紹了利用砂糖所做的點心之販售情事。在卷一三·夜市的「糖蜜糕」，又同卷諸色雜貨之「日午賣糖粥」、卷一六·葷食從食店之「糖肉饅頭、豐糖糕、辣餡糖餡饅頭、活糖沙餡諸色春璽、四時糖食點心、諸般糖食油煤」等，這只是數例而已，其他還有多

數砂糖加工品，品名不勝枚舉，值得驚訝。還不止於此，《夢梁錄》甚至細緻地具體描寫砂糖加工品在哪個店、以何種型態販售。

　　描寫南宋臨安情況的另一本書是周密（別號泗水潛夫）所輯之《武林舊事》（1280～1290年間成書）。該書除記述前面論及的四本書之砂糖加工品的種類，更傳遞了應注意的事實，即卷六・作坊有「糖蜜棗兒，諸般糖……」等記載，之後又有記述：

> 都民驕惰，凡買之物，多與（宋刻「於」）作坊行販已成之物，轉求什一之利。或者貧而愿者，凡貨物盤架之類，一切取辦於作坊。至晚始以所直償之，雖無分文之儲，亦可餬口。此亦風俗之美也。

大意為都民性驕惰，商品大多到作坊批發，零售賺取十分之一的利潤，無資本而有信用（貧而愿者，愿字指忠厚誠實即善之意，筆者取其義而作信用解）商品及盤架（運搬或擺商品之用具）借諸作坊，至晚才將盤架租金與商品代價（「直」即「值」，也有傭錢之意）償還。雖無分文可儲，亦可糊口。此亦可謂美俗。

　　此記述與《夢梁錄・卷一三・夜市》之「杭城大街，買賣盡夜不絕，夜交三、四鼓，遊人始稀」，這些記載共同印證自北宋末以至南宋時期都市之繁榮與商品經濟發達的情況。

　　我們可從「寬治6年（1091）10月，修理大夫橘俊綱贈送內大臣師通自宋進口的砂糖」（《後二條師通通記》〔《後二条

師通通記》〕[44]）理解砂糖的對日輸出。與此同時，王灼《糖霜譜・第六》有：「宣和（1119～1125）初，宰相王黼，創應奉司[45]，遂寧常貢外，歲進糖霜數千斤。」之紀錄也並不離奇，此記載亦可解釋當時商品經濟發達的背景。

　　筆者連篇累牘地舉出五個文獻，以傳達北宋與南宋的首都開封與臨安的生活情況，理由毋須贅言，不外為追蹤曾經像是僅止於當作藥品或部分王侯貴族奢侈品的砂糖，到宋朝開始被大量利用的過程。但若要了解宋、元兩朝砂糖被大量消費的情形，最方便的一本書是馬可波羅的《東方見聞錄》[46]。

　　馬可波羅在《東方見聞錄》中，就杭州地區、福州王國及福州市三個地方，將砂糖在中國的生產情況做了記述。關於杭州地

---

44 參照森克己，《日宋貿易の研究》，頁550，日、宋、麗交通貿易年表，及同書頁192。

45 志田不動麿指出，小說《水滸傳》的叛亂與應奉司的創設有關聯。參照〈中国に於ける砂糖の普及〉，頁128（《滝川博士還曆記念論文集一・東洋史篇》）。關於應奉司的設置現在此無法詳論（參見補註），雖然宋徽宗的奢侈是主因，而宋朝尚文輕武的風氣、商品經濟的發展與相隨的都市繁榮均有相關，因此不能單論為皇帝徽宗一人奢侈之故。這也可從被金打敗後的南宋，都市生活繼續繁榮，商品經濟的發展不單是在國內，亦延伸到國外貿易等事可窺知。

補註　關於應奉司之設立，《東都事略・卷一〇六・王黼傳》有「初黼既得國秉，念無以中上意，牢其寵，乃奏置應奉司，遂自領之，而以梁師成副焉。近則外台耳目之司，遠則郡縣牧宰之屬，皆責以供辦。於是殊方異物，四面而至。……凡入目之色，適口之味，難致之瑰，違時之物……率歸於應奉。奪漕輓之卒以為用，而戶部不敢詰。四方珍異，悉入於二人之家。而入尚方者才什一」的記述，今僅知其為王黼欲牢固徽宗之寵，廣集全國珍品奇物為目的而設之機構。

46 本稿所引用主要以青木一夫譯，《東方見聞錄》為主，參照英譯本，青木一夫譯本底本Aldo Ricci, *Travels of Marco Polo*, New York, 1931與Henry Yule, *The Book of Ser Marco Polo*, London, 1903。

區〈大汗自行在徵收巨額稅收的故事〉[47]，有「蠻子〔譯註：指當時的南方人〕的其他八個地區也一樣，此地區的砂糖生產量又達龐大的數額。實際的量，此地方與全世界的生產量做比較，大概為全世界產量的一倍之多。且這又包含在巨額的稅收之內。」行在（也就是宋徽宗的行宮的音譯）為南宋首都杭州的記述。關於〈福州王國的故事〉裡有「Unguem城（原譯註：可能為閩清[48]）……生產量甚龐大的砂糖。大汗宮廷所用砂糖全產自此都會，那總額簡直是不得了的量[49]（應譯成金額）」。馬可波羅接著又在〈福州市的故事〉裡提到福州市生產砂糖的盛況：「此地方砂糖的龐大生產額令人不敢相信。」[50]

　　除此之外，馬可波羅亦留下有關砂糖精製工程的珍貴口述，留待第三章第二節「二、元朝的製糖技術」再詳細論述。

　　據記述，馬可波羅經過福建省是在至元27年（1290）[51]末，由此可知福建省的糖業繼南宋之後保持沒怎麼被破壞的狀態。

　　元朝的統治者為蒙古的遊牧民族，對於江南一帶的甜味料——甘蔗及其加工品的新發現，特別有興趣，消費欲望也特別強，可由下列記述得知此種心態。

　　其一是官撰司農司的農書《農桑輯要》（1270～1273年間

47　前舉青木一夫譯本，頁203；Ricci本，pp.252～253；Yule本，p.215。

48　此Unguem城相當於今何處有諸多議論（詳細請見愛宕松男，〈マルコ・ポーロ旅行記地名考訂一〉，《集刊東洋学》13）與前舉Henry Yule版 *The Book of Ser Marco Polo*, p.230, 註8），本稿認為是指福建一帶即可。

49　同青木一夫譯本，頁206～207。Ricci本，pp.256～258，Yule本，pp.224～226。

50　同青木一夫譯本，頁207～209。Ricci本，pp.258～260，Yule本，p.231。

51　愛宕松男，〈マルコ・ポーロ元朝滯在年次考〉，《文化》第15卷第2號，頁39。

成書，詳請參照下一章第二節「《農桑輯要》所載元朝甘蔗栽
培法」），打破前例，正式收進甘蔗的栽培法，這在主穀農業
中心主義還很濃厚的階段可謂劃時代的事情。另一個是蒙古族
平定江南的至元13年，旋即在宣徽院（掌供玉食、燕享宗戚、
賓客之事）之下設沙糖局。《元史‧卷八七‧百官志》有「沙
糖局，秩從五品，掌沙糖蜂蜜煎造及方貢果木，至元一三年始
置」的記載。此沙糖局想必是模仿南宋官府貴家的蜜煎局（之前
出現），但明確地記述職掌沙糖之煎造，可見福建省主要供給的
是濃縮液階段的蔗餳，在《元史‧卷三十‧本紀‧泰定帝二》也
有可供印證的記述：「泰定3年（1326）5月乙巳，涇州饑，禁釀
酒，罷造福建歲貢蔗餳。」然而自泰定3年回溯18年的至大元年
（1308），也有一次停止從江南上供沙糖。同是《元史‧卷二
二‧本紀‧武宗一》也有「至大元年閏十一月丙申，罷江南進沙
糖，止富民輸粟賑饑」的記載。

　　此時未寫蔗餳而是沙糖，又僅使用江南的泛稱而非福建。推
測此間情事，禁止上供不一定是經常性的現象，很可能是遇到饑
饉時為減輕農民的負擔而採取的措施。有關元朝上層這種新的嗜
好物普及到一般民眾的情事（南宋時漢族間已相當普及）在後面
將有討論。

　　這些都市生活者所消費砂糖的主要供給地是哪裡？敘述開封
與臨安生活，前文舉列五書之中（《夢梁錄》除外），對甘蔗、
糖霜及砂糖加工品的買賣也有記載，但未提及砂糖的生產。唯一
的例外是《夢梁錄‧卷一八‧物產》，也僅在「果之品」有：
「甘蔗，臨平小林產，以土窖藏至春夏，味猶不變。小如蘆者，

名荻蔗，亦甜」的記述，由此可見，砂糖的主原料「竹蔗」在浙
江省，特別在臨安（杭州）近郊的縣沒有栽培，或若有栽培也
少。比如《圖經本草》有甘蔗的產地為「江、浙、閩、廣、蜀
川」，砂糖的產地為「泉、福、吉、廣州多作之」之記載應也是
說明此吧。關於蜀川有「鍊沙糖和牛乳為石蜜，即乳糖也，惟蜀
川作之」的記載，可知沙糖在蜀川也有生產。

又王灼在《糖霜譜・原委第一》把糖霜產地舉出如下：「福
唐、四明、番禺、廣漢、遂寧」五地方，同時在同書〈第六〉記
述：

> 宣和初，宰相王黼，創應奉司，遂寧常貢外，歲進糖霜數千
> 斤。是時所產益奇，牆壁或方寸，應奉司罷，不再見，豈天出
> 珍異不為凡，庶設乎。然當時縣因之大擾，敗本業者居半，至
> 今未復。

意即有被稱為糖霜戶這種幾近專業之農家的存在，因宣和年
間所創之應奉司後來被廢止而發生混亂，有半數糖霜戶停業至今
（《糖霜譜》成書之前）還未恢復。這是值得注意的。

北宋末宣和年間，宋徽宗被金太宗逼迫，於1126年把皇位讓
給其子欽宗（1126～1127年），翌年北宋汴京（開封）陷落，兩
帝均為金國所擄，即有名的「靖康之變」。宋室在這之後逃至江
南，定都於臨安（今杭州）。隨著宋室南遷，中原人士大舉遷移
南方，促進閩、廣沿岸省分的開發。在貿易方面，靠近臨安的
浙、閩二省沿岸之杭州、寧波、泉州等海港也發展為當時的世界

性大貿易港。隨著外國貿易的發展，如前面所述內地商業也繁榮起來（貨幣流通暢盛自不待言）。以此繁榮的都市[52]為背景，糖霜的主要產地，到了南宋便由內地的四川轉移到水上交通便利的沿岸諸省，特別是閩、廣地區，此是必然的。

　　馬可波羅的《東方見聞錄》所敘述的福建糖業的興盛，即對此做了說明。

　　如上得知，福建糖業自北宋至元朝一路興盛，其背景如前所述之外，宋朝以降農業生產力的顯著發展，特別是水稻種植技術的進步，稻麥一年兩茬〔譯註：指兩種不同作物在同一耕地栽植〕農作的普及[53]——這種生產力的發展與宋朝福建的大開發[54]兩者並行或以結果顯現出來。

---

52 關於都市繁榮的情況，除前舉五書之外，《東方見聞錄》之杭州城、福州城、泉州城等各項有詳細報導。當時人口之情況可續看宋・王存等撰《元豐九域志》（武英殿聚珍版本）卷九，據此福州主戶114,636戶，客戶96,916戶，泉州主戶141,199戶，客戶60,207戶，各城市合計均超越20萬戶（順便提及，元豐年間，即西元1078～1085年，尚屬於北宋時代）。到了南宋淳祐年間（1241～1252）杭州主客戶達到合計381,035戶（所據為《夢粱錄・卷一八・人口》，所引用為《淳祐志》）。再到元朝馬可波羅所傳杭州戶數有160萬戶（青木一夫，前引譯書，頁202）。此數字感覺未免大些，但不管如何，可認為是表示都市的勃興與繁榮。

53 參照周藤吉之，《宋代経済史研究》，頁3。

54 參照日比野丈夫，〈唐宋時代における福建の開発〉，《東洋史研究》4卷3號；北山康夫，〈唐宋時代に於ける福建省開発に関する一考察〉，《史林》24卷3號；和田久德，〈東南アジアにおける初期華僑社会〉，《東洋学報》42卷1號；成田節男，《華僑史》，特別是第四章「市舶司貿易時代（宋代）」等。

　　在此條件下，漢族南遷導致人口急遽增加[55]，原本耕地就少的福建省耕地更加不足，這種狀態就如同在第四章第一節的「三、從中國大陸與台灣的往來，看甘蔗傳播到台灣的情形」引用了謝履《泉南歌》與方勺的話所示。為打開困境，開墾與水利事業都需振興，但此亦有其局限。於是福建農民改變以穀物生產為主的生產方式，而開發手工業及經濟作物（茶、棉、甘蔗等）的種植以增加貨幣收入（該時期盛行礦山的開鑿部分原因與此有關）。南宋·韓元吉（生於1118年，歿年不詳）在其〈建寧府勸農文〉有：「建寧三地，境地狹而民貧……冒法販茶鹽，十百為群，以自取罪犯，而負逐利。又多費良田以種瓜、植蔗……」[56]的記述，即如實傳達農民因窮困而犯了禁販賣茶、鹽，使用良田種瓜、栽培甘蔗等商品作物的情況。

　　那麼，福建人不足之米仰賴何處？宋·真德秀（1178～

55

表2　福建地方的戶數變化變遷表

年間	戶數
唐　開元中（713～741）	115,311
天寶元年（742）	95,586
元和中（806～820）	74,467
宋　太平興國中（976～983）	467,808
熙寧10年（1077）	992,087
元豐元年（1078）	1044,235
紹興中（1130～1162）	133萬餘（5年）
嘉定16年（1223）	1599,214

資料來源：前引日比野論文，頁8之表附加西曆年。

福建地方的人口增加從唐代至南宋看其推移即如表2。8世紀中葉的10萬戶到13世紀初變成160萬戶，大增了16倍。

56 南宋·韓元吉，《南澗甲乙稿·卷一八》（《武英殿聚珍版叢書·集部》）。

1235）有：「福、興、漳、泉四郡，全靠廣米，以給民食」[57]及「福與興、泉土產素薄，雖當上熟僅及半年，專仰南北之商，轉販以給」[58]的記述，主要以廣東米及南北商人運來之米（包含南商運來的廣東米與北商運來的浙淮米）為依存。

簡單總結前述如下：一般來說，甘蔗栽培的發展有其誘發的外部條件（商品流通及砂糖消費市場的擴展）與內部條件（農業生產力的發展到充分使主穀農業所占地位減輕，因此可容許商品作物的滲透發展）在某程度的成熟之下被促進。

做為商品的砂糖在《本草衍義》以及《糖霜譜》可見記載，北宋末期即有乾燥且輕的糖霜出現，這個型態使得砂糖消費的可能性在時間與空間上大為擴大（如前述）。商品有了，接著便是消費，即接納此商品的市場如何展開的問題。

一般史家認為，唐末以至北宋初期為中國史上的一個轉捩點（因篇幅限制，有關時代區分，本文不多作解釋）。中國之經濟發展，即北宋中期到南宋間，與之前的時代有顯著不同，從砂糖消費方面探討也能明確得知。一般史家指出的包含有宋朝都市興起、貨幣經濟的滲透、平民階級的抬頭等等。

有關此「外部條件」的充實，在前面所舉有關北宋開封有《東京夢華錄》，關於南宋首都杭州有《都城紀勝》、《西湖老人繁勝錄》、《夢梁錄》、《武林舊事》等書做印證。砂糖消費型態的多樣性，以及由以往貴族的、藥用的性格而開始滲透到平

---

57 《西山先生真文忠公文集・卷一五・申尚書省乞措置收捕海盜》（《四部叢刊・集部》）。

58 同上書同卷的「奉乞撥平江百萬倉米賑糴福建四州狀」。

民使用的事實，亦從上述諸書可窺知。而元朝有馬可波羅在《東方見聞錄》的傳述，同屬元朝的賈銘在其《飲食須知》[59]的卷四‧菓類與卷三‧味類分別記述甘蔗與黑沙糖、白沙糖的多食須小心。特別是卷五‧味類‧黑沙糖有「黑沙糖……今人每用為調和，徒取其適口，而不知陰受其害也」的記述。由前述的舉證加上《飲食須知》的對象為一般平民來思考，代表元朝的砂糖消費已相當一般化。

　　促進甘蔗種植發展的外部條件說明到此打住，接著來看從農業內部的支撐條件。

　　周藤教授說：「宋代農業生產力增加，特別是南宋在江南的開發，以揚子江三角洲地帶為中心，兩浙、江東西等路的農業生產力的發展，可看到水稻種植技術的進步、稻麥一年兩茬的普及等多種農業技術的發達。」[60]如他所言，南宋以降江南農業生產力之發展令人瞠目，當時的福建省也在此圈內自不待言。然而，福建省內甘蔗種植的發展，不能只以福建省內部農業生產力的發展以及商品作物的滲透來單純考察。寫於南宋的〈勸農〉、〈救荒〉兩文可資印證，摘錄如下。

　　第一，韓元吉：「建寧之地，境地狹而民貧……冒法販茶鹽。十百為群，以自取罪犯，而負逐利，又多費良田以種瓜植蔗。」

　　第二，稍晚的方大琮在〈鄉守項寺丞博文〉[61]論救荒之策：

---

59 元‧（海昌）賈銘，《飲食須知》八卷（《學海類編‧餘七‧保攝集》）。

60 周藤吉之，前引書，頁3。

61 宋‧方大琮，〈鄉守項寺丞博文〉（《宋忠惠鐵庵方公文集‧卷二一》，静嘉堂文庫）。

亦緣土狹人稠，雖豐年無半歲糧，全仰廣舟，外之來者既稀少，內所有者又搬洩。又緣揹大家穀食不多，非如江浙家以萬計以千計者皆米也。今家有二、三百石者甚可數，且半是糠粃，而小產者尤可憐。又緣士大夫家當收租時多折價，至春夏之間無以爲，富室倡交相議何益……故防搬洩其一也。向來仰南北舟，既北久不至，又南來絕少……閩上四州產米最多。猶禁種秫、禁造麵、禁種柑橘、鑿池養魚，蓋欲無寸地不可耕，無粒米不可食。以產米有餘之邦，而防慮至此，況歲無半糧乎。今興化縣田耗於秫糯，歲肩入城者，不知其幾千擔。仙遊縣田耗於蔗糖，歲運入浙、淮者，不知其幾萬壜。蔗之妨田固矣。可一年不飲不可一日不食，上四郡士民之論皆同，而莆有不盡同者，豈非其餓在細民而不在士大夫耶。故禁雜種其一也。惟賢侯留意，若時和歲豐，南北流通無此矣。

　　所舉以上二文，可知當時福建省域內，主穀常不足，在青黃不接時期（春夏間）特別困難。雖然這樣，福建農民更加用心種植商品作物如瓜、甘蔗、秫糯（酒的原料米）之屬，且非法從事鹽、茶的販賣，吉貝布的紡織、砂糖的製造等，為必要所迫而追逐末利，事實上，也去追了[62]。因此，身為地方官吏的韓元吉與方大琮為了事前防止因主穀的不足而引起的地方不安，所以論述

62　參照前引《宋忠惠鐵庵方公文集・卷三三・勸織吉貝布》可看到「吉貝布自海南及泉州來。以供廣人衣著。……泉亦自種收花。……泉能織以相及」。另，南宋・陳藻《樂軒集・卷一・建劍風土・漁溪西軒》有「種麻賣布皆貧婦，伐蔗炊糖無末游」等。

禁止種植「雜種」。因此我們應該把福建省域甘蔗種植的展開[63]看成非因省內主穀農業的發展帶來的餘裕，相反的是土地不足與人口壓力造成主穀仰賴於外（主要為江蘇、浙江、廣東）的必要，不得不把支付貨幣的收入源求之於商品作物的結果。在這種狀況下，莆田（包含興化縣與仙遊縣）的士大夫階級（地主階級），反向利用砂糖的移出與米的移入，貪圖雙方面暴利，可做為間接證據的還有前舉的方大琮之言：「上四郡士民之論皆同，而莆有不盡同者，豈非其餓在細民不在士大夫耶。」

也因如此，浙、淮、廣東主穀農業之發展，這些地域與福建間的物資交流能順利往來，也必有如前面所述支撐砂糖市場的都市城鎮繁榮為前提。在此意義上，以廣域經濟（不限定於福建省來看），不須多言，可以說是整體農業生產力的發展支撐了廣域經濟。有關這些情事方大琮在前文說「南北流通無此矣」。方大琮所舉的仙遊縣[64]現今仍是甘蔗著名產地。由彼地以當時的罈（可惜不明其大小）幾萬罈運至浙、淮的紀錄來看，充分證明以首都杭州為中心的江南、江東一帶諸都市砂糖消費旺盛的模樣。

最後，對宋朝做一總結，將南宋末至元初成書的《事林廣記》所記載的甘蔗品種名列出。該書原為陳元靚（宋末元初人）

---

63 關於福建省域甘蔗種植之展開與商品生產之發展，明《嘉靖惠安縣志》（1530）之卷五・物產・貨屬有「宋時，五孫、走馬埭及斗門諸村皆種蔗，煮糖、商販輻湊。官置監收其稅」的記述。砂糖稅此為初見（筆者所查範圍內）。由此紀錄可窺知泉州府之糖業發展與隆盛之一斑。

64 前舉王逸飛，《我國糖料作物的分布》，頁456有「涵江流域的甘蔗播種面積占全省蔗田面積的一半以上，其中以仙遊縣最為集中，蔗田常占該縣耕地面積的17％，占全省總面積的三分之一以上」的記載來看，仙遊縣（與宋代仙遊縣之面積有無差異仍有疑問）甘蔗種植之興盛可說今昔未變。

從群書中以事項別收集而分類，可謂一本百科辭典形式的書，因此與《清異錄》、《糖霜譜》兩書不免有重複的地方，但從成書年間來看，可做為知曉南宋末期甘蔗品種名的路徑。同書後集‧卷之下‧果實類‧甘蔗條[65]記載的品種名有紅蔗、芳蔗、杜蔗、交趾蔗、崑崙蔗、荻蔗（又名竿蔗）、扶風蔗[66]七種，其用途「紅蔗止堪生啗，芳蔗、杜蔗二品可作霜」。雖只提到這些，但文中交趾蔗當然是冠了交趾地名的品種名，是以往文獻未見的，推測是因南宋時南方開發與糖業的隆盛，再度造成與交趾支那的品種交流。

進入元朝後，砂糖的生產與消費依然隆盛，此在農業記載方面無法詳細調查，但司農司撰之《農桑輯要‧卷六‧甘蔗》，「新添」以往農書未曾提起的甘蔗「栽種法」與「煎熬法」值得注意。在南宋時動不動就受地方官吏（特別是福建省域）所抑制、禁止的甘蔗栽植，正正當當地在元朝官撰農書登場，是令人驚訝的事，這留待後文詳細討論。但甘蔗之條並非全引用《糖霜譜》，而是新添的，因此為理解南宋末期甘蔗栽培、砂糖製造的必要史料。

---

65 宋‧陳元靚，《纂圖增新群書類要事林廣記‧後集》（靜嘉堂文庫所藏）。

66 扶風可能為扶南之誤。扶風、扶南皆為地名。扶風在今之陝西省域，為不產甘蔗之地。從文獻看，先有《南方草木狀》的扶南國之甘蔗入貢，後有康熙帝之敕撰《淵鑑類函》（1710年成書）卷四〇四‧果部六‧甘蔗，《佩文韻府‧卷八一‧蔗》各引用《世說》作扶南蔗，但可惜最重要的《世說》（《說郛‧卷九一》）與《世說新語》（《惜陰軒叢書》）皆失去此引文。

第四節　明朝的甘蔗栽培

　　前面已說過甘蔗栽培在南宋至元朝發展良好，地域上則由內地的四川將中心移動到福建、廣東的沿海地域。然而此種發展趨勢，在元朝與明朝的交替期（14世紀中葉），因大戰亂而使全國經濟荒廢，農業再度回到實物經濟〔譯註：以物易物經濟〕，到明初期不得不停留在以主穀為中心的自給生產。因戰亂等原因導致砂糖市場一時退縮。後來因明太祖在明初推行的恢復農業生產等諸對策[67]慢慢奏效，到了明中葉重新出現商品生產的發展。

　　本節的目的即是要查清楚商品生產的發展中，甘蔗種植如何定位，其具體發展的諸情況為何。進入主題之前，先借諸家見解來概觀明代中期以降，江南一帶的社會經濟背景。

　　天野元之助博士〔譯註：1901～1980，中國農業史研究家，有多篇相關著作和論文〕說：「到明中期以降，由國外導入新的作物，豐富了國民生活的內容，同時促成農業生產的發展，特別是商品作物栽培的飛躍性發展，社會分工的發達，漸漸顯示明顯的地域化，但因市場圈更加擴大，都市城鎮繁榮，商人資本的積蓄也隨著擴大，在舊有的封建社會經濟體制裡頭，次第為新社會體制的基礎做了準備。」[68]傅衣凌也認為明朝嘉靖（1522～1566年）前後是中國的資本主義生產萌芽的起點時期，且先出現在江

67　參照天野元之助，〈明代農業の展開〉（《社会経済史学》第23卷第5、6合併號）頁
　　19～20，與傅衣凌，《明代江南市民經濟試探》，頁3。
68　天野元之助，前引論文，頁39～40。

南及沿海地區[69]。

　　在此無暇詳述明代中葉以降的社會經濟的具體發展狀況，但至少如前面所說，明太祖在明初所施行的恢復農業生產諸對策漸漸奏效，至明中葉可看到重新有商品經濟生產的發展，國內物資的交流再現盛況。做為商品作物發展的中心，農業部門當然是棉花與桑（間接的），特別是棉花栽培的全國性普及與棉布的全國性市場的形成[70]，此和其他的絲線、絲織品、瓷器、鐵器、藍〔譯註：藍染〕與紙業等手工業的發展互相刺激擴大。

　　糖業當然不在此動向之外，因立地條件的不同所導致的地域分工，更加提高了華南糖業的地位。尤其是以日本為主的外國市場（待後述）與國內市場（明中期以降都市城鎮的更加繁榮）對砂糖需求，因藉沿海水上交通之便，促成福建、廣東占全國市場的九成[71]，超越王灼曾於《糖霜譜》推舉為中國第一產地的四川省。[72]此華南糖業發展契機的背景促進了農業商品作物栽培專門化與地域的分工傾向，反過來，此種傾向的存在更促進前述商品生產的發展。

---

69 參照傅衣凌，前引書，頁1。

70 參照西嶋定生，〈明代に於ける木綿の普及に就いて〉，《史学雑誌》57編・4及5號。

71 宋應星，《天工開物》（明崇禎10年刊本，中華書局上海編輯所編輯，1959年6月第1版）卷上，甘嗜第六卷・蔗種有「凡甘蔗有二種，產繁閩廣間，他方合併，得其十一而已。」

72 前引宋應星之說，天野元之助對此有「由今日之甘蔗生產額來看，四川次於廣東居第二位，江西居第三位，對宋氏的統計頗感疑問」（藪內清編，《天工開物の研究》，頁52）的意見，但筆者將明末華南沿岸地域商品經濟的發展（城鎮的繁榮與外國貿易的發展）與農村商品作物栽培的普及諸情事相併思考，認為宋應星的推計是妥當的。

　　先把此種社會經濟背景下的甘蔗栽培的發展放在心上，再來探討明朝中期以降甘蔗栽培的狀態。

　　明朝中期值得特書的重要文獻首推《本草綱目》。由李時珍於1552年開始編纂，1578年完成此書。初版為1596年，被認為是歷來本草書的集大成者。果然不負其盛名，就甘蔗的記述不只引用典故相當正確，對甘蔗形狀的描寫，也是歷代諸書中與現在的甘蔗最相近的記述，傳述如下，即《本草綱目‧果部‧卷三三‧甘蔗》之「時珍曰」有「蔗……內實，大者圍數寸，長六、七尺，根下節密，以漸而疎。抽葉如蘆葉而大，長三、四尺，扶疎而垂」的描寫。關於品種，李時珍引用《糖霜譜》的四種類，而對其中的芳蔗新加了說明如下：「亦名蠟蔗即荻蔗」。蠟蔗的名稱，後來在台灣也見普及。[73]蠟蔗之名據筆者所知，《本草綱目》乃是初見。

　　關於產地李時珍則並未提及。然而以記述明代全版圖的地志《大明一統志》[74]之「土產」條來看，以甘蔗、蔗、蔗霜、糖霜、石蜜等名稱之「土產」出現如下——卷五八‧贛州府（江西省）：「石蜜（各縣出）」；卷六十‧襄陽府（湖北省襄陽縣）：「蔗」；卷七一‧潼川府（四川省）：「蔗霜（遂寧縣

---

73 參照臨時台灣糖務局編，《糖業記事》（第2次），頁12。

74 此處參考紀州的（陰山）元質在元祿12年（1699）的翻刻版。《大明一統志》是明英宗在天順2年（1458）命李賢等編纂，實際是《寰宇通志》（1456年成書，今失傳）的節錄，於天順5年4月完成。天野元之助在前引論文頁35所引用《大明一統志》是採用何種版本不得而知，但潼川府在卷七二、卷五八之贛州府、卷六十之襄陽府，及卷七四之福州府均被遺漏。早在天野論文之前發表的志田不動磨的〈中国に於ける砂糖の普及〉（《滝川博士還暦記念論文集‧（一）東洋史篇》）頁131之引用亦相同。

出）」；卷七四・福州府：「蔗（府城西有甘蔗洲）」；卷七五・泉州府：「甘蔗（俱永春縣出）」；卷七九・廣州府：「糖霜」；卷八四・梧州府（廣西省）：「糖霜（藤縣出）」。由以上記載可知本書非一人寫成，所以甘蔗、糖霜名稱紛紜不齊均被收錄。廣西省梧州府藤縣做為糖霜產地首度出現，長江以北、位於北緯32度之襄陽府也生產甘蔗。然而相當奇怪的是，南宋時著名的甘蔗產地興化府之仙遊縣、屬江東的浙江[75]與江蘇兩省等完全未被提及。這留待後面再討論。

將產地概括傳述的文獻尚有明・王象晉《二如亭群芳譜》。在此書卷四・果譜有「江東為勝，今江浙、閩廣、蜀川、湖南」列舉出產地。但透過《二如亭群芳譜》的「甘蔗」條來看，大體把《本草綱目》以及引用在此書的歷代本草書等再重複引用而已，未有新見解。上記產地也是陶弘景的「江東」與蘇頌的「今江浙、閩廣、湖南、蜀川」照樣引用而已（至今筆者尚未查出王象晉並非再引用而是實地證驗的證據）。又前述的《大明一統志》從其成書時期來說，也未能明確反映明朝中期以降的情形。在本節已如前述，甘蔗、沙糖、石蜜產在何地並不是問題，究明明末清初華南沿海一帶的甘蔗栽培帶有何種商品生產的面貌更是重要，而台灣糖業的前史研究的空白能否填平，實不外乎關係於這些問題。

居於此觀點，由明中、末期地方志（主要以福建省域）之物產、土貢或風俗之項來嘗試切入。

---

75 關於浙江省在卷四一・嚴州府・山川有蔗山之地名，在其註有：「在淳安縣東北四十二里，（山分）八面，水注十㳇，相傳昔人於此種蔗，故名。」

　　現在於東京周邊的圖書館可直接閱覽該時期的地方志，首推弘治《興化府志》（1503年）。興化府含前節所引方大琮列舉之甘蔗名產地仙遊縣與莆田。《興化府志・卷之一二・戶紀六》有製糖法（詳細討論在後章）的詳述，之外有「客曰莆作業，布為大，黑白糖次之」之記述。製糖業在莆田極為興盛，其製品之白糖在次年九月由各地客商聚集而買去。「九月各處客商，皆來販賣。」而其販賣的對象（消費者的階層）不限於以往的上層階級「今上下習奢販賣甚廣」，有上下皆習奢侈、販賣範圍也頗廣泛的傳述。

　　比弘治《興化府志》晚72年出版的萬曆《興化府志・田賦志・上供》（1575年）有「本府領莆僊二縣。……本色白砂糖二千五百八十斤（價銀六十九兩九分九釐六毫，水腳銀五兩五錢二分七釐九毫）。黑砂糖一千一百三十斤（價銀三十三兩九錢）」的記載，可知不只販賣，做為上供物而被中央政府徵收白、黑砂糖。黑、白砂糖的上供也不限於興化府，似乎遍於福建省全域，《嘉靖惠安縣志・卷之七・上供》也有「國初貢物亦少，吾邑只有白糖三百五十斤，糖霜一百斤，沙哩唎[76]（蒙古語黑砂糖之謂）一百一十斤皆土物也」的記載。

　　嘉靖《惠安縣志》（1530年）所說的國初是何時，萬曆《泉州府志》（成書年只記載萬曆年間）之卷七・上供三辦有：「國朝洪武年間有雜色、皮、翎、角弓、弦箭之貢。永樂間有白糖、霜糖（可能是糖霜）、沙哩唎之貢。」可知到洪武年間（1368～

---

[76] 明・何喬遠，《閩書・卷之一百五十・南產志上・甘蔗》（1629年）有：「蜜片，元人名沙裡唎，胡語也。」

表3　明朝福建省的砂糖上供（數量及金額）

地域 / 重量及金額	白砂糖（斤）	銀幣	黑糖（斤）	銀幣
汀州府①	5,138		1,803②	
長汀縣	851		199	
寧化縣	851		199	
清流縣	851		299	
歸化縣	750		263	
連城縣	534		187	
上杭縣	667		234	
武平縣	317		111	
永定縣	317		111	
邵武府③	4,384④	每斤價銀5分	1,131⑤	每斤價銀1分2釐
邵武縣	2,269		796	
光澤縣	734		258	
泰寧縣	694		243	
建寧縣	667		234	
興化府⑥	2,588	69兩9分9釐6毫（水腳銀5兩5錢2分7釐9毫）	1,130	33兩9錢
福州府				
寧德縣⑦	599	35兩9錢4分	265	7兩9錢5分
福寧州⑧	970	58兩5錢6分	441	13兩2錢3分
漳州府⑨				
正德年間（1506〜1521）	5,702		2,500	
嘉靖年間（1521〜1566）	4,570		2,000	

註：①由崇禎《汀州府志》（1637年）卷之九・土貢製成。
　　②八縣合計只1,603斤，大概因長汀、寧化兩縣把299斤誤寫成199斤之故。從白
　　　砂糖的數量來看可作如是想。
　　③由萬曆《邵武府志》（1619年）卷三十・上供製成。
　　④⑤四縣合計都與府的數量不一致，理由不明。
　　⑥由萬曆《興化府志》（1575年）製成，無別縣。
　　⑦由萬曆《寧德縣志》製成。
　　⑧由萬曆《福寧州志》（1593年）製成。
　　⑨由萬曆《漳州府志》（1613年）製成。正德與嘉靖量不同，也無縣別。
　　又，泉州府並無數量，但如本文所記述，自永樂年間即有白糖、糖霜、沙哩唎
　　的上供（萬曆《泉州府志》）。

1398年）沒有砂糖的上供，到永樂年間（1403～1424年）才開始
上供（惠安縣屬泉州府）。不只泉州府，福州府同樣以砂糖上供
是在永樂以後的事情。萬曆《福州府志・卷之七・食貨》（1596
年）有「永樂以後，有紅白糖」的記載。上供之事在洪武時無，
開始在永樂以後。前已提及，砂糖生產因元、明交替期的戰亂減
退，此乃說明永樂以後始恢復生產。

　　以往文獻內，不太被注意的砂糖生產地福建省東北部的寧德
縣、福寧州也如表3，以砂糖上供。而西北部也有邵武府，西南
部有汀州府以砂糖上供。其具體的數量及與銀換算的金額（無法
做到收錄完整）如表3。

　　在此出現的問題為其他二大產糖地──四川與廣東有無做上
供，若有，數量為多少？遺憾的是，得以方便閱覽同時期前後
成書的四川、廣東相關的地方志很少。但經查其中主要的地方
志[77]，均未能找出相關記述。當然不能就以此判斷四川與廣東未
曾上供，但福建省全域幾乎都施行砂糖上供的事實，加上諸地方
志所記述詳細的製糖法（請參照製糖技術之項），及之後將談到
的福建砂糖流通極為廣泛等情況，可說砂糖生產上的「地域性特
產化」──福建省為主，廣東省為從，是大致不能否定的事實。
此事實當時在《天工開物》據宋應星之言如下：「產繁閩廣間，
地方合併得其十一而已」。接著將諸家片斷記述揀拾以資印證。

77　有關四川省可查萬曆《合州志》、萬曆《四川總志（十五省通志）》、嘉靖《青神縣
　　志》。有關廣東省可查嘉靖《廣東通志（十五省通志）》、嘉靖《潮州府志》、萬曆
　　《廣東通志》及郭棐的《粵大記》。這些書不但未記載上供，就連有關甘蔗及砂糖的
　　物產項，不是略述其存在，便是只有引用，因此不值得參考。

　　弘治《興化府志・卷之一三・戶紀六・貨殖旁考》有「莆作業，布為大，黑白糖次之」，此記載表示糖業占莆田手工業的地位之高，又卷之一三・戶紀七・山物考之「甘蔗」條也指出，莆田人追逐末利大肆種植甘蔗的情形：「莆人趨利者，多種之，近為癡風所損故稍止」（癡風即颱風）的記述。這裡產出的砂糖當然不是為了自給，同卷的戶紀六有「九月各處客商皆來販賣。……今上下習奢販賣甚廣。」描述當時各地的客商聚集來買，而白糖的消費，因不管階級高低，人人以奢為習，所以販賣很廣。

　　嘉靖《惠安縣志・卷之五・物產・貨屬》有惠安縣甘蔗栽培的普及與有利益的記述：「唯深山肥潤處，種畬稻兼種畬蔗，傍山煮煉，歲亦獲利」的記載。惠安的砂糖運到縣境外，廣售於天下（未直接舉出砂糖的商品名）。同書卷之四・風俗有「歲暮商販，以入興泉，雞鵝羊豕，大抵由吾邑往者多也。……通商賈輂貨之境外，幾遍天下」由上亦可推測，又福建省內砂糖之上供，如表3所示，大概始於永樂年間（1403～1424），弘治、正德年間（1506～1521）則遞增。「國朝洪武間有雜色……之貢。永樂間有白糖、霜糖、沙哩唎之貢。後以經費所需，始派各色物料，弘正間遞增之」，此上供辦法不久便發生弊害：「而名數煩碎，或增或減，或徵或否，自有司莫能詳其來歷。吏胥因之為奸，虛派侵剋歲益滋，甚至徵解之時，主吏勒索無厭，往往耗折逋欠。」

　　為了除去此弊害，沈御史於正德15年（1520）施行八分法，令各縣支付八分銀兩做為上供，府以此代買並交納：「正德十五

年，沈御史行八分法，通融各縣，應辦物料就於八分銀兩支解，本府僉長解，買辦本色，解部交納。」

　　再到嘉靖年間，此上供事更變為單純化，即徵收銀及水腳銀繳納布政司，由布政司買辦交納京都。「嘉靖二十六年[78]議附由帖徵銀，解布政司支應」（以上引用自萬曆《泉州府志・卷之七・上供三辦》）。到了萬曆年間，因有「解戶」、「管解」的破產等，而有萬曆初的一條鞭法的實施，上供的徵法更簡便化。即折銀附隨在秋稅的「秋糧」徵收，依萬曆《漳州府志・卷之八・賦役志・土貢》所記：「先是解戶、管解多至破產，自萬曆年行一條鞭法以後，前項料銀於秋糧內附徵，先儘起運，無僉解、買辦、輸納之累。民稱便矣。」（伴隨徵收的勞役負擔減輕或解除，人民負擔因而減輕）

　　因砂糖為重要上供品目之一的緣故，加上解除了上供徵收的弊害、「折銀」的施行以及稅法的改革等，因此帶來國內商業的繁榮。以此社會、經濟的狀況做背景，此時期更加促進了甘蔗的生產。

　　順帶說明，「折銀」即換算成銀而繳納之意。這正好加上明朝中期以降有豐富的良質銀流通的一環來施行，可做為印證的是，國內市場的擴大（包含明成祖時期，西元1403至1424年以後伴隨著運河南北開通，沿岸都市的繁榮）與商業的發展，以及外國貿易的擴張（對菲律賓的貿易及之後從日本輸入銀做為對價輸出砂糖為首的特產品）。又稅法的改革——即被稱為唐末的「兩

---

78 萬曆《漳州府志・卷之八・賦役志・土貢》作嘉靖37年，銀之外也徵水腳銀（運費）。
　「嘉靖三十七年以後，徵銀同水腳銀，解布政司，委官買辦本色，赴京交納。」

稅法」之後的大改革：所指為著名的「一條鞭法」實施，由此將繁瑣的雜稅歸一，全國大部分的地域即以此為契機進行賦稅與徭役的「折銀」。

以上這些條件雖與其他社會經濟條件的關聯顯現參差不齊的情形，卻帶來明代中期以降國內商業的繁榮。

以上是在地方志中幾無前例詳述製糖法的弘治《興化府志》與嘉靖《惠安縣志》（詳細請參照第二章第二節）出現的背景。地方志的反映，可視為地方讀書人基於立地條件的優越，欲更加促進地域性分工的動向。此動向延至崇禎年間，又有何喬遠的《閩書》（1629年）及集產業技術大成的《天工開物》兩書之成。這些發展更促成生產的社會性分化。在此所提的華南（閩廣）的砂糖為始，景德鎮的瓷器、廣東的鐵器、山東河南的棉花、湖廣的米、福建的藍染及松江府棉業[79]的發達，新安商人[80]的活躍則為其具體的顯現。

明確提示砂糖流通的一本書是，萬曆14年（1586）序刊的王世懋的《閩部疏》[81]，把當時福建特產品的流通狀況記述如下：「凡福之紬絲、漳之紗絹、泉之藍、福延之鐵、福漳之橘、福興之荔枝、泉漳之糖、順昌之紙，無日不走分水嶺及浦城小關。下吳越如流水，其航大海而去者尤不可計。」即泉州與漳州的砂糖和其他的特產品沒有一天不越過分水嶺（此指仙霞嶺）及浦城（福

79　詳細參照西嶋定生，〈松江府に於ける棉業形成過程について〉，《社会経済史学》
　　13卷第11、12合併號為首，一系列的有關中國棉業的諸勞作。

80　關於明代的商業及商人有藤井宏出色的研究，參照〈新安商人の研究〉（1～4）
　　（《東洋学報》第36卷1～4號）。

81　王世懋，《閩部疏》（《寶顏堂祕笈廣集・第七》）。

建省最北、位於浙江省界附近），下吳越（現今浙江省全省及江蘇省西南部、福建省東北部之地，在此願解為浙江、江蘇兩省之意）的數量如水流般多，當作航海貿易商品輸出的數量更不可計量。

由此記述可知泉、漳兩州所產的砂糖市場擴及國內外。接著再看福州的砂糖情形為何（雖稱福州，但有時大概也包含泉、漳兩州）。同是萬曆年間刊行之《鉛書・卷一・食貨》頁70上有：「其貨自四方來者，東南福建則延平之鐵、大田之生布、崇安之閩筆、福州之黑白砂糖……此皆商船往來貨物之重者。」[82]

如上記載點出在江西省的鉛山（福建、浙江、江西三省的交通聯絡要處，是當時著名的物資集散中心）集結的重要商品有福州的砂糖。

另外，江西省南部一帶有自《齊民要術》以來記載的甘蔗名產地雩都縣。關於雩都縣無適當資料可了解其變化，姑且以位於其北而近鉛山的撫州（今臨川）的狀態來觀察。嘉靖《撫州府志》（嘉靖33年，西元1554年）記載。同書地理志卷五・物產考・果屬有：「甘蔗則出東鄉……熬為黑粆（應為沙之別字）糖。出貨他省，西鄉之貨惟橘，東鄉之貨惟粆糖。」撫州府的東鄉縣產甘蔗，以此生產黑砂糖，賣到他省。有趣的是未見白砂糖的記述以及砂糖所費勞力與工資。僅見「粆糖費工力多，其為民利亦微」，記載明嘉靖年間正當福建糖業的隆盛期，撫州生產的砂糖農民卻利益菲薄。

---

82 因未能直接閱覽萬曆《鉛書》（日本似乎未曾收藏），姑且引用許大齡，〈十六世紀十七世紀初期中國封建社會內部資本主義的萌芽〉，《北京大學學報・人文科學》1956年第3期頁17～48，頁23註1。

　　然而，福建省的立地條件（水上交通與甘蔗生育的自然條件）與先進的製糖技術（撫州府志未見白糖記述，估計為技術上的落後）在此時期已經比他省優越，是否可由此聯想砂糖生產的地域性特產化更為明確。由距離上[83]可謂壓倒性鄰近鉛山市場的撫州來運砂糖，還不如從福建東南部運良質砂糖，即使是抵補運費恐怕還足有餘利吧。

　　最後來觀察明末清初時期。何喬遠的《閩書・卷之三八・風俗志》，記述泉州砂糖生產如下：「泉州枕山負海。……附山之民墾闢磽确，植蔗煮糖，黑白之糖行天下。」敘述泉州山村住民將耕耘不利之地種植甘蔗，製造砂糖，此砂糖販賣於四方，其具體的記述在同書卷之一百五十・南產志・甘蔗：「居民研汁煮糖，泛海鬻吳越間」，通過海路販賣到吳越。

　　通過海路的市場不限於國內的吳越，更擴及海外。從《天下郡國利病書・卷九五・福建六》[84]之記述可窺之：

崇禎十二年（1639）三月給事中傅元初請開洋禁疏言。……蓋海外之夷，有大西洋，有東洋。大西洋則暹邏、柬埔諸國。……而東洋則呂宋，其夷佛郎機也。……中國人若往販大西洋，則以其產物相抵，若販呂宋則單得其銀錢。是兩夷者，皆好中國綾羅雜繪。……中國湖絲百觔，值費百兩者，至彼得價二倍。而江西磁器、福建糖品菓品諸物，皆所嗜好。

---

83 在此所謂距離是依地圖上之所見，而非以當年具體的交通方法下判斷。

84 參用《四部叢刊》本。

　　由此可間接了解福建的砂糖在海外也有市場[85]。關於廣東砂糖，更具體記述的有屈大均的《廣東新語》，此書卷二七・草語・蔗有「最白者以日曝之，細若粉雪，售於東西二洋曰洋糖，次白者售於天下」記述如上。最白的白砂糖賣到二洋——前舉大西洋與東洋的國家；二等白砂糖則在國內賣。又同書食語・穀記述：「廣州望縣，人多務賈與時逐。以香、糖、果、鐵器……諸貨，北走豫章、吳浙，西北走長沙、漢口。其黠者南走澳門至于紅毛、日本、琉球、暹邏。……以中國珍麗之物相貿易，獲大贏利。」即廣東商人把砂糖等商品，在國內販售北至江西、江蘇、浙江諸省，西北部至長沙、漢口，其狡猾（亦作靈巧、聰明）者

---

[85] 關於明末清初的砂糖貿易有岩生成一，〈近世日支貿易に関する数量的考察〉，《史學雜誌》第62編第11號，頁30）。據此論文，1637年（崇禎10年）到1683年（康熙22年），即明末清初時期，由中國船輸入日本（長崎）的砂糖。在此46年之間有明確資料的30年來看，最多之年有5,427,000斤多（1641年），除去記載為零的1643年，年平均50萬斤以下有3年，50至100萬斤有7年，100萬斤以上有11年，200萬斤以上有9年，有資料的這30年的年平均約170萬斤。換成噸即約略低於30萬噸的輸入。中國船輸入長崎的砂糖，並不全是中國產，可由這些中國船的出港地包含當時砂糖產地的暹邏、束埔寨、廣南、Lubon〔譯註：越南北部〕及台灣即可知。又中國船以外荷蘭船也運砂糖去日本，《巴達維亞（Batavia）城日記》上亦有記載。到1636年的前半，荷蘭人好像很難採購中國產的砂糖（明朝不准許貿易且在華南沿岸有鄭芝龍等帶海賊性格的中國人貿易業者之獨占與妨礙）。此狀態記載在《巴達維亞城日記》1636年11月26日之條「因Jan Claew喪失勢力及夥伴之一叫Cauham的招降，中國海的海賊完全被除掉……」（村上直次郎譯，《バタビヤ城日誌・上卷》，頁334），那年的後半此狀態便被打破，輸入台灣的砂糖（包含白砂糖、冰糖、棒砂糖）1636年分即達200萬斤（村上，前引書，頁334）。由上所述可說當時華南產砂糖的輸出量至少超過200萬斤。其主要的市場有包含中國船運往日本、呂宋，另為數不多送往巴達維亞。由荷蘭船運經巴達維亞、波斯、荷蘭本國，以澳門為中繼地的荷蘭船以及以雞籠（今之基隆）、淡水為中繼地的西班牙船，所開拓的市場等相當廣泛。

經南部的澳門到西洋──「紅毛」、日本、琉球、暹邏去貿易而賺大錢。市場圈之擴大形成[86]由上敘述可知。

　　有如此有利的砂糖市場，更促進在貿易與交通上占有利地位的福建與廣東糖業的發展。

　　明末出版的《泉南雜志》[87]記述：「甘蔗……居民磨以煮糖，泛海售商。其地為稻利薄，蔗利厚，往往有改稻田種蔗者，故稻米益乏，皆仰給于浙直海販。」即甘蔗利益漸漸超越稻作，有人把稻田改種甘蔗，引起稻米不足，因此倚賴浙江與山東省*一帶供給。

　　同樣的情況也出現在廣東。《廣東新語・卷二七・草語・蔗》有「糖之利甚溥（大之意），粵人開糖房者多以致富。蓋番禺、東莞、增城糖居十之四，陽春糖居十之六，而蔗田幾與禾田等矣」之記述。由此記載可知珠江三角洲之東莞、番禺、增城諸縣的農家有40％從事製糖業，廣東省南部的陽春縣或因自然條件特別優越，有60％是製糖農家。又蔗田與稻田大致占相同面積令人驚訝。又甘蔗的繁茂狀態在同是屈大均的描寫來看：「東莞……石龍亦邑之一會，其地千樹荔，千畝潮蔗，橘、柚……如之。篁村、河田甘薯、白紫二蔗動連千頃，隨其土宜以為貨，多致末富。」（《廣東新語・卷二・地語・茶園》）及「曰竹蔗、曰荻蔗，連岡接阜，一望叢若蘆葦然。」（《廣東新語・卷二

---

86 據林章的研究，於明末，明與蒙古之間所設集市的貿易品之中也有砂糖。（〈明代後期の北辺の馬市について〉，《名古屋大学文学部研究論集二・史学一》，頁216。）

87 陳懋仁，《泉南雜志》（《說郛續・第二五》）。

＊ 應為南直隸（今江蘇）之誤。

七・草語・蔗》）

同書卷九・事語・賭蔗鬭柑有：「廣州兒童，有賭蔗⋯⋯之戲，蔗以刀自尾至首，破之不偏一黍，又一破直至蔗首者為勝。」由以上記述可知栽培面積廣、繁茂的狀況，而變為不珍奇的甘蔗竟被當作賭博工具。這種遊戲或是賭博，至今在台灣農村，猶由青壯年在玩（非兒童）。

南宋末期以來，甘蔗種植有了範圍廣大、普及超越副業領域發展的趨勢，在流通面上，則有國內市場逐漸形成，貿易市場逐漸確立等新情勢。福建的甘蔗種植，前述已提及主因土地狹小之故，主穀生產不能對應人口的增加，必須通過商品作物或者手工業性質的副業以獲得貨幣收入，故而向他省（江、浙、粵三省）購買主穀為主要契機以發展。然而明末清初這種情況產生相當大的變化，產業的地域性特產化——廣東糖業是好例，明顯地被推到前面，由獲得貨幣購買主穀為目的的甘蔗種植，發展成利用優異的立地條件獲得超額利潤為目的的甘蔗種植，由廣東省的例子就可明瞭。（當然這是立足於某一地觀點的說法）

因這樣的變化為導致明末舊式製糖法的技術性發展，與新的生產關係（以往文獻所無），不能不在下面提及。製糖技術將在後文述及，在此將對所謂新的生產關係來做考察。

《廣東新語・卷一四・食語・糖》記述：「糖戶家家曬糖，以漏滴去水，倉囷貯之。春以糖本分與種蔗之農，冬而收其糖利。舊糖未消，新糖後積，開糖房者，多以是致富。」此說明製糖業者與甘蔗種植農家的社會性分工開始分化，以類似批發商的形式，預付貨款。「春以糖本分與種蔗之農」，即製糖業者於春

天預付貨款給甘蔗種植農家，「冬而收其糖利」指製糖業者冬天
收取其利息。對此記述，後人陳伯陶等在宣統《東莞縣志·卷
一五》引用《周志》[88]「春月以糖本，散種蔗之農，冬則課收其
蔗，復榨為糖」記述如上。（附帶說明《周志》包含製糖法、甘
蔗與砂糖的記述僅就宣統《東莞縣志》來看，與《廣東新語》非
常相近）。在此則更明確地說，冬天向農家收取甘蔗製糖，但是
卻不能以此記述立即肯定說甘蔗種植與製糖已完全分化，同在
《廣東新語·卷二七·草語·蔗》有「榨時上農一人一寮，中農
五之，下農八之、十之」之記載。

在此特別提及的是，「糖戶之利，亦不遜岷山千畝，芋埒封
君也。」（前引《周志》），糖業所獲利潤之大，所以農民被捲
進商品經濟之漩渦中，在此過程中惹起階層分解，分解出來的下
層農家不得不接受預貸從事甘蔗種植。在這種關係中製糖從甘蔗
種植中分化萌芽，已在此時期逐漸出現。

目前能看到關於此時期農民情況的另一珍貴記述，但在時期
上略有差異。如嘉慶《惠安縣志》（1803年）的卷一三·物產·
貨之屬最後有：「糖利甚多，種蔗田多，則妨稻，奸佃亦藉以抗
租。」農民反抗地主的萌芽，透過商品作物甘蔗的種植而形成的
記述頗為有趣，這是被捲進商品經濟的農民的對抗姿態之一吧
（除此以外，遺憾的是無法尋得可闡明地主與農民與種植甘蔗有
關的，或與舊式製糖業的生產諸關係有關聯的資料）。

---

88 《周志》大概是清初所出版《東莞縣志》之一種，有待今後調查。

第二章　甘蔗栽培的技術性發展

　　如前章所見，在中國本土可印證甘蔗種植發展的諸文獻中，將栽培方法整理流傳下來的文獻很少。本章試圖選出這少數的文獻，以時間為序排出宋、元、明三代試作縱的比較，且以個別的技術發展加以探索。

　　下列的文獻，不一定能正確地反映同一地域的情況（受歷史條件的限制與中國幅員廣大導致的不均等發展條件所致），目前暫且將中國本土的甘蔗栽培當作同一範疇為對象來考慮，再嘗試比較。此點須預先聲明，懇請讀者能有所諒解。

第一節　《糖霜譜》所載北宋末至南宋的甘蔗栽培法

　　中國第一部有系統記述、概括甘蔗栽培法的文獻，被認為是在北宋末至南宋初付梓、由王灼所作的《糖霜譜》。王灼以前的多數文獻，僅止於記述產地與品種名而已，之前曾提及栽培者僅如《齊民要術》有「家政法曰，三月可種甘蔗」之引用，也只是傳述三月可種甘蔗而已。做為一部農書的《齊民要術》只有此等程度，至於其他的本草書，因其性質不同而對栽培法幾乎未提亦

屬當然[1]。

　　王灼正是打破過去的農書與本草書的例子，他也是把甘蔗栽培法詳細記述且傳給後世的第一人。

一、蔗苗的貯藏法

　　王灼所提的栽培法在《糖霜譜‧第三》便提到「藏種法」：「藏種法，擇取短者（芽生節間，短則節密而多芽）。掘坑深二尺，闊狹從便，斷去尾，倒立坑中。土蓋之（不倒則雨水入夾葉，久必壞）。」

　　「藏種法」即甘蔗種之保存方法，先挖掘深二尺、寬隨意之坑，甘蔗選擇節間短者，切去其尾，倒立於坑中，蓋上土。為何需選節間短者、倒立於坑中，其理由個別附有原註，大意為：「甘蔗之芽長在節上，甘蔗頭處節與節間距離短，芽也多，與：不令倒立，則雨水入芽之葉鞘，歷時久必壞。

二、蔗田整地

　　其次，關於整地作畦有以下記述：「凡蔗田，十一月後，深耕杷摟，燥土縱橫，摩勞令熟。如開渠，闊尺餘，深尺五，兩旁立土壟。」即11月以後將蔗田縱橫翻土以燥之，深耕整地令土熟

1　偶爾有本草書，如《本草衍義》（1116年成書）：「自八、九月已堪食收。至三、四月方酸壞。」（前已引用過）的記載，表示收穫期越過年糖質會起變化，此種例子本草書也有。

後，如開溝渠寬一尺多、深一尺五，溝兩側盛土成壟為畦。

三、蔗苗的插植

整地作畦之後便是種植。其時期為「上元後，二月初」。上元即正月15日以後到二月初之間「區種，行布相傞」，行行相錯而插植，之後「灰薄蓋之，又蓋土，不過二寸」，在其上以灰薄薄蓋一層，再蓋不超過兩寸厚的土。

四、蔗園的管理與作業

（一）施肥

關於施肥、插植後蓋了一層薄灰之外，「清明及端午前後兩次，以豬牛糞細和灰，薄蓋之，蓋土，常使露芽」，如上所述，清明（春分後15日）與端午（陰曆5月5日）前後兩次，將豬及牛的糞搗細與灰混合薄蓋一層，再蓋土，並注意芽要露出。「六月半再使溷糞，餘用前法」，到六月半，繼四、五兩月的施肥，再以廁肥（溷糞）做追肥。

王灼不只記述施肥的必要與其方法，除此之外，「凡蔗最因[2]地力，不可雜他種，而今年為庶田者，明年改種五穀，以休地力。田有餘者，至為改種三年」。

---

2 宋・洪邁，《糖霜譜》（《說郛・弓第九五》）作困。

如上所記，種甘蔗非常損耗地力，故不雜種他種農作物，種甘蔗之翌年，應改種其他五穀類，使地力恢復，如田地寬裕者，三年之間改種其他作物是最理想的。在當時即能有這種觀點，值得注意。

（二）除草、中耕及培土

六月半的追肥期施行除草，「草，不厭數耘」，除草幾回都不嫌多。同時培土也必做數回，「土，不厭數添」，並述及芽必常露。最後的中耕培土是待莖高成叢後──「候高成叢」，用大鋤中耕，把上土全部蓋上──「用大鋤翻壠，上土盡蓋」。

五、收穫

收穫法王灼並未多言，只有「十月收刈」，從十月收穫來倒算，甘蔗的在圃期間為九個月。

觀察上述記載，北宋末、南宋初（12世紀初葉）有關甘蔗栽培農作業之細緻度與勞動力的投入，與現代的農作業相比毫不遜色。特別是甘蔗栽培與其他作物相較，在圃期間相當長，所需勞動力不少，又地力之耗損也大。

王灼有「繖山，在小溪縣，涪江東二十里，孤秀可喜。山前後為蔗田者十之四，糖霜戶十之三。」（《糖霜譜・第三》）的記述，小溪縣（今遂寧縣）繖山附近40％田地為蔗田、30％農家從事製造糖霜，此點值得留意。

第二節　《農桑輯要》所載元朝甘蔗栽培法

　　元朝在其短短的治理期間中（1271～1368年）有以司農司所撰《農桑輯要》[3]為首，以及《王禎農書》、魯明善《農桑衣食撮要》等著名的農書寫成刊行。以甘蔗主題為限來看，《農桑輯要》被認為有不遜於《糖霜譜》的重要意義。如前面所見，甘蔗栽培一直不受正面肯定。在重農主義傳統中帶有「逐末之利」面向的甘蔗栽培，在官撰農書能獲得其地位是偌大進步。可視為原為遊牧民族的蒙古族從北方南下，陶醉於南方的風味，而能打破漢民族長久傳統的結果。自原將甘蔗視為外國產物而介紹之《齊民要術》以來，花了700年的時間甘蔗才再現於農書上（以現存農書所見為限）。

　　以下內容，並不以過去本草書典故，或不以既刊書的引用為中心而是「新添」（新附加之意）的。為了方便與《糖霜譜》比較，記述的順序按照前節。

一、蔗苗的採取與貯藏法

　　《農桑輯要・卷六》甘蔗之栽種法有：「大抵栽種者，多用上半截，儘堪作種。其下截肥好者，留熬沙糖。若用肥好者作種，尤佳。」如上記述，種苗雖大體利用蔗莖的上半部，但幾乎

3　關於元・司農司，《農桑輯要》（武英殿聚珍版叢書）成書年無定論。但王磐的《農桑輯要・原序》提及元世祖至元10年，又元之司農司設立於至元7年，所以姑且可認為在1270至1273年之間。

全部都可作蔗苗。下半部肥好的部分留作沙糖製造，如果能將下半部用作蔗苗更佳。

　　蔗苗的貯藏法與《糖霜譜》無大差別，記述如下：「稭稈斬去虛梢，深撅窖阬，窖底用草襯藉，將稭稈豎立收藏。于上用板蓋。土覆之，毋令透風及凍損。直至來春，依時出窖截栽如前法。」即在地下掘坑，坑底鋪草，把切去蔗尾的蔗莖直立放置，以板蓋其上，再覆以土，以防止通風與遭受凍害。翌年春天，由坑中取出，切斷種植。與《糖霜譜》記載不同之處為，《農桑輯要》未記載把蔗莖倒立而已。《農桑輯要》並且敘述以板為蓋，是為了防止雨水之害。

二、蔗田整地

　　「用肥壯糞地，每歲春間，耕轉四徧，耕多更好，擺去柴草，使地淨熟。……畦寬一尺，下種處，微壅土高，兩邊低下。」如上所述，《農桑輯要》與《糖霜譜》有相當大的不同。

　　首先，耕耘的時期不是冬季而是春初，不像《糖霜譜》對施肥與追肥未有另外記載，只說耕耘之前施肥糞（人糞尿）使地肥再耕耘，作畦也沒有如王灼所說挖溝那樣誇張，僅作一尺寬的畦，下種之處，把土稍微壅高〔譯註：把土或肥料培在根部之意〕而已。

三、蔗苗的插植

首先關於插植時期：「天氣宜，三月內下種，迤南暄熱，二月內亦得。」如上所記，如天候調順了三月內下種，然此處以南的炎熱地方（迤南意即比此處更南的地方，但並不清楚指何處，留待考證），二月亦可。

接著是種法：「每栽子一箇。截長五寸許，有節者中須帶三兩節。發芽于節上……相離五寸臥栽一根，覆土厚二寸，栽畢用水遶澆，止令濕潤根脈，無致淹沒。」

依記載，蔗苗要用帶二、三節切成五寸長的，間隔五寸平植（臥栽）一根。覆土二寸，植完灌水以潤濕蔗苗的程度，注意不能淹沒。

以上可知，與王灼之描寫相較，《農桑輯要》更顯清楚，所缺僅是蓋灰的部分。蔗苗之長度、「臥栽」、灌水是王灼所沒有之新記述。平植與灌溉有密切的關係，留待後述。

四、蔗園的管理與作業

依前述，《農桑輯要》完全未提追肥，而王灼《糖霜譜》沒有提到的相關灌溉法，《農桑輯要》卻有紀錄：「栽封旱，則三、二日澆一徧；如雨水調勻，每一十日澆一徧。其苗高二尺餘，頻用水廣澆之。」如遇乾燥便二、三日一次，雨量調順便十日一次，苗伸長至二尺餘後要頻繁澆水。可惜的是從字面上未能理解「澆」為何種方式，是圍場灌溉或是每株的灌水並不明確。

　　不管如何，甘蔗栽培在王灼所在的宋朝已經有中耕、培土、追肥等細膩的作業方式，可清楚了解並非只種不管。到了元代，更對灌水或灌溉都顧及。「平植」其實是土壤不太潮濕，以灌溉便有可能栽種的地方所施行的栽培法。從王灼所述可知是「插植」，但不可得知是「斜植」抑或「平植」，相比之下《農桑輯要》明確說出「臥栽」。「平植」一般比「斜植」分蘗多，發芽也早，但不可或缺的條件是土壤有灌溉的可能與土壤不過濕。由此「臥栽」的出現當然誘出灌溉法，所以可理解《農桑輯要》詳述灌溉法的理由。接著關於除草、中耕、培土等事，《農桑輯要》卻僅簡單記載「荒則鋤耘」而已。

五、收穫

　　甘蔗不開花結實──「並不開花結子」。之後要查成熟與否的方法是：「直至九月霜後^{補註1}，品嚐稭稈，酸甜者成熟，味苦者未成熟。」即九月降霜後，折蔗莖嚐出酸甜為成熟，有苦味則未熟，如已成熟即連根割倒，部分留作蔗苗外，其餘送往「煎熬沙糖」。

補註1 「霜後」是含糊的時間表現。如果是指降霜地帶的霜後（「如果」不是剛降過，而是很久以後之意）那就問題不小。依大內山〔茂樹〕的記述：「到冷涼的秋季，糖度開始上升，無霜地帶在一至二月達到最高即進入收穫適當期。而降霜地帶因霜害莖葉枯死，糖度的上升即中絕，所以開始降霜就是收穫期。」（前引書，頁22）如上所述，始降霜正是降霜地帶的收穫適當期，所以此處「霜後」筆者認為是剛降霜後。如果司農司所討論的是無霜地帶，那麼霜後的表現是對的。有關這個記述在後來的嘉靖《撫州府志》（甲寅序刊【1554年】）有「降霜後其味

　　《農桑輯要》撰寫原因為：「世祖即位之初，首詔天下，崇
本抑末，於是，頒農桑輯要之書于民。」[4]如記載，元還在與南
宋對抗時，忽必烈已提倡「崇本抑末」做為施行重農政策的一
環，而命作《農桑輯要》並頒布之。此中甘蔗栽培雖屬於末利，
卻受到既往未有的待遇，說明遊牧民族對甘味料極不尋常的需
求。

第三節　明朝的甘蔗栽培法

　　明朝（1368～1644年）的甘蔗栽培比過往諸朝普及與發展已
如前述。以特定地方為敘述對象的農書特別多。其中對甘蔗栽培
記述較詳細的是《二如亭群芳譜》、《農政全書》以及《天工開
物》三書。

　　以下謹以此三文獻，將明朝甘蔗栽培的發展與前引二書比
較，以做回顧。

　　以成書順序先看王象晉撰《二如亭群芳譜》[5]（1621年）。
本書著者的自序有：「性喜種植，園庭中遍植花木，時時手錄農
經、花史，以補咨詢之所未備，歷十餘年而成此書。」

　　始美」（〈地理志・卷五・物產考・果屬〉），又《天工開物》有「冬初霜將至，將
　　蔗砍伐」、「十月霜侵，蔗質遇霜即殺」的記載。由以上記述雖不能明確指出，但司
　　農司也和明朝的人一樣對「立毛中」〔譯註：指生長著的農作物〕甘蔗的霜害──因
　　急遽的溫度降低所致蔗莖成分的轉化，已開始能認知吧。暫且不論。收穫後的甘蔗成
　　分變化已相當明確，如後述製糖技術一項的記述。
4　武英殿版目錄末尾所附記乾隆三八年六月。紀昀等校正解，又有「元史謂」可能是引
　　用自元史。礙於無充裕時間僅止於照樣引用。
5　引用兩儀堂藏版（東洋文庫所藏）。

　　如上述，身為進士（當過浙江右布政使）又是文人的王象晉，在享受造園的樂趣之餘，引用既刊書，部分由自己記述而寫成，其內容分為種植、製用、療治、典故、麗藻等項目敘述。關於甘蔗，在卷四・果譜下引用《本草綱目》等本草書與《異物志》做甘蔗的概述。幾乎是其他書的引文再引用，所以不足為取。

　　但接述之「種植」可認為是王象晉親自之記述，為筆者所知範圍內，既存書所無者。「種植」是「栽植」之謂，王象晉為山東省人，曾以右布政使赴任浙江之故（近於當時甘蔗栽培的北限一帶），有關「插植」的記載比他書還遲。「穀雨內，於沃土橫種之。」如所記，穀雨（陽曆4月20或21日）以內，平植於肥沃之土。對除草、培土、追肥等只有極簡單地記載：「去其繁冗，至七月取土，封壅其根，加以糞穢，俟長成收取」記述如上。值得大書一筆的倒是灌溉法。王象晉說：「雖常灌水，但俾水勢流滿，濕潤則已，不宜久蓄。」如上所述，與《農桑輯要》中每株灌水或圍場灌溉不太明確的描述相較，本書從字面即可知是圍場灌溉，灌溉的次數不少，但不可長時間蓄水於圍場，而達濕潤的程度即可。

　　《二如亭群芳譜》有關甘蔗栽培的記述僅止於此。接著來看徐光啟的《農政全書》。

　　《農政全書》[6]據說是在明朝天啟元年（1621）到崇禎元年之間寫的，崇禎12年徐光啟過世後第六年才出版。本書被評價為

6　參照《農政全書》，中華書局1956年版校勘附記。

總結中國傳統農學的巨著[7]，可惜的是，關於甘蔗部分僅是既存書的引用而已，由徐光啟自己寫的部分，全文中只有兩個註而已，並不值得仔細斟酌，但做為參考僅列記如下，即於說明甘蔗的最後有：「玄扈先生曰，甘蔗、糖蔗，是兩種。」並在製糖法的最後有：「玄扈先生曰，熬糖法，未盡于此。」之二行。附帶說明「玄扈」為徐光啟之號。

　　與前述二書相較，宋應星的《天工開物》則留下了質量並茂的遺產。

　　《天工開物》是由明・江西省人宋應星所撰寫，是崇禎10年刊行的產業技術書[8]。關於甘蔗的記述見卷上・甘嗜第六卷之「蔗種」與「蔗品」二條。

一、蔗苗的貯藏法與催芽法

　　關於蔗苗的貯藏，宋應星說：「冬初霜將至，將蔗砍伐，去杪與根，埋藏土內。」意即冬初霜將降之前，砍伐甘蔗，捨棄蔗尾與蔗根，埋於土中貯藏。關於貯藏的場所只作註如下：「土忌窪聚水濕處。」敘述應迴避易聚水的窪地潮濕地。前二書《二如亭群芳譜》、《農政全書》對貯藏坑的作法等都有詳述，相較之下，《天工開物》可說是相當簡單的處理。

　　其次是採苗：「雨水前五、六日，天色晴明，即開出，去

7　王毓瑚編，《中國農學書錄》，頁140。

8　關於《天工開物》詳細請參照藪內清編，《天工開物の研究》。本稿利用中華書局上海編輯本（1959年6月第1版）。

外殼，砍斷約五、六寸長，以兩個節為率。」即雨水（陰曆2月19、20日）的五、六日前，挑天氣晴朗之日取出，把外側甘蔗的葉柄剝去，切成約五、六寸長，又採苗要注意每根蔗苗各要有兩個節。

採苗之後接著就是催芽。這是既往的書上所沒有記載的。應是為避免蔗苗育成的徒勞無功，並企求育成良苗與催化其快速的成長。「密布地上，微以土掩之，頭尾相枕，若魚鱗然。兩芽平放，不得一上一下，致芽向上難發。芽長一、二寸，頻以清糞水澆之，俟長六、七寸，鋤起[9]分栽。」

採苗後的蔗苗密密地擺在地上如魚鱗般，頭部與尾部相枕，上面以土稍微掩覆。此時注意兩個芽必須平放，不得一芽向上一芽向下。不然即會妨礙到芽之向上以致發芽受阻。待芽長到一、二寸，即頻以稀薄人糞尿澆之以催芽。待長到六、七寸即以鋤頭掘起分植。此「分栽」應是移植吧。關於移植的記述此為初次出現。移植必須要有苗圃，然而蔗苗照書上所記約為五寸長，所以需要有相當大的面積。不僅如此，用在移植上的勞動力比直接插植者該耗費二倍以上（注意不傷到芽苗與搬運等）。依以上諸事考慮，將「分栽」直接看成是移植，倒不如把重點放在催芽來理解較妥當。到現在為止，所檢討的諸書關於甘蔗的植苗期，都是春植，這是因有霜雪之虞，所以不可能有秋植。總之，要達到春季植苗適期，貯藏蔗苗達數月是必要的，因此所有書都提到蔗苗之貯藏是有原因的。宋應星除了貯藏法之外又加上催芽法，做為

---

9 藪內清，前引書，頁275。譯註為犁起，犁起蔗苗是很難的，這裡理解為以鋤頭掘起較為妥當。

其結果的「分栽」敘述為，宋應星以「教諭」所赴任的江西省分
宜（據說在此期間寫了《天工開物》），位於北緯28度附近、屬
甘蔗成長適溫期間較短的暖地。如等到晚霜完了在本圃直接插
植，不如採取進入高溫期即可望成長旺盛的催芽苗種植[10]，這些
方法都是可想像的。

　　我認為把「分栽」單純理解為由苗圃移植到本圃有點不合
理。「分栽」不能視為當時普遍施行的方法。關於插植（後述）
「掩土寸許，土太厚，則芽發稀少也」的記載與「俟長六、七
寸，鋤起分栽」相矛盾，又「培土」條的最後有「九月初培土護
根，以防砍後霜雪」的記述，想必是現今所謂的「株出法」〔譯
註：保留舊株使之直接發芽的方法〕。若屬正確，宋應星的時代
存在多樣的插植法，又此種催芽法不僅江西省分宜有，四川省等
亦似很早就已存在：「在四川等蔗區，農民多有用人尿浸蔗苗
者，其歷史當已極為悠久。」[11]雖然在此未提到苗圃，但是催芽
法是普遍通用的。順帶說明，四川省的甘蔗栽培地帶——遂寧、
內江、資中等地，都位於北緯29.5度以北之地（台灣的蔗作適宜
地是大致在北緯24度以南之地）。

二、蔗田整地

　　提到整地之前，宋應星把既往未曾有人記述過、有關種植

---

10 有關現代的催芽苗種植請參照大內山茂樹，《甘蔗》，頁15（《作物大系》第8編糖
　　料【1963年】所收）。

11 台灣糖業股份公司，《糖業手冊・上冊》，頁477「蔗苗預措」條。

甘蔗的適宜地記述如下：「凡栽蔗必用夾沙土，河濱洲土為第一。」甘蔗栽培必須用混有沙之土，河邊的沖積土最好。

接著談調查土質的方法：「試驗土色，堀坑尺五許，將沙土入口嘗味，味苦者不可栽蔗。」如上述，掘一尺五寸餘的坑，將沙土放入口中嚐其味，若味苦就種不得。又「河濱洲土」好，也不是任何的洲土都行，特別是「凡洲土近深山上流河濱者，即土味甘，亦不可種。蓋山氣凝寒，則他日糖味亦焦苦。」即，近深山上流河邊之洲土，即使沙土之味甘，因深山氣候寒冷，日後砂糖味苦補註2，故不能種。

那麼選擇什麼地種植好呢？「去山四、五十里，平陽洲土，擇佳而為之。」即選擇離山四、五十里平坦而向陽之好洲土來栽培最好。又宋應星在最後的註有「黃泥脚地，毫不可為」的記述，黃色黏質土之地質，絕對種不得。

如上所見，宋應星對種植甘蔗適宜地的敘述，與對其不適宜土質（化學的性質「苦」以及物理性質的「黃泥脚地」）也是既往所沒有的觀點，如此開始具備觀察力的意義是很重要的，此觀察雖與現代利用科學所做的土壤調查與分析是不能相比的，但以當時階段，避開含過度的鹼鹽類——「苦」及土地與排水不良的過黏質土「黃泥脚地」——選擇富含有機質、用水方便（以水分保持力來說，「夾沙土」略有問題）的沖積土（洲土）為甘蔗的適宜地是慧眼獨具的。與後述事實一併觀之，可說是其蓄積了甘蔗栽培豐富經驗所得的結果吧。

補註2　「他日糖味亦焦苦」即在成長期間遇寒害而發生甘蔗成分轉化之結果。

　　「現今台灣甘蔗生育最佳地是在河川沿岸，富有機質耕土深而肥沃的沖積土，特別在曾文溪、大肚溪、大甲溪流域能見到這種土壤。」[12]此記述與中國本土的主要產地主要分布在珠江三角洲（廣東省），郁江及左右江兩岸（廣西省）、沱江流域（四川省）與涵江、木蘭溪、晉江及九龍江下游的沖積平原地帶（福建省）等[13]的事實來看，宋應星觀點之正確是可知的。

　　適宜地的選擇之後就是整地作畦。這個敘述極為簡單：「凡栽蔗，治畦行闊四尺，犁溝深四寸。」即作寬四尺、植溝四寸的畦，然後種植。

三、蔗苗的插植

　　作寬四尺、植溝四寸的畦行之後插植於溝中，其植法為：「約七尺，列三叢，掩土寸許，土太厚，則芽發稀少也。」大約七尺並列種三株，掩土一寸多，土過厚則發芽少。從七尺種三株來看，《農桑輯要》株間五寸的密植是較疏植的，這可視為與後述施肥多少的問題相關。

12　林竹松，《蔗農便覽》，頁237。
13　參照王逸飛，〈我國糖料作物的分布〉，《地理知識》10卷10期，1959年10月。

四、蔗園的管理與作業

（一）施肥

　　宋應星與《農桑輯要》同樣完全未提及插植時的施肥。但宋應星與《農桑輯要》不同處是對於追肥之記載：「澆糞多少，視土地肥磽。長至一、二尺，則將胡麻或蕓薹枯浸和水灌，灌肥欲施。」[14]端視土地之肥磽，在蔗莖長至一、二尺。以胡麻或蕓薹（一名胡菜，即油菜）的油渣浸水灌注，灌注肥料的量，則依所需即可。

（二）培土（關於培土的時期）

　　「芽發三、四箇或六、七箇時，漸漸下土。」即芽發出三、四個乃至六、七個時漸次壅土，亦即分蘗在三、四枝到六、七枝時就漸次做培土。不止於此，在除草、中耕（「鋤耨」）的時候也施行培土。「遇[15]鋤耨時加之」，如此繼續做培土，土加厚則：「加土漸厚，則身長根深，蔗免欹倒之患。」如上記述，蔗莖長高，其根亦紮深，就無倒伏之虞，又除草與中耕愈多愈好，「凡鋤耨不厭勤過」。

　　與此培土、除草、中耕相關聯的施行追肥已如前述。

　　待蔗莖伸長到二、三尺，用牛入畦內，半月耕畦內一次。此

---

14 藪內清，前引書，頁431在「……欲施行內」加句號譯註，天野元之助的〈天工開物と明代の農業〉（同書，頁71）也以此為準，但筆者採用商務印書館版。商務印書館1954年12月（上海第一次印）重印版在「欲施」後加句號。

15 藪內清，前引書，頁431，〈天工開物原文〉與商務印書館重印版都作「過」。從上下文的連貫性看，筆者採取中華書局版的「遇」。

時用犁墾土以切側根，順便壅土培根。九月初，為防收穫後的霜雪危害，而做培土以保護根。「行內高二、三尺，則用牛進行內耕之，半月一耕，用犁一次墾[16]土，斷傍根一次，掩土培根。九月初培土護根，以防砍後霜雪。」

　　如上所述，宋應星對包含除草、中耕的培土記述極為詳細。特別是臨近收穫期，用牛犁中耕以切斷側根，防止倒伏（倒伏莖的糖度低）的培土及前述適量施肥的考量等足以證明，明末蔗園管理技術的進步，比宋、元兩代有非同凡響之處。在收穫時有關甘蔗的性質，以及有關可能發生的變化等細緻描寫中，也呈現了類似進步的觀點。

五、收穫

　　收穫期甘蔗的性質有：「凡蔗性至秋漸轉紅黑色，冬至以後，由紅轉褐，以成至白。」到秋天漸次變赤黑色，冬至（陽曆12月22或23日）以後由赤色轉褐色，最後變白。宋應星更敘述，此性質變化的經過，在無霜地帶的五嶺以南（即嶺南【廣東、廣西】）與韶雄（韶州【今廣東曲江縣】、雄州【廣東南雄縣】）以北之降霜地帶不同，記述為：「五嶺以南，無霜國土，蓄蔗不伐，以取糖霜。若韶雄以北，十月霜侵，蔗質遇霜即殺，其身不能久待以成白色。故速伐，以取紅糖也。」即五嶺以南的無霜地

---

16 中華書局版作「懇」，商務印書館重印版及藪內清前引書〈天工開物原文〉作「墾」，特別是〈天工開物原文〉的註有：「靜本作墾，從局本、陶本改」，筆者採取後者。

帶就放置不伐，適時適宜地製造糖霜，而韶雄以北的降霜地帶到
十月即降霜，甘蔗遇霜便衰敗，因此等不及蔗莖轉白，故需速伐
以取紅糖。

「凡取紅糖，窮十日之力而為之」，降霜地帶的紅糖製造，
則須於十日之間傾全力進行。「十日以前，其漿尚未滿足，十日
以後，恐霜氣逼侵，前功盡棄」，因為在此十日間之前，糖分未
達十分，十日間之後，霜降來臨，有前功盡棄之虞。「故種蔗
十畝之家，即製車釜一付，以供急用，若廣南無霜，遲早惟人
也。」因此種植甘蔗十畝之家，必製作造糖車與鍋釜一副，以備
緊急之用。如廣南（屬雲南省，在西洋江北岸，位於北緯24度之
處）無霜地帶之收穫期可隨人意。

看了上述有關宋應星對甘蔗收穫之記載，記述既往的書所未
提到的霜氣與成熟甘蔗之關係，包含不止於外觀的變化（顏色變
化）。若因霜害而莖葉枯死，不但會中止糖度上升，時間久了
還會引致糖分降低等。以當時的階段而言，「窮十日之力而為
之……十日以後，恐霜氣逼侵，前功盡棄」，上列的敘述呈現意
簡言賅。又關於無霜地帶收穫期的記述：「五嶺以南，無霜國
土，蓄蔗不伐，以取糖霜」、「若廣南無霜，遲早惟人也」。

無霜地帶的甘蔗，在冷涼的秋季糖度開始上升，一至二月達
到最高並進入收穫適當期[17]。與近代農學之敘述相較，可窺看出
其妥當性。難處為蓄蔗的期間不太清楚，最後的「遲早惟人也」
任人去判斷，這種講法帶點模糊頗難判斷。

---

17 參照大內山茂樹，前引書，頁22。

　　《天工開物》之後，明末清初之人屈大鈞〔均〕，在其書
《廣東新語・卷二七》之「蔗」條與「芭蕉」條，留下有關廣東
甘蔗栽培有趣之敘述。在其「蔗」條之中檢出有關栽培的部分：

> 凡蔗以歲二月，必斜其根種之，根斜而後蔗多庶出。根舊者以
> 土培壅，新者以水久浸之。俟出萌芽乃種，種至一月，糞以麻
> 油之麩。已成幹則日夕揩拭其蟊，剝其蔓英，而蔗乃暢茂。

　　此記述的新穎之點為：第一，當地不是平植而是斜植（廣東
省是雨量多的地方）；第二，株出法「根舊者以土培壅」類似之
記載；第三，肥料施用胡麻渣等。屈大均再於「芭蕉」條有如下
記述：

> 增城之西，洲人多種蕉，種至三、四年，即盡伐以種白蔗。白
> 蔗得種蕉地，益繁盛甜美。而白蔗種至二年，又復種蕉。蕉中
> 間植香牙蕉與蘫桔、芋蘋等，皆得芳好。其蕉與蔗相代而生，
> 氣味相入，故勝於他處所產。

　　廣東省增城之西方施行香蕉與甘蔗的輪作栽培——香蕉栽植
三、四年，換種甘蔗二年再改種香蕉。又香蕉之株間種香牙蕉
等，比他處所產為優。事實上，「增城白蔗尤美」，屈大均在
「蔗」條敘述增城甘蔗特別好。
　　《天工開物》所敘述二年連作後與香蕉的輪作體系，與前述
《糖霜譜》提及的「一年一作後改種五穀，如可能，三年之間種

他種作物」的記述相比之下，屬相當進步（只是此間時間需過
600年）。香蕉與地力之關係，現在無暇去詳細追究，但此輪作
效果較大的原因之一，筆者願認為是胡麻渣（「麻油之麩」）之
施用所致。

第三章　甘蔗糖製造的技術性發展

　　糖在化學上屬於有機化合物中的碳水化合物。碳水化合物大致可區分為葡萄糖、果糖等的單糖類，麥芽糖、乳糖、蔗糖等之雙糖類，棉子糖（raffinose）等的三糖類，以及澱粉、糊精等的多糖類等。占人類生活上嗜好品或營養物最重要地位的是雙糖類，含有雙糖類的植物有甘蔗、甜菜、盧粟、砂糖楓、玉蜀黍、砂糖椰子等等。本稿討論的是以甘蔗為原料製造的雙糖類。

　　本節要查明中國以何種型態來利用甘蔗裡的糖分，且摸索其名稱如何變遷的梗概。之後以最接近於現代所謂的砂糖型態（糖霜），且開始廣泛利用、普及的宋朝為起點，根據古文獻來探索其製糖技術發展之過程。

第一節　甘蔗糖分利用型態之變遷和其名稱之變化

　　前文已提及，中國的甘蔗是外來植物。中國人開始利用甘蔗所含的糖分，是甘蔗傳到中國以後的事（入貢品除外）。《楚辭‧招魂》的「柘」字通蔗，「柘漿」以現在語言來判斷就是甘蔗露或甘蔗汁。在中國（此時的中國以不包含南越的中原為中

心），蔗糖的最初利用型態為榨汁。

戰國末期以「柘漿」為利用型態，直到漢朝還可見。

《前漢書・郊祀歌》：「泰尊柘漿析朝酲。」即有記載柘漿。而由東漢汝南（河南省）人應劭之註來看：「應劭曰，柘漿取甘柘汁以為飲也，酲，病酒也；析，解也，言柘漿可以解朝酲也。」[1]清楚指出柘漿是甘蔗汁，且用來醒酒。

從汁液—柘漿—飲用，到進一步將此汁濃縮（煎），以太陽曝曬使之固結（曝）成固形物（既凝而冰，破如塼）來利用。東漢議郎楊孚所撰的《異物志》有：「甘蔗……斬而食之既甘，迮取汁如飴餳，名之曰糖，益復珍也。又煎而曝之，既凝而冰，破如塼。其食之，入口消釋，時人謂之石蜜者也。」此短文不但是中國甘蔗糖製造最初的文獻，而且把當時的利用型態全部都記錄下來。[2]

例如「斬而食之既甘」之意相當於後來本草書所說的「生噉」。

「迮取汁如飴餳[3]，名之曰糖，益復珍也」即被命名為糖之「飴餳」，此甘蔗汁接近於前面的「柘漿」，或更為濃縮的，被視為比生的甘蔗更珍貴，當然「益復珍也」。特別留意「糖」字出現。以「米」為偏旁的「糖」在《說文解字》上未見，於現存

1　《前漢書・卷二二・禮樂志第二・郊祀歌・天門一一》。又，據《辭海》所稱，應劭為靈帝時代（168～188年）拜泰山之太守，平黃巾之亂有功，著有《漢官禮儀故事》、《風俗通》、《中漢輯序》等。

2　袁翰青，《中國化學史論文集》，1956年版，頁141。

3　「飴餳」字義查前列許慎的《說文解字・一五卷》：「飴，米糵煎者也」、「餳，飴和饊者也」，可想相當於現在的麥芽糖。

文獻中恐於《異物志》首次出現。此糖是飴餳狀，外觀像麥芽糖，與交州獻呈孫亮所指之甘蔗餳（參照第一章第一節）是相同的。生噉、柘漿、糖、甘蔗餳之後又出現了石蜜。

石蜜在前述之《異物志》曾提及，「又煎而曝之，既凝而冰」，口語化解釋就是，依此過程被製作出來的東西，是把甘蔗汁煮沸、把煮沸時所發生的雜污除去後（依原字面並未述及雜污除去之事），讓太陽曝曬漸漸蒸發凝固而成。然而中原人並非從《異物志》開始知道石蜜，前面已提到，在此之前，南越王獻呈漢高祖（西元前206～195年在位）五斛石蜜方為首次出現。此紀錄見漢‧劉歆（據傳為甘露初年【西元前53～50】出生，23年卒）撰，晉‧葛洪編《西京雜記‧卷四》（《津逮秘書》第十集）有「南越王獻高帝，石蜜五斛。……高帝大悅，厚報遣其使」之記載。高帝即漢高祖，所以可知西元前在南越及其以南已有石蜜的製造。

繼南越之後，東漢時期天竺國也有石蜜入貢。《後漢書‧卷一百一八‧西域傳‧天竺國》有「土出……諸香，石蜜、胡椒、薑、黑鹽，和帝時數遣使貢獻」之紀錄，東漢和帝在位（89～105年）為1世紀末到2世紀初。順帶說明，早期甘蔗及其製品如甘蔗餳、石蜜被視作天下珍物或外國貢物，或是地方向中央（天子）的進獻物，而做為諸王侯間珍貴贈品，是屢屢被提及的。但有趣的是，外國入貢順序與文獻上所見卻是相反的，石蜜在甘蔗之先。

此說引用前述，晉‧嵇含撰的《南方草木狀‧卷上‧諸蔗》有「泰康六年，扶南國貢諸蔗，一丈三節」的記載，意指泰康6

年（《南方草木狀》的成書年為永興元年【304】，在此之前未見泰康年號，所以當是晉武帝太康6年【285】），今暹邏東部到柬埔寨西部一帶地域送來一丈三節的甘蔗。在甘蔗以前已有石蜜的入貢，其理由是，雖然品種不好，但長江流域已有甘蔗的存在，再者大概因陸上交通未發達且距離遠，如果帶甘蔗鮮度易受損、乾癟、味道變差等，因而以石蜜方便攜帶所致。

　　《南方草木狀》以後，未見甘蔗入貢的紀錄，扶南蔗可想應比已存在在長江流域的品種好。另，加藤繁所舉「西域甘蔗導入」說，並未有明確根據，僅推測印度為原產地，中、印早期有交流且有唐太宗的熬糖法導入說等等，因此認為自西域有某種類甘蔗之傳入，也有此一可能（因此其發表於《東亞經濟研究》第4卷第3號之〈中國甘蔗及砂糖的起源〉〔〈支那に於ける甘蔗及砂糖の起源に就て〉〕，在收入《中國經濟史考證》〔《支那経済史考証》〕時，此說的部分沒有收入）。

　　以《異物志》來看，石蜜像是固形物，但以晉‧郭義恭的《廣志》：「干蔗其餳為石蜜。」（前面已引用過）之記述觀察，不一定為固形物，可視為與甘蔗餳同樣黏糊狀的東西。但王灼《糖霜譜》所引用之《南中八郡志》（雖未能查到原典）也有類似的「笮甘蔗汁曝成餳」之記載，可見到濃縮液與固形物的混合使用。

　　無論如何，南北朝中期以前，中國甘蔗糖分的利用型態依序由生嚼而柘漿，再來是甘蔗餳、糖、石蜜。但前面也提過，甘蔗餳、石蜜是南越一帶的產品，中原一帶似依賴由那邊送來的入貢物。

　　長江流域一帶，到底從何時才開始有甘蔗餳或石蜜之類似物

的製造？首先得以甘蔗種植往長江流域發展的南北朝中期以後為觀察對象。但能傳述此情況的《齊民要術》，在利用型態上卻僅引用《異物志》而已。同時代的陶弘景則記述：「廣州一種數年生，皆如大竹長丈餘，取汁以為沙糖。甚益人。」（前面已引用過）

　　該文與本節特別有關係的是「取汁以為沙糖」，應如加藤繁所指「沙糖」這個名詞首次出現[4]。加藤先生更以此文為據，批宋・陸游的《老學庵筆記・卷六》、程大昌的《演繁露》，以及近者以夏德〔譯註：Friedrich Hirth, 1845～1927，德國之中國研究者〕、柔克義〔譯註：W. W. Rockhill, 1854～1914，美國外交官，東洋學者〕二人的《諸蕃志（英譯）》（「天竺」條之註）等等，以唐太宗遣使摩揭陀以前，中國尚不知沙糖製造法之記述是錯誤的指摘[5]。對此指摘，洞富雄[6]全盤接受看作是加藤先生的新說。但對陸游之說的批評早在南宋淳祐庚戌年（1250）出版的《學齋佔畢・第四卷》，史繩祖以「煎糖始於漢，不始於唐」為標題而展開的批評（影刻咸淳本，左圭《百川學海》第二冊・甲集二所收）。此事不僅洞富雄且加藤繁似乎也不清楚。然，史繩祖的批判也並非考證陶弘景所述之「沙糖」才做的，僅引用《楚辭・招魂》、《前漢書・郊祀歌》及《吳志・孫亮傳》，所以史繩祖的批判也尚有疑問。

　　總之西元6世紀，在廣東已有新命名為沙糖之物從甘蔗中被

4　加藤繁，前引書，頁681。

5　同前，頁684。

6　洞富雄，〈石蜜、糖霜考〉，《史觀》第6冊，頁65。

圖8　《新修本草》石蜜、沙糖條

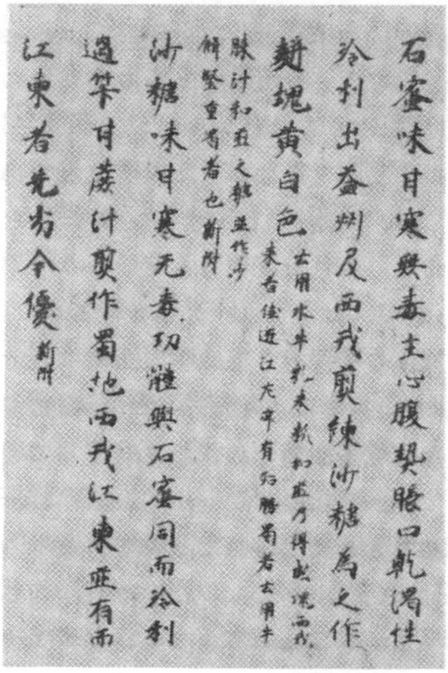
石蜜味甘寒無毒主心腹熱脹口乾渴性
冷利出益州及西戎煎煉沙糖為之作
餅塊黃白色
沙糖味甘寒無毒功體與石蜜同而冷利
過於甘蔗汁煎作蜀地西戎江東並有而
江東者先劣今優　新附

資料來源：《新修本草殘卷五冊》菓部・卷一七中（仁和寺本）。

製造出來，唐朝以後此沙糖頻頻在本草書出現，最初為《新修本草》。該書在「甘蔗」一條不僅引用了陶弘景的話，做為本草書更是最先創沙糖之項目而以「新附」添上（參照圖8）。

查閱比這個晚的《證類備用本草》與《本草綱目》的引用，在《證類備用本草》有：「今按別本注云，蔗有兩種……。並煎為沙糖，今江東甚多，而劣於蜀者，亦甚甘美。時用煎為稀沙糖也，今會稽作乳糖，殆勝於蜀。」《本草綱目》有「詵曰，蔗有赤色者名崑崙蔗。……會稽作乳糖殆勝于蜀」的記載。在《本草綱目》中遺漏的「稀沙糖」，孟氏在沙糖以外也記錄了「稀沙糖」。此稀沙糖在宋・蘇頌的《圖經本草》也有「荻蔗但堪噉，或云亦可煎稀糖」（《證類備用本草》所引）的記載。

稀沙糖與沙糖有何不同？據後人之說來考證，首先可舉《本草綱目・沙糖》：「瑞曰，稀者為蔗餹，乾者為沙餹。」把這裡的餹改成糖、瑞改成吳瑞，又被《古今圖書集成》[7]重新記載。經查，吳瑞是元朝人，著有《日用本草》。但是現存的《日用

7 《古今圖書集成・經濟彙編・食貨典第三〇一卷・糖部彙考》。

本草》[8]的沙糖項沒有上述的記事，此記事在元・李杲輯，明・
蔣時機訂《石渠閣訂正食物本草・卷之七・味類砂糖》[9]之註
有「乾者為砂糖。……稀者為蔗糖」的記載。然而此《食物本
草》[10]，據龍伯堅之說卻非李杲的著作，而是汪穎抄明・盧和所
著《食物本草》，錢允治又在此基礎修改且任意做為李杲輯。而
盧和所著《食物本草》卻又據說是仿效吳瑞《日用本草》[11]而成
的。所以李時珍在《本草綱目》引用「瑞曰……」（因手邊沒有
《日用本草》全本，無從確認），但屬吳瑞之言可能性很大。

　　從上述得知，元・吳瑞的時期，可知有液體的蔗糖與乾燥物
的沙糖存在。然而要將此類推至唐・孟詵所講的沙糖與稀沙糖，
於時間點上略有困難，但筆者揣測唐代有液體稀沙糖與乾燥沙糖
區分是有可能的。但《新修本草》中所傳石蜜製造法為「煎煉沙
糖為之」，為何特意把乾燥沙糖煎煉成石蜜，卻留下了疑問。加
藤繁揣測為「石蜜是把甘蔗汁結固的東西，沙糖是使其結晶的，
都是含蜜糖的一種」[12]，也只能當作揣測來接受。

　　暫且將這些說法擱置。下列先對唐以後《本草》書所傳之石
蜜混亂不清的地方做出討論。依文獻所見，最先指出混淆者，應是
明・李時珍《本草綱目・石蜜》：「時珍曰，……唐本草明言石
蜜煎沙餹為之，而諸註皆以乳餹即為石蜜，殊欠分明」的記載。

8　《石渠閣訂正食物本草》卷8至卷10變為元・吳瑞輯，明・蔣時機訂，《日用本草》。
　　不知其「定本」〔譯註：古典書籍中由權威學者所肯定的版本謂之定本〕的存在。

9　元・李杲輯，明・蔣時機訂，《石渠閣訂正食物本草》。

10　龍伯堅編著，《現存本草書錄》（1957年版），頁104。

11　龍伯堅，前引書，頁107。

12　加藤繁，前引書，頁684。

李時珍所謂的《唐本草》其實就是《新修本草》[13]。那麼《新修本草》中如何解釋石蜜，慎重地再看一次仁和寺本，於其菓部‧卷一七中有「石蜜，……出益州及西戎，煎煉沙糖為之，作麨塊黃白色」的記載，同新附之註有「云用水牛乳，米粉和煎乃得成塊。西戎來者佳，近江左亦有，殆勝蜀者，云用牛䐑汁和煎之，糖並作沙餅堅重蜀者也。新附。」[14]的記載。

在此範圍看，李時珍所謂「唐本草明言石蜜煎沙餹為之，諸註皆以乳餹即為石蜜，殊欠分明」，「諸註」顯然《新修本草》也必須包含在內。又洞富雄說：「石蜜製造法引進後緊接著出版的《新修本草》有『石蜜，煎沙餹為之』，而完全沒有說使用牛乳。但引進後約十年，經蘇恭修改所成的重修本（《唐本草》）不知何故，把石蜜寫為水牛乳和米粉所煎成塊的東西。這全然不是純粹由砂糖做的製品」[15]。此乃洞富雄與李時珍顯然都未真正看過《新修本草》而引起的錯誤。

《新修本草》的本文，誠然如李、洞二先生的指摘有「石蜜，……煎煉沙糖為之」的記載，但同時唐太宗的熬糖法（貞觀21年，西元647年）後12年成書的該書，新附之註已有「云用水牛乳，米粉和煎乃得成塊，西戎來者佳」的記述。而《唐本草》（即《新修本草》）之事實誤認不只李，而洞（洞富雄為了要否定而引用的）也可見到。洞富雄所敘述「石蜜製造法（即為唐

13　參照白井光太郎監修、校註，《頭註國譯本草綱目》第1冊頁7唐本草之註①，與中尾万三，〈唐新修本草之解說〉（前引《新修本草殘卷（五冊）》）。

14　如第一章所提本文抄錄處，比較參照《證類備用本草‧卷二三‧石蜜》。

15　洞富雄，前引論文，頁104。

太宗輸入熬糖法之謂）移植後約十年所成的蘇恭之重修本《唐本草》……」，即《新修本草》這本書。正如中尾万三[16]所指摘的，蘇恭即蘇敬，正是《新修本草》的主要撰者。

將此暫且擱下，觀看比《新修本草》稍晚撰成的《食療本草》，其中有「石蜜，……蜀中、波斯者良，東吳亦有，並不如兩處者，此皆煎甘蔗汁及生[17]乳汁，則易細白耳」（《證類備用本草・石蜜》）的記述。上述引用文的黑點部分，可知外國產的石蜜（西域、波斯）也混和牛乳製造，將製法上的「乃得成塊」與「則易細白耳」連接起來思考，以當時的技術，沙糖製造石蜜的過程，某種情形下加入牛乳與米粉應是有必要的吧。

在《本草衍義・沙糖》有：「沙糖又次石蜜，蔗汁清，故費煎煉，致紫黑色。」如上所述，沙糖次於石蜜（可知石蜜比沙糖更被珍重）。甘蔗汁不混和別的東西（牛乳、米粉或其他觸媒），所以煎煉費時而變紫黑色。由此可知（此兩者在化學上有何作用，日後希望農藝化學者能協助究明，目前僅能提出疑問，不能進行實驗）。從以上的檢討，筆者願意理解為貞觀21年唐太宗自西域輸入的熬糖法，即另加牛乳、米粉至沙糖中，煎煉製造出石蜜。[補註1、補註2]此方法比舊有的交趾方法更優異。

---

16 參照前引〈唐新修本草之解說〉。

17 《本草綱目》作「牛」。

補註1 幸田露伴〔1867～1947〕有「石蜜是在中國創製的嗎？估計是從印度傳去的，使用牛乳製造是印度自古所慣用的」之敘述（未提示典據為遺憾處），見〈沙糖〉，岩波版，《露伴全集》第19卷，頁459～460。

補註2 H. C Prinsen Geerligs引伊斯蘭教徒著者的記述（未提示典據）說13世紀末的印度已有利用乳汁（牛奶）的清澄法。見H. C. Prinsen Geerligs, *The World's Cane Sugar Industry Past and Present*, 1912, Manchester: p.5。

此時代的石蜜，如洞富雄所言之冰砂糖[18]，或李時珍所敘述：「石蜜即白沙餹也，凝結作餅塊如石者為石蜜，輕白如霜者曰餹霜，堅白如冰者為冰餹，皆一物，有精粗之異也。」《本草綱目・卷三三・石蜜》）

「石蜜即白沙餹」之看法，與加藤繁認為沙糖是粉末狀的見解，筆者都不能同意。

乳糖的紀錄首次出現於《食療本草》。然而，《本草綱目》曾引用「詵曰，……會稽所作乳糖殆勝于蜀」的記述，同文又被《證類備用本草》以「今按別本註云……」引用。石蜜即乳糖之說，嚴格來說，是如李時珍所說的，並非唐朝而是進入宋朝後才出現的。

進入宋朝，蘇頌的《圖經本草》（1061年刊）有「鍊沙糖和牛乳為石蜜，即乳糖也」之記載，接著寇宗奭撰之《本草衍義》（1116年成書）的石蜜承襲此而有「石蜜……今人謂乳糖」的記述，更有《證類備用本草》（1249年成書）的本文即以「石蜜乳糖」承繼該說。到此時期出現糖霜（結晶糖）之名，甘蔗汁加工品的品名，以沙糖為首，稀沙糖、糖霜（《本草衍義》初次出現），乾白沙糖的增加[19]，而從這些名稱推測，品質上結晶與精白也做到了。這些產品經過何種過程而產生，現階段還無法明瞭，但推測與唐太宗的熬糖法不無關係，且與前述之乳糖說應有某種關聯。由前章提到的《清異錄》得知，唐、五代已有糖坊（似乎是工廠制手工業製糖工廠的原型）出現。由此可想像從唐

---

18 洞富雄前引論文，頁103。

19 樂史的《太平寰宇記・卷一百》福州的土產有「乾白沙糖（今頁）」。

至北宋時期，製糖技術引進與甘蔗栽培展開同時進行，在甘蔗糖分的利用型態、製糖技術層面，都有劃時代的展開，可謂為北宋末到南宋蓬勃的糖業發展奠下基礎。

換句話說，記述石蜜或乳糖是液體物還是固體物所發生的混亂，不外乎因製糖技術未臻成熟導致的。

在《本草衍義》石蜜條所出現的石蜜容器「銅象物」（第一章圖7）〔本書頁199〕，「至夏月及久陰雨，多自消化」說明石蜜經不起濕氣，因此針對不安定性質有一保存法為「土人先以竹葉及紙裹，外用石灰埋之，乃不得見風，遂免」之考慮，可窺知其一斑。

而為中和甘蔗汁之酸性，使之析出結晶，該於何時適量的加減添加灰分的問題（詳見後述）直到清朝還未能解決，不難想像在唐、五代期間，多麼苦惱於如何創出沙糖的安定狀態了。

解決此狀態的時期應是北宋末期吧。反映在文獻上的是王灼的《糖霜譜》，此時起製糖技術安定起來，乾燥糖的製造較往昔容易，宋朝中、末期的都市經濟的繁榮或也幫助了糖業的發展。接著來考察北宋末期以後的製糖技術的開展。

第二節　製糖技術的歷史性發展

前面已敘述過，北宋末期為砂糖型態漸趨穩定時期（文獻所見範圍內）。形狀的穩定與製糖技術有密切的關聯，然而有系統有條理將製糖方法記述的文獻並不多。

可舉列的先有宋朝的《糖霜譜》、元朝的《農桑輯要》。再

者是反映明朝糖業大發展的《農政全書》、《天工開物》，此外為早於此二書刊行的地方志弘治《興化府志·卷之一二·戶紀六·貨殖》、嘉靖《惠安縣志·卷之五·物產貨屬》，何喬遠撰《閩書·卷之一百五十·南產志上·甘蔗》，分別有詳細的製糖法記載。

下列將此些書籍逐一討論，以追溯製糖技術的歷史性發展。

一、《糖霜譜》上出現的宋朝製糖技術

（一）製糖時所使用的器具

王灼於其著作〈第四〉把糖霜戶使用的器具列舉，並一併說明其構造與用途。

1. 蔗削：「如破竹刀而稍輕」，意即如劈竹刀但重量稍微輕些。

2. 蔗鎌：「以削蔗，濶四寸，長尺許，勢微彎」，用來削甘蔗皮，寬四寸，長約一尺，先端微彎。

3. 蔗凳：「如小杌子，一角鑿孔，立木叉，束蔗三五挺閣叉上，斜跨凳，剉之」，如小凳子模樣的器具，在其一角開了一孔，插一根分叉的木頭在其孔中，把三至五根甘蔗捆成一束，置叉上使斜跨凳，以刀細剉（由此得知當時的蔗莖似不甚粗）。

4. 蔗碾：「駕牛以碾所剉之蔗，大硬石為之，高六、七尺，重千餘斤，下以硬石作槽底，循環丈餘」，以牛和石磨碾剉細的甘蔗、石磨上部用千餘斤重、六至七尺高的大硬石做成，下部以周圍一丈餘的硬石做槽底。

　　5.榨斗：「又名竹袋，以壓蔗，高四尺，編當年慈竹為之」，榨斗又叫竹袋，壓榨甘蔗用，高四尺，使用該年生長（新竹之意）的慈竹編成。

　　6.棗杵：「以築蔗入榨斗」，用以搗甘蔗入榨斗的器具，以棗木所做的杵。

　　7.榨盤：「以安斗，類今酒槽底」，安置榨斗之器具，如酒槽底模樣的東西。

　　8.榨牀：「以安盤，牀上架巨木，下轉軸引索壓之」，支撐安置榨盤的結構，榨牀上架起巨木，在其下安裝上轉軸，拉緊粗繩來壓榨[20]。

　　9.漆甕：「表裏漆，以收糖水，防津漏」，表裡都用漆漆好，可防止甘蔗汁滲漏的甕。

　　以上製糖用具共有九種。接著來看王灼記述的製糖法。

（二）製糖法

　　1.製糖期：王灼說「凡治蔗用，十月至十一月」，10到11月（舊曆）進行製糖。

　　2.甘蔗的事前處理：王灼說「先削去皮，次剉如錢」，甘蔗的處理為先削皮、接著剉成錢的大小。此處理過程上戶（上層糖霜製造戶）用10至20人，「兩人削，供一人剉」，在此已見分工。

　　3.甘蔗的壓榨：即把剉好的甘蔗放入蔗碾去碾壓。沒有「蔗

---

20 雖不夠滿意此解釋，但目前未能有更好的解釋，姑且照此。又依劉仙洲說法，「榨牀」為壓榨機之一種，與造酒榨牀是同樣的，現在有些地方還在用（見劉仙洲編著，《中國機械工程發明史》第1編，頁56）。

碾」設備時用臼來舂，器具之項沒有相當於臼的，大概是與碓（搗米器具）共用之故。特別列舉棗杵是因為甘蔗比米難搗，要用堅硬的棗木製成的杵之故。

碾完（或搗完）的東西叫「泊」（通「粕」）。把此「泊」放進「甑」（一種蒸器）中蒸過，再放進榨斗，把甘蔗汁完全榨取。將此甘蔗汁移入釜中煎，釜上同時蒸生的「泊」，甘蔗汁煎七分熟就倒入甕中，這時在釜上蒸的「泊」也正是可榨時，如此「煎」與「蒸」連續著做。此作業完成休息三日，如果四日以上就變「釀」（酒之意，意指長久放置會變酸）。第四日把甕中的甘蔗汁取出再煎，煎到九分熟成餳狀黏稠時（過熟就會成沙腳【後出，品質最壞的結晶糖】），以竹篾插入甕中再倒入濃縮甘蔗液蓋上簁箕（篩），此工程即完成，接著等待結晶。將王灼所記述壓榨過程摘錄如下：

> 次入碾，碾闕，則舂，碾訖號曰泊，次烝〔譯註：同「蒸」〕泊。烝透出甑入榨，取盡糖水，投釜煎，仍上烝生泊。約糖水七分熟，權入甕，則所烝泊亦堪榨，如是煎烝相接。事竟歇三日（過期則釀），再取所寄收糖水煎，又候九分熟稠如餳（十分太稠則成沙腳）。插竹徧甕中，始正入甕，簁箕覆之，此造糖霜法也。

以上一般的結霜法經此過程即告完成。但王灼更在《糖霜譜・第六》有：「宣和初……又有巧營利者，破荻竹，編狻猊燈毬狀，投糖水甕中。霜或就結，比常霜益數倍之直，第不能必其

成。」如記載，應奉司制度廢止後，有精明的人用荻竹編成獅子狀的圓球，放入甕中，候其周圍結晶。比普通結晶有數倍的利益，但不一定都會成功。

4. 結晶的析出：把甘蔗的濃縮液放入甕中後，漸次析出結晶，結晶之大小大約在五月即停止成長。接著來看王灼如何記述結晶析出的時程與過程。

(1)入甕二日後的狀態：在《糖霜譜‧第五》有「糖水入甕兩日後，甕面如粥文，染指視之如細沙」的記載，意指二日後甕內的表面呈粥狀紋，以手指沾看已有細砂狀物形成，即為結晶開始最初的狀態。

(2)上元（舊曆1月15日）後的狀態：甘蔗的壓榨在10到11月間進行。以此為基準，猜測入甕大概在11月前後。上元以後即入甕兩個月以後的事。此時狀態王灼記下「上元後結小塊，或綴竹梢如粟穗，漸次增大如豆，至如指節。甚者成坐如假山，俗謂隨果子結實」，即上元以後，「細沙」結成小塊，或如粟穗般地連結於竹梢，漸次增大如豆以至大如指節，甚至大如小山狀。結晶成長到五月大概就停止。原文為「至五月，春生夏長之氣已備，不復增大」。

(3)瀝甕：結晶到五月不再增大，所以開始瀝甕。

a. 瀝甕的時期：結晶析出技術未成熟時期，王灼註明瀝甕的時機為「過初伏不瀝，則化為水，下戶急欲，前四月瀝」[21]，由

---

21 李喬苹，《中國化學史》，1955年12月增訂台一版，頁210引用「前」作「錢」。李喬苹所用之《糖霜譜》（亦為《學津討原》中一種），與筆者所用應屬同版本，不知何故有幾處與筆者不同。李喬苹釋意較清楚但其未明示典故，故無法驟信。為供參考特記於此。

此看出其中重大含義。即為初伏（夏至後第三庚，正當夏至後三週）過後如不瀝甕、結晶可能溶化成水。又下層糖霜製造戶因急迫（生活困窮需現金與防止結晶溶解於未然之故），所以四月即進行瀝甕。

b. 瀝甕的方法：結晶雖已析出，尚有液體的部分。首先要把這液體——相當於「糖水」以「戽斗」（如汲水杓子之類的器具）淘出，取出糖霜乾燥之：「糖雖結，糖水猶在。瀝甕者，戽出糖水，取霜瀝乾。」

但取出結晶的方法依結晶形成的位置而異。結布竹梢的「團枝」隨竹枝長短剪取下來，曝於烈日令其乾燥，之後收納甕中：「其竹梢上團枝，隨長短剪出就瀝。瀝定，曝烈日中，極乾，收甕。」

又結在甕周圍的結晶，「甕鑑」不得立即瀝，須連甕曝於太陽數日，俟乾燥硬化後，以「鐵鏟」徐徐分為數片取出：「四周循環，連綴生者，曰甕鑑。顆塊層出，如崖洞間鐘乳，但側生耳，不可遽瀝。瀝須就甕，曝數日令乾硬，徐以鐵鏟分作數片出之。」

c. 結晶的種類：同甕結成的糖霜也有各種種類，品質也不同。由結晶狀態分其優劣，依王灼的說法「堆疊如假山者，為上」，即最高等級為結晶如小山者，再者次序為「團枝」、「甕鑑」、「小顆塊」，最低為「沙腳」，記述如下：「凡霜一甕中，品色亦自不同。堆疊如假山者，為上，團枝次之，甕鑑次之，小顆塊次之，沙腳為下。」又王灼依其色、分其順位為：「紫為上，深琥珀次之，淺黃色又次之，淺白為下。」此判定反

而與現在的分等有相反的感覺，相當有趣。日後，希望能請教此方面的專家，釐清有關色素與結晶糖品質之關係。

上記之外，不論其大小，而更被視為珍貴的是俗稱「馬齒霜」之物。大塊的有10斤、或20斤，更特異者為30斤大的，此中含有沙腳的稱為「舍」[22]。原文如下：「不以大小，尤貴牆壁密排，俗號馬齒霜。面帶沙腳者，刷去之。亦有大塊，或十斤或二十斤，特異者三十斤。然中藏沙腳號曰舍，凡沙霜性易銷化，畏陰濕及風，遇曝時，風吹無傷也。」

牆壁結晶的馬齒霜之外，王灼在《糖霜譜・第六》有「宣和初……是時所產益奇，牆壁或方寸」的記載，說有「方寸」的一種糖類，但詳細不明。

d. 糖霜的貯藏法：欲防止結晶溶解，特別需注意濕氣。首先於甕底鋪上乾燥的大、小麥，再於麥上安置竹箃，竹箃上鋪滿竹皮，在此上盛糖霜，糖霜之上蓋棉絮最後以簸箕覆甕。原文如下：「收藏法，乾大小麥鋪甕底，麥上安竹箃，密排笋皮。盛貯。綿絮復箃，簸箕覆甕。」普通的貯藏法概如上述。寄送遠方時更在其瓶底置石灰數塊，以紙隔好盛貯，厚封瓶口──「寄遠，即瓶底著石灰數小塊，隔紙盛貯，厚封瓶口」，此遠方大概指前述所提當時首都開封，亦包含應奉司徵收時之遠方之意。

---

22 李喬苹前引書，頁21引用文有「號曰舍沙」*。從文理上判斷，筆者願同意李喬苹，但因無法明確認定，姑且照用「舍」。

* 據《四庫全書》本應為「含沙」。

（三）糖霜戶的經濟

如王灼前所記載，記述當時糖霜的製造及貯藏法。在《糖霜譜・第六》更是把當時（北宋末至南宋初）社會製糖者家庭的經濟狀況，加以描述保留了下來，資料可謂珍貴。

反映當時製糖農家的經濟（包含甘蔗栽培農家）的記述，在前敘「第二章第一節　五、收穫」中即說明小溪縣繖山附近的蔗田占全部田地的40％，糖霜農家占全部農家的30％（《糖霜譜・第三》），此〈第六〉的記述是補充此項，卻更明確地顯示出當時製糖業是如何隆盛，而其經濟、政治的背景又如何也在此詳明。

王灼又記錄了同樣是用良田、佳蔗與用具等相同方法製造糖霜，卻不一定得到同樣結果的情形（即析出結晶的技術還不穩定、不成熟之故），有的完全得不到結晶，亦有得到數十斤者，甚至有人得到將近一百斤，驟然變成暴發戶的也有。因此村裡有以開甕之日來占卜家運的風俗記述。原文如下：「糖霜戶，治良田，種佳蔗，利器用，謹土作一也。而收功每異，自耕田至瀝甕，殆一年半，開甕之日，或無銖兩之獲，或數十斤，或近百斤。有暴富者，村俗以卜，家道盛衰。」

王灼又說，不得結晶，亦可賣「糖水」或自己熬煉「沙糖」（煮到黏稠熬煉出），也足以撈回本錢，不致有大損失。記述如下：「霜全不結，賣糖水與自熬沙糖，猶取善價於本柄，亦未甚損也。」由此觀察，當時的製糖利潤之高可想而知。支持此製糖好景的政治、經濟背景，如第一章第三節所述，北宋末（宣和年

間）徽宗的宰相王黼創設應奉司，採蒐集天下名產的政策，砂糖亦為其品目之一。依據王灼的說法，遂寧縣除常貢（一般上供）以外，每年還出數千斤的糖霜：「宣和初，宰相王黼，創應奉司，遂寧常貢外，歲進糖霜數千斤。」

又，北宋末到南宋時期，以開封為首的都市城鎮之繁榮，增進砂糖的需要，是促進遂寧糖業更加發展的契機。

（四）對《糖霜譜》的製糖方法與工程的檢討

製糖工程中占有重要位置的甘蔗壓榨，前述《糖霜譜》已把「蔗碾」壓榨與用「舂」搗碎的方法一併記述。從動力來看，舂為人力，而蔗碾已見畜力（牛）的利用，發展過程由舂進展到蔗碾。此兩者都屬精白米或麥處理過程的應用發展，但應用與移行的具體過程至今尚不明瞭，今後亦屬要探討的課題^{補註3}。利用畜力的蔗碾壓榨法和用舂的方法相較，在壓榨能力、壓榨效率、減省勞力各方面都帶來飛躍性的進展。

蔗碾的普及時間應於相當晚的明朝中末期。宋、元兩朝則兩者並存，但以筆者所涉獵的文獻來看（避免論斷），似乎舂稍占優勢。舉例來看，比《糖霜譜》晚成書的宋・梁克家《三山志・卷第四一・土俗類三・物產・貨》（淳熙9年【1182】）有「糖，取竹蔗擣蒸，候官甘蔗洲，最甚」的記載。

加上接下來敘述元朝的《農桑輯要》中，只見舂，卻完全沒

補註3 思考移行過程的完善資料有印度的舊式糖業。本稿因心有餘而力不足，未能有餘裕提及，但有提示壓榨過程的照片。

有蔗碾的記述等理由因而如是推測。

　　但在《糖霜譜》與《三山志》列有有關春的利用，如蒸粕工程（勞動力投入極高）的相關記述，在元朝《農桑輯要》上則看不到。

　　蒸粕工程可有效彌補壓榨的不完全，理論上，蒸粕工程的未繼續發展，相對而言是由於投注勞力不合算之故，若壓榨效率提高（蔗碾的更佳發展為前提），因此蒸粕必要性降低。然而，僅就文獻所見未能說是壓榨效率的提高，或可言是有抑制蒸粕的勞力投注的經濟情事存在。

　　以下，順便說明甘蔗的事前處理中的削剝分工，蒸粕與煎糖利用同一熱源且連續作業等過程，此為相當合理的工程，值得注意。

　　又，如王灼在《糖霜譜・第六》敘述：「自耕田至瀝甕，殆一年半。」即甘蔗自栽植到糖霜結成費時一年半，此需要漫長時間、蒸粕等細緻作業工程（且需投入充分勞動力下）進行，更需有進步的農法與仔細的耕作，每項甘蔗的栽培都充分地說明北宋末到南宋初製糖業的龐大利益。

　　對糖霜的利用，除了以往的本草書所說用作藥品之外，王灼在《糖霜譜・第七》有「有作湯者，作餅者，……模脫成模。方圓雕花，各隨意」的記載，表示其加工利用的多樣性。如前所述，足以印證該時期都市生活對砂糖的廣泛性消費。

二、元朝的製糖技術

　　此時期史料主要利用司農司所撰《農桑輯要‧卷六‧甘蔗》的「煎熬法」，並參照馬可波羅的《東方見聞錄》為副。

　　《農桑輯要》的煎熬法和前面介紹過的甘蔗栽培法同樣是第一次出現在農書上的製糖法，並非利用引用文或引用文的再引用以敷衍了事，完全是「新添」，因此具有貴重意義。但遺憾的是比起《糖霜譜》，其描寫相當簡單。然而因介於前代《糖霜譜》之後與後代《天工開物》之間，所以是追溯中國製糖技術展開的重要史料。

　　元朝製糖技術該特別記述的是下列四點：第一，發現刈取的甘蔗若久放會不適於製糖的事實；第二，加熱時的竅門；第三，被視為是明代利用「瓦碢」分蜜法萌芽的「瓦盆」利用；第四，木灰的利用。以下順次討論。

（一）收穫後的甘蔗不可放置

　　《農桑輯要》有「若刈倒，放十許日，即不中煎熬」的記載。至此我們所見，有關甘蔗變質的記述，主要是在圃中的霜害。而《農桑輯要》在前面的記述，並非甘蔗遇霜害變質，而是間接闡明甘蔗收穫後的成分變化。

　　以化學作用來看，甘蔗被割取後，蔗莖的成分會漸次起變化，特別在收割五天後出現急遽惡化，其變化的內容據石田研之說來看，「甘蔗成分中糖分分解的結果轉化糖的含率漸次增加。纖維也隨水分的消失而增加其含率，灰分也有隨時間的經過而稍

微提高其含率的傾向」[23]。當然此成分的變化是依甘蔗品種、收穫期、放置的場所（屋內或屋外）、收穫法（帶根收穫或一般收刈法）而有異，但《農桑輯要》總結以往的製糖經驗說，收穫後放置「十許日」，即十餘日即不堪製糖的記述，雖欠缺利用現代化學的分析，但堪稱重要見解。

（二）加熱時的竅門

《農桑輯要》對煎糖時溫度的高低[24]與濃度的判斷有「以文武火，煎熬……熬至稠粘，似黑棗合色」的記載。「文武火」即是以不高不低的合適溫度煎熬，濃度的適當與否，則不像《糖霜譜》的「七分熟」、「九分熟」等抽象說法，而是更明確具體地以近於黑棗色的狀態為判斷的標準。以上是既往文獻所無之記述。

（三）瓦盆的利用

瓦盆的利用，可視為明、清兩朝廣範圍行使的瓦磟分蜜法的萌芽。關於此，司農司有「用瓦盆一隻，底上鑽箸頭大竅眼一個，盆下用甕承接，將熬成汁，用瓢盛傾于盆內。極好者，澄於盆；流於甕內者，止可調水飲用」的記述。

「瓦盆」是什麼樣的器具？首先查《辭海》，瓦器有「古時

---

23 石田研，《甘蔗糖製造化学・上卷》，頁117，有關甘蔗收穫後的成分變化，筆者所提的部分借重本書處很多，附記於此。

24 篠田統提出要取砂糖（甘蔗糖）結晶的必要條件是「加熱溫度盡量要低」一項。見前引《天工開物の研究》，頁84。

凡土器已燒者，概稱瓦器」，即土器素燒的一種。接著查盆，
「急就篇註，盆，斂底而寬上」，即寬口斂底的器皿。由此可知
為與瓦碼幾相近的器具（關於瓦碼詳述於後）。

　　在此瓦盆底開一箸頭大（據石田研的調查，瓦碼孔竅之直徑
為一寸二分[25]）之竅，瓦盆之下以甕承受。糖汁熬好，以瓢舀入
瓦盆，那麼將最好的（極好者）、清淨（澂＝清）的留瓦盆內。
「流於甕內者，止可調水飲用」，流下到甕內的只能調水飲用，
不能利用。由此推測，流下的應是糖蜜。

　　經過分蜜一次的糖汁，再盛於底有孔竅的盆貯藏（「盛
頓」），或倒入「瓦罋」（肚大口小的素燒瓶）中蓋好蓋子。
「將好者，即用有竅眼盆盛頓，或倒在瓦罋內，亦可以物覆蓋
之」，這可以說是分蜜作業的繼續。瓦罋底雖無孔竅，但因是素
燒的，所以瓦罋壁可以吸入糖蜜，瓦盆也有同樣作用。可惜未提
及結晶，但可推測貯藏期間結晶也在進行。間接可做資料的是
《農桑輯要》有「慎勿置於熱炕上，恐熱開化」的記述。

　　《農桑輯要》中所見之製糖法，值得特別記述的是上列三
點，但該書另方面對壓榨法（若未有漏失紀錄的話）[26]卻未見進
步痕跡，所見者不如說是停滯的記述，如「將初刈倒稭稈，去梢
葉，截長二寸，碓擣碎。用密筐或布袋盛頓，壓擠取汁。」

　　這裡未提到如《糖霜譜》裡有利用畜力的蔗碾，只止於敘述

25　石田研，前引書，頁345。

26　在時期上有困難之處。徐光啟在《農政全書》引用《農桑輯要》的煎熬法全文，又做
　　自註：「玄扈先生曰，熬糖法，未盡於此。」暗地表明《農桑輯要》記述的熬糖法外
　　還有方法。附記於此。

以臼搗碎壓榨的方法。同樣是使用臼的方法，《糖霜譜》裡更有蒸後壓榨的細緻描述，《農桑輯要》對此也沒有提及。

（四）木灰的利用

以甘蔗為原料的舊式製糖工程分別有：甘蔗壓榨、糖汁清澄、煎糖三大作業。首要工程甘蔗壓榨暫不提，控制最後出現的製品種類與型態，與其說是第三項作業，毋寧說是第二階段的「糖汁清澄」才是關鍵。至此，我們檢視唐、宋、元的砂糖型態並不一定是穩定的（當然上記三個朝代也各有進步處，比如宋朝製造出結晶體，元朝有分蜜法的萌芽等），其最大原因是未發現從糖汁的諸成分中，除去妨礙析出結晶的轉化糖與蛋白質的方法。

要防止引起轉化狀態於未然，在初霜降臨前要收穫（因氣溫的驟降蔗糖轉化加水分解成葡萄糖與果糖，此混合物即稱為轉化糖。分子小的轉化糖，容易與水做成過飽和溶液而不起結晶[27]）與甘蔗收穫後不要置之不理（因轉化糖含率會因被放置而增加）等，為經驗上已知的，但糖汁因具微酸性，在煎煉濃縮（因加熱）過程中所引起的轉化進行，以鹼性物質來中和[28]做為防止的方法，在唐、宋二朝的文獻都未被發現。

到了元朝，初期的《農桑輯要》未見，在馬可波羅的《東方見聞錄》始有類似的記述。又鹼性物質，不只具有中和作用，還能發揮讓阻止結晶析出的蛋白質變成不溶解物，同時包覆浮游的

27　參照藪內清，前引書，頁84。
28　同上。

纖維片與其他而一起下沉[29]的機能。由上述可知，糖汁清澄的工
程中，木灰的利用對製糖技術的歷史性發展過程有多麼重大的意
義。

　　接著討論《東方見聞錄》的記述。於〈福州王國的故事〉
中，馬可波羅有「那麼，在大汗統治這地方之前，住民不知道如
何把砂糖像在巴比倫那樣進行處理或精製。不會使之凝固，倒入
模型使之固結，而只是煮好舀起來貯存，那是像漿糊一樣黏黏稠
稠的黑色砂糖。但被大汗征服後，這附近也有大汗宮廷的巴比倫
人來教住民用某種木灰（the ashes of certain trees）精製砂糖的方
法」[30]的敘述。

　　但是，只會做如漿糊般黏黏稠稠的黑色砂糖，還不知砂糖
精製法的「馬可波羅之說」與Yule版的註8所引用的菲立浦〔C.
Phillips〕之說：「馬可波羅之說是立基於中國人不知粉狀砂糖
如何製造的。事實大概也是他們不知道如何精製砂糖。中國的地
方史記載有福建人承認進入元朝以後，從西方人學了技術之前，
並不知道好砂糖（fine sugar）的作法。」[31]此種說法難於全盤接
受。在馬可波羅的福州旅行以前，宋朝王灼已出版《糖霜譜》，
該書「原委第一」有「糖霜一名糖冰，福唐……有之」，如上記
述，今福建省福清縣東南部的「福唐」已有糖霜，又名糖冰的製
造。從樂史（930～1007）的《太平寰宇記・卷一百》福州的土
產有「乾白沙糖（今貢）」的記載等來看，元初福州人甚至福建

29　參照石田研，前引書，頁177。

30　參照青木一夫譯書，頁207；Ricci版，頁258；Yule版，頁226。

31　前引Yule版，頁230；又C. Phillips所謂的中國地方史，具體為何，不明。

人完全不知道砂糖精製法的說法未免言過其實。只是如既述，以往的文獻未有砂糖製造過程的木灰使用例子，所以馬可波羅所言，某種木灰開始利用於糖汁的澄清，的確是很大的進步。

另外王灼同書〈原委第一〉有「外之夷狄戎蠻，皆有佳蔗，而糖霜無聞，此物理之不可詰也」的記述，說外國雖有良種的甘蔗，但未聞有糖霜，以此來誇耀是有趣的。

還有《農桑輯要》無木灰利用的記述，是因為馬可波羅所傳之巴比倫人之南下的年代，是在《農桑輯要》成書之後，或是木灰利用技術的普及還需要一段時間也說不定。順便提及馬可波羅目擊福建糖業是1290年，《農桑輯要》的成書是約十七年以前（1270～1273）的事。

三、明朝的製糖技術

明朝中、末期的甘蔗栽培的普及與對應地域性特產化，中國的舊式製糖法也在此時期開花，可說大致上完成。此開花到底與先行的諸技術有何種關聯，又對即將到來的機械制製糖法做為準備期的製糖技術，是處於何種狀態，是本節將究明的課題。

將利用的資料有弘治《興化府志》、嘉靖《惠安縣志》、《閩書·南產志》、《農政全書》、《天工開物》，以及《廣東新語》等所記載的製糖法。

（一）福建省地方志所記製糖技術

首先是弘治《興化府志》，本書成書於1503年，此書卷之一

二・戶紀六有黑糖的製法記載：

> 黑糖，煮蔗爲之，冬月蔗成後，取而斷之，入碓搗爛，用大桶
> 裝貯。桶底旁側爲竅，每納蔗一層，以灰薄灑之，皆築實，
> 及蒲[32]，用熱湯自上淋下，別用大桶，自下承之，旋取入釜烹
> 煉。火候既足，蔗漿漸稠，乃取油滓點化之。別用大方盤挹
> 置，盤內遂凝結成糖。其面光潔如漆，其脚粒粒如沙。

　　興化府，就是今之莆田（舊興化）爲中心之地區，自南宋以
來，爲中國甘蔗糖業中心之一。特別是在明末清初受對外輸出
（主要輸出日本）的刺激，其製糖技術在當時的中國是先進的。

　　黑糖的製法，在第一階段的甘蔗壓榨依然利用「碓＝碓」
（臼），王灼所述的「蒸粕」，在此改以熱湯淋搗碎的蔗汁與蔗
粕以促糖汁浸出的方法。特別引人注意的是馬可波羅所述之灰的
利用，在壓榨與清澄間行使，在淋熱湯之前，「每納蔗一層，以
灰薄灑之」，在搗碎的蔗粕與蔗汁之上灑上薄薄的灰，在這之後淋
熱湯，可浸出糖水同時也混和灰，中和作用便可同時進行。

　　灰的利用以外，也有以往文獻上所沒有的煎煉過程中有關
利用油的記述。「火候既定，蔗漿漸稠，乃取油滓點化之」，
這在後來之台灣煎煉青糖也可見到的，「汁液沸騰，趨濃厚起
泡將溢，即滴下萆麻子油或花生油三、四滴以鎮之，更續煮令
稠……」[33]如上記載，能提高沸點，消泡沫，促進濃縮的作用。

---

32 蒲音通粕，應是粕的錯別字。

33 臨時台灣糖務局，《糖業記事》（第2次），頁50。

接著來看白糖的製造：

> 白糖，每歲正月內，煉沙糖爲之。取乾好沙糖，置大釜中烹
> 煉，用鴨卵連清黃攪之，使渣滓上浮。用鐵筊籬，撇取乾淨，
> 看火候足，別用兩器上下相乘，上曰圍，下曰窩，圍，下尖而
> 有竅；窩，內虛而底實。乃以草塞竅，取煉成糖漿，置圍中，
> 以物乘熱攪之，及冷，糖凝定，糖油墜入窩中。

如上弘治《興化府志》所傳爲白糖製造第一階段，由含蜜糖
分離糖蜜的過程，相當於後來台灣舊式製糖法中的礤菜糖製造
法[34]的部分過程。

此過程的特徵是，「取乾好沙糖」即選乾好沙糖原料（即少
含轉化糖之意），倒入釜中煎煉。分蜜時之糖汁必須比前述沙糖
更加清淨，所以「用鴨卵連清黃攪之，使渣滓上浮」，即將鴨卵
的蛋清與蛋黃一起倒入糖汁攪拌，使夾雜物浮上、用筊籬舀去。
這是木灰之利用外，清澄過程更進一步的作法。

清澄過的糖汁更加濃縮後，將濃縮液倒入前述之瓦盆與後述
瓦溜的一種「圍」（「下尖而有竅」）內，趁熱攪拌，圍下以
「窩」（「內虛而底實」）承接，圍之下端尖而有孔竅，用草塞
之，糖油（即糖蜜）即由孔竅墜窩中。在此過程「及冷，糖凝
定」，溫度下降，砂糖便結晶。

接著弘治《興化府志》有關白糖製造的第二階段記載：「三

---

34 前引《糖業記事》（第2次），頁53。

月梅雨作，乃用赤泥封之。約半月後，又易封之，則糖油盡抽入窩。至大小暑月，乃破泥取糖，其近上者全白，近下者稍黑。」此工程為後述《天工開物》的白糖製造法及台灣舊式白糖製造法的萌芽型態，且首次出現於弘治《興化府志》上。利用囤與窩分蜜過的結晶糖還有部分糖蜜黏著，要洗去這些殘留的糖蜜，接著以「乃用赤泥封之」，即以赤泥封囤，讓泥中之水漸次滲透到結晶糖的間隙，而把糖蜜洗出落到窩裡。赤泥中之水分因蒸發與滴下而乾燥失去功能。「約半月後，又易封之」，大致每過半月就要改封一次。如此，自三月開始的「封泥」到舊曆六月中（大小暑月）即可拆開，取出白糖。位於上面的白，位於下面的稍黑。以此製成的白糖，再經太陽曝曬令之乾燥，裝入木桶。「遂曝乾之，用木桶裝貯。九月各處客商皆來販賣，其糖油鄉人自買之」，九月時賣給各地聚集而來的商人，糖蜜則由村裡人自己買去。

又，有關創始於興化府的這種「封泥」白糖製造法，同弘治《興化府志》引用《彭志》：「彭志云，舊出泉州，正統間（1436～1449），莆人有鄭立者，學得其法，始自為之。」[35]

記述如上，又「今上下習奢，販賣甚廣」，即白糖消費因百姓生活奢侈化而提高，且現在（1503年之前）廣泛販賣的記述。

接著來看，晚弘治《興化府志》約三十年而修的嘉靖《惠安縣志·卷之五·物產·貨屬》的製糖法[補註4]。該縣志關於黑糖製

---

35 未能確認《彭志》與鄭立的傳記存在，深感遺憾。

補註4 嘉靖《惠安縣志》的重修版在嘉慶8年（1803）出版，看其貨屬之「糖」條改訂（記述的大部分與嘉靖版同），只有壓榨機具不是碓，而改成蔗車。這可視為明末以降糖業的發展，促進壓榨過程的技術革新。順帶說明，同是嘉靖年間修書的《南平縣志·物部卷之一·物產·貨屬·蔗糖》也有「蔗入磨，牛轉搾出

造法有以下記述：

> 凡煮糖，取蔗入碓，舂爛用桶實之。桶側，近底有小竅，其下
> 承以巨桶，每實一層，輒灑以薄灰。及桶滿以湯淋之，則漿液
> 自竅注大桶，酌入釜烹煉。俟其漿漸稠，挹置大方盤中，冷結
> 遂成黑砂糖。
> .

筆者認為，雖未能認為其全部引用前記弘治《興化府志》，但內
容除煎煉過程遺漏「油滴滴下」外，大致未改變。

再看白糖製造法，相當於第一階段的分蜜過程有：

> 至正月，復取黑砂糖煮之，劈鴨卵投釜中，疾攪之，使渣滓上
> 浮。輒去至盡，乃以甕器，上廣下銳，如今酒家漏卮者，有竅
> 當其銳，以草塞，竅下承以甕甕。挹糖水入器，及冷凝定。其
> 不凝者，瀝入甕為糖水。

興化府的分蜜用土器名稱「囷」與「窩」，而在此改為「甕器」
與「甕甕」，又糖蜜的糖油改為糖水而已。

其次為第二階段關於封泥的白糖製造法：「至三月霪雨候，
用赤泥封之。大約半月，一易封，伏日[36]剖封出糖，則糖水瀝

汁，蒸煉成糖」的記載。出現牛磨（蔗車的壓榨部分不是木而是石磨的）利用之記
述。又傳19世紀初，惠安糖業隆盛的資料於其同「糖」條之末尾有「邑中出者，多
販賣福州、涵頭，其往蘇者皆台灣所出，糖利甚多。種蔗田多，則妨稻，奸佃亦藉
以抗租」的記述在第一章第四節已介紹過。
36 應是「伏日」之誤。〔據明朝天一閣本嘉靖《惠安縣志》應為伏月，指農曆6月。〕

盡，其凝定者遂燥結，無濕氣，是謂白砂糖。」在此應留意，弘治《興化府志》有「約半月後，又易封之」，在該縣志即改為「大約半月，一易封」。解讀弘治《興化府志》文意，封泥的重新塗抹只有一次，而嘉靖《惠安縣志》則可視為每半月重新塗抹一次的連續作業。事實則如後述為重新塗抹、重複施行（惠安縣昔日屬泉州府的一縣，今於南方泉州與北方仙遊之間的甘蔗產地之一）。

　　地方志提出檢討的第三點是，何喬遠的《閩書・卷一百五十・南產志・甘蔗》有關黑糖的製造「其法，先取蔗汁煮之，攪以白灰成黑糖矣」記載極簡單，壓榨的過程也被省略。分蜜過程也只作「成黑糖矣，乃置之大甖漏中，候出水」的敘述，對此甖漏後續有「甖漏器如帽盔，底穿一眼，出水其處也」的記述。此即後來的瓦溜、瓦漏或瓦碢吧。

　　白糖製造第二階段封泥之記述，嘉靖《惠安縣志》比上記二文獻留下前所未有的詳細記述：「候出水盡時，覆以細滑黃土，凡三遍，其色改白有三等。上白名清糖，中白名官糖，下名奮尾，其所出之水名糖水也。」

　　如上記述，封泥的重新塗抹，次數明示為三次，關於製品也不像弘治《興化府志》所言「其近上者全白，其近下者稍黑」的含糊記述，而明確地分等級，最白的為「清糖」，次者為「官糖」，最下等為「奮尾」。此外，「官糖取之再行烹鍊，劈雞卵攪之，同渣滓上浮，復置甖漏中。覆土如前，其色加白，名潔白糖也，其所出之水名潔水矣。」又，特別對官糖施以再精製而作出「潔白糖」，在此過程中，被浸出的糖蜜與水的混合液叫作

「潔水」。

　　順帶說明，此種再精製後來在台灣也可看到。[37]

　　《閩書・南產志》在封泥法（即覆土法）的創始記述如下：
「初人莫知有覆土法，元時南安有黃長者，為宅煮糖，宅垣忽
壞，壓於漏端，色白異常，遂獲厚貲，後遂效之。」

　　與此類似的故事在劉獻廷（1648～1695）的《廣陽雜記・卷
二》[38]也有記述：

> 涵齋言，嘉靖以前，世無白糖，閩人所熬皆黑糖也。嘉靖中，
> 一糖局，偶值屋瓦墮泥于漏斗中，視之，糖之在上者，色白如
> 霜雪，味甘美異于平日；中則黃糖，下則黑糖也，異之。遂取
> 泥壓糖上，百試不爽，白糖自此始見于世。

　　劉獻廷所引用的涵齋不明其為誰，所以所說「嘉靖以前世無
白糖，閩人所熬皆黑糖也」不一定正確，但可由前面所引用弘治
《興化府志》已使用封泥法製造白糖的記述（此《興化府志》是
弘治16年【1503】修，清同治10年【1871】的重刊本，可能會有
疑問）看出，反倒何喬遠所言「元時，南安有黃長者」，元朝南
安人黃長創始的說法在時間上較不矛盾。

　　前已提過，《興化府志》引用《彭志》有「云舊出泉州，正
統年間（1436～1449年）莆人有鄭立者，學得其法」的記述，所
以傳為泉州地方的創始（時代稍微比元朝晚），此說何喬遠認為

37　參照前引《糖業記事》第2次，頁53。

38　劉獻廷，《廣陽雜記》（《功順堂叢書》）。

南安人黃長創始，地域一致（南安屬於泉州府）。從以上整理得知，封泥法等於覆土法，並非嘉靖年間創始，合理的年代應於元或明朝初。但並不清楚此方法是否為馬可波羅所說，傳授木灰利用的同一個巴比倫人同時也傳給福建糖業。

接著看發現覆土法的契機，及所使用的泥之來源，何喬遠說是「宅垣」〔譯註：有瓦蓋的圍牆〕，劉獻廷說是屋瓦的泥，只有此差異而內容大約雷同。篠田統對上記「製糖家不慎將宅垣或屋瓦的泥，偶然落入漏斗之中，由此發現白糖的製法」此創始故事無法置信，他認為並非中國人的發明，而是西方傳來[39]。目前，因無確切資料，筆者也無法認定。而篠田統推論為西來的技術，其憑據也很難說是確實的。

以上將明朝地方志有關製糖記述的考察告一段落。接著將研究擴大到農書與產業書上。

（二）出現在農書及農業技術書上的製糖技術

明朝農書可舉《農政全書》與其類書《二如亭群芳譜》為例。可惜兩書對製糖法均只重錄已刊文獻的紀錄而已（如《農政全書》錄自《農桑輯要》，《二如亭群芳譜》錄自《糖霜譜》），僅有《農政全書》的尾處，徐光啟註「玄扈先生曰，熬糖法未盡于此」而已。被認為是明朝農書集大成的《農政全書》，未得見製糖技術的「新添」，不管怎麼說都是遺憾的事情。

39　參照藪內清，前引書，頁85。

可補此缺者，則有著名的產業技術書：宋應星著《天工開物》。本書分製糖技術為「造糖」、「造白糖」及「造獸糖[40]」三項目，且附圖做了詳述，為欲理解舊式製糖法不可或缺的重要文獻。以下對此做詳細考察，並試加討論。

1. 造糖：宋應星在製糖法開頭，先詳細記述壓榨機具的「造糖車」結構。

凡造糖車制，用橫板二片，長五尺、厚五寸、闊二尺，兩頭鑿眼安住。上筍出少許，下筍出板（靜本作版。從局本、陶本改）二、三尺，埋築土內，使安穩不搖。上板中鑿二眼，並列巨軸兩根（木用至堅重者），軸木大七尺圍方妙。兩軸一長三尺，一長四尺五寸，其長者出筍安犁擔，擔用屈木，長一丈五尺，以便駕牛團轉走。軸上鑿齒，分配雌雄。其縫處，須直而圓，圓而縫合。夾蔗于中，一軋而過，與棉花趕車同義。……其下板承軸鑿眼，只深一寸五分，使軸腳不穿透，以便板上受汁也。其軸腳嵌安鐵錠于中，以便捱轉。

在此引用藪內清出色的譯文：

造糖車的結構是使用二塊橫板，長五尺、厚五寸、寬二尺。在橫板兩端穿孔立柱。上方榫頭令之突出少許，下方榫頭突出下板二、三尺埋入土中，使全部都不動搖。於上板中間鑿二孔，

並列巨大軸木二根，木盡量用堅重者。軸木大小以周圍七尺爲
佳，兩根軸木一方長三尺，他方長四尺五寸。其長者出榫頭插
入犁擔。犁擔用曲木，長一丈五尺，以便駕牛轉圈。軸木鑿
齒，令分爲雌雄。其咬合部分須直而圓，圓而咬合。將糖蔗插
其中，一軋即過，與棉花趕車同道理。……下板爲了承軸須鑿
孔，孔深僅一寸五分（引用者註：下板厚五寸），令軸脚不穿
透，以便板上受汁。軸脚安置鐵錠，以便於旋轉。

由上述可整理出以下兩點。

（1）利用畜力的壓榨機具出現在《糖霜譜》，之後甚久未
曾於文獻上看到，於此再度出現。如果根據至今所見之文獻推
測，從《糖霜譜》到《天工開物》兩文獻期間，若使用畜力規模
較大的甘蔗壓榨機具未被利用，爲何崇禎10年前後（《天工開
物》的成書【1637年】，比前述任何地方志要晚）再度出現，此
爲問題，容再做推測爲因海外砂糖需求大增而要求畜力機具的使
用。該時期正值西歐及日本的砂糖消費急遽增長，福建沿岸諸港
向海外載出的砂糖量於此後也急遽增加（詳細請參照後述）。

（2）壓榨部分是使用堅木，與南宋的硬石（《糖霜譜》的
蔗碾是硬石），以及後來在台灣的石磨[41]也不同。據此難以單純
地認爲，造糖車在壓榨效率上比南宋的蔗碾高。但是比起以人力
爲動力的臼，可說造糖車的出現，逐漸爲該時期新的飛躍發展做
了準備。後述發生在台灣利用多頭牛的壓榨磨，以及四川省的石

---

41 前引《糖業記事》（第2次），頁48。

圖9　《天工開物》軋蔗取漿圖

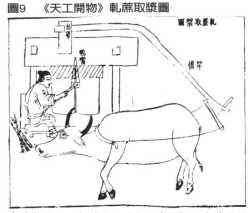

資料來源：取自《天工開物・卷上》，中華書局
　　　　　1959年第1版。

輥[42]的出現均有賴造糖車之處不少。

繼造糖車的結構解說，宋應星記述甘蔗的壓榨工程為「夾蔗于中，一軋而過。……蔗過漿流，再拾其滓，向軸上鴨嘴扱入。再軋又三軋之，其汁盡矣」。甘蔗的壓榨不僅一次即完，要二次、三次，拾起蔗滓插入軸木上鴨嘴以榨汁。宋應星說如此重複蔗汁便能盡出，但由壓榨的結構來看，「其汁盡矣」的形容過於誇張。蔗汁聚存後，繼而移至清澄與煎煉的工程，於下記可見。宋應星明確地表明利用效力高的石灰，更換過去的木灰、灰、白灰的利用，又對其使用量（過去大概是憑直覺經驗）也清楚的以每一石蔗汁下五合〔譯註：一合等於十分之一升，五合等於二分之一升〕石灰。「每汁一石，下石灰五合于中」，這是很大的進步，以往可謂碰運氣性質的結晶糖製造局面被斷然打破。

在煎糖工程留下與「清澄」相媲美的新穎記載：「凡取汁煎糖，並列三鍋如品字，先將稠汁聚入一鍋，然後逐加稀汁兩鍋之內。若火力少，束薪，其糖即成頑糖，起沫不中用。」

42　參照譚旦冏，〈四川內江的舊法造糖〉，《大陸雜誌》第7卷第6期，頁178。

　　不是用單一的鍋，而是三鍋一組，排成品字形同時使用，顯然是為提高效率。遺憾的是煙道與鍋的排列關係未能記述清楚。此排列是宋應星所講的熱的高低程度，與「若因火力弱，加薪過猛，蔗汁即化為頑糖，起泡而不堪用」有關係。日後日本沖繩島的舊式製糖法，似曾注意到此問題[43]。而台灣對此的紀錄為：「糖汁煎煉所需火力的高低程度於第一、二、五釜火力需要最強……其火力高低程度在製糖上影響不小，所以火伕必須熟練。」[44]又四川省要以均衡的火力煎糖為必要，所以加熱也被要求要有專門技術[45]。即《農桑輯要》敘述「以文武火煎」，必要以適當平均的溫度煎糖。宋應星將此改為警告急遽的加熱終變成頑糖（保持糖蜜的狀態，不結晶的濃縮糖汁之意）。

　　2. 造白糖：白糖的製造，大概如先前介紹過的，利用土器與覆土並用的分蜜法，宋應星將作業細緻的過程記述如下。

　　（1）熱的高低程度與濃縮度的判斷：有如下記載「看水花為火色，其花煎至細嫩，如煮羹沸，以手捻試，粘手則信來矣」，藪內清的解釋為「煮此，看起泡的樣子以作火力的加減，其起泡變成很細，恰如煮清湯時的模樣，便以手拈來試探，如覺黏手即是時候」，熱的高低程度與濃縮度的判斷，為以往所未見。宋應星明示了大概的標準，相當值得注目。

　　（2）封泥及覆土法到「黃泥水淋下」直接法的變化：煎糖完，接著進入分蜜工程。宋應星述及：

43　參照石田研，前引書，頁326。

44　《糖業記事》（第2次），頁51。

45　參照前引譚旦冏論文，頁180。

圖10　瓦溜

資料來源：《天工開物・卷上》，
　　　　　中華書局1959年第1版。

圖11　漏缽

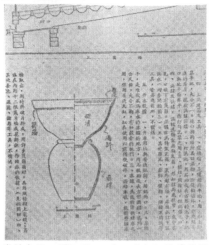

資料來源：譚旦冏，〈四川內江的舊法造
　　　　　糖〉，《大陸雜誌》（台灣）
　　　　　第7卷第6期，頁17。

圖12　瓦碥

資料來源：臨時台灣糖務局，《糖業記事》（第2
　　　　　次），頁44。

此時尚黃黑色，將桶盛貯，凝成黑沙。然後以瓦溜（教陶家燒
造）置缸上，其溜上寬下尖，底有一小孔，將草塞住，傾桶中
黑沙于內。待黑沙結定，然後去孔中塞草，用黃泥水淋下，其
中黑渾入缸內，溜內盡成白霜。

　　此處所記述的瓦溜等同後來在台灣的瓦碭、四川的漏缽，由
所列照片看其結構，幾乎是相同的。

　　瓦溜結構暫且不談，過去在瓦器之上封泥或覆土以催促其更
加分蜜，到《天工開物》卻非覆土，而是直接「以黃泥水滲落」
（藪內清之解釋）方法達到目的（參照圖10）。此方法恐怕急於
奏功而實效性較低（直接灑黃泥水於糖上，不只糖蜜，大概連
糖分也一併流出）之故，後來四川（參照圖11）、台灣（參照圖
12）都不再見到此法。

　　（3）白糖的種類：宋應星有「凡白糖有五品，石山為上，
團枝次之，甕鑑次之，小顆又次之，沙腳為下」的記載。此記述
大概是直接引用《糖霜譜》：「如假山者為上，團枝次之，甕鑑
次之，小顆塊次之，沙腳為下。」篠田統有「此分類大概是依結
晶塊的形狀而來。已在《糖霜譜》出現此分類[46]」，而作消極的
註釋，但此兩書的製造過程，特別是結晶析出既然不同，這樣的
分類不妥，也不該這樣做。筆者認為應視作馬虎引用較為妥當。

46　藪內清，前引書，頁279。又篠田統在此書頁84有「宋應星的記事，大體依宋‧王灼
　　《糖霜譜》而適宜省略之」的說法，此為曲解。宋應星全文明確可認為被指摘的部
　　分，只有白糖的分類與「蔗種」的鄒和尚故事而已。

在此最須注意的是「黃泥水淋下」的結果,所製出最上層的白糖,宋應星將之命名為洋糖。「溜內盡成白霜,最上一層,厚五寸許,潔白異常,名曰洋糖」,其命名的理由為,西洋砂糖絕白而美,「西洋糖,絕白美,故名」,所以如此命名。由此記述可推測,該時期已有「洋糖」進入中國,其精白技術勝過中國的瓦溜法。這是中國製糖技術在近代化之前最早受到的西洋衝擊。

(4)冰砂糖的製造法:在製糖法的最後,宋應星記冰糖的製造法為:「造冰糖者,將洋糖煎化,蛋青澄去浮滓。候視火色,將新青竹破成篾片,寸斬撒入其中。經過一宵,即成天然冰塊。」此方法是以分蜜後的白糖做為原料,此記載與利用蛋白的清澄法是《糖霜譜》所沒有的,除此以外,結晶析出法和王灼所記述的竹篾法大致一樣。又宋應星所傳此法,日後在台灣也全套繼承了[47]。且「造獅、象、人物等,質料精粗由人」,也傳說利用冰糖作獅子、象、人物等等。此「造」大概是利用冰糖塊來雕刻吧[48]。若非如此將與後記獸糖的製造互相矛盾。

3. 獸糖:前述嘉靖《惠安縣志・貨屬》有:「其響糖,糖霜皆煮白砂糖為之。」所記述的「響糖」,或李時珍在《本草綱目》(1552〜1578年編纂)卷三三・石蜜有「以白糖煎化,模印成人物,獅、象之形者為饗糖」,如上記述,應是指煎白糖倒入

---

47 前引《糖業記事》第2次,頁56。

48 如前述,王灼在《糖霜譜・第七》有糖霜的用途「方圓雕花,名隨意」的敘述。筆者的判斷若正確,篠田統(前引書,頁279)的「獅子等非以冰糖做。看(獸糖)之項」之註可說是不完善的判斷。

模型，型塑人物、獅子、象等「饗糖」之謂[49]。其製法與記載係首次出現。往下再看，首先有以下的記述：

> 凡造獸糖者，每巨釜一口，受糖五十斤。其下發火慢煎，火從一角燒灼，則糖頭滾旋而起。若釜心發火，則盡盡沸溢于地。每釜用雞子三個，去黃取青，入冷水五升化解，逐匙滴下，用火糖頭之上，則浮漚黑滓，盡起水面，以筭篱撈去，其糖清白之甚。

文中熱度——「慢煎」及釜的燒法——「火從一角燒灼」[50]以及清澄用的蛋要去掉蛋黃「每釜用雞子三個，去黃取青」等，都是新的記述。

　　清澄後的糖汁接著倒入模型。對於此過程宋應星有「然後打入銅銚，下用自風，慢火溫之，看定火色，然後入模。凡獅、象糖模兩合，如瓦為之。杓瀉糖入，隨手覆轉傾下。模冷糖燒，自有糖一膜，靠模凝結」的記載。藪內清的解釋為：「之後倒入銅鍋。下用石炭末[51]，小火溫之。判定火候才倒進模型。獅子、象之模型為二枚重疊，以素燒瓦做之。以杓舀糖倒入，隨手搖轉倒

49　將此更追溯，前引《東京夢華錄（外四種）》中，《都城記勝》頁94上有「小兒戲劇糖果，如打嬌惜。……糖宜娘」也屬於這一種。

50　篠田統的註（藪內清前引書，頁279）有「這時候不熱釜底，而熱釜的一方是非常合理的。像糖汁那樣比重重的液體，如在容器的底部加熱，很難沸騰。但稍微高於沸騰點時即突然猛烈地沸騰，因此引起器物的破裂，或液體的外溢。此現象化學者稱之為突沸（bumping），而非常提防」如上記述。

51　篠田統的註（前引書，頁280）有「自風，在別處有自來風，自風煤炭因此指石炭末」的記述。

出。模冷糖熱，自然形成一膜凝結於模。」看不出有特別新奇的描寫。

關於獸糖，宋應星的解釋為「名曰享糖，華筵用之」，因「享」通「饗」，所以如前所述，更清楚知悉獸糖即饗糖，亦即饗糖。

（三）《廣東新語》所記述的製糖技術

至此一直在追溯至《天工開物》為止的製糖技術發展過程。目的包含尋找可理解將在後述中提及的台灣舊式製糖技術之鎖鑰。接著考證與台灣舊式糖業成立時期大致同時期所刊行的明末清初之人屈大均的《廣東新語》內有關製糖技術的紀錄，以供後面做比較。

屈大均較概括地談到甘蔗與砂糖，在該書〈卷一四・食語・糖〉與〈卷二七・草語・蔗〉。除此也散見記述有關製糖的地方，這些也一併挑出來探討。

1. 製糖期：屈大均在〈卷九・事語・廣州・時序〉有「十月下完，會天乃寒。……為寮榨蔗，作糖霜」的記載。十月過完就要築造製糖用的小屋「寮」。〈卷二七・草語・蔗〉有「榨時上農一人一寮，中農五之，下農八之、十之」，建造此寮上層農家為一戶一寮，中層農家五戶一寮，下層農家八戶或十戶一寮，「冬至而榨，榨至清明而畢」，即冬至開始壓榨直到清明結束。

2. 壓榨的機具與工程：壓榨機具結構記述如下：「以荔支木為兩轆，轆轆相比若磨然，長大各三、四尺，轆中餘一空隙，投

蔗其中，駕以三牛之。」[52]

　　上面記載與《天工開物》相比，描寫過於簡單且有不清楚之處，但對造糖車軸木的用材，屈大均明確說明為荔枝木，又原用一頭牛在拉造糖車，此處是三頭牛繫在一起拉。崇禎年間利用一頭牛，明末利用三頭牛，應可判斷在壓榨工程的生產性更加提高了。在此有部分疑問，不是石磨依然用軸木，到底有無三頭牛力的必要。而壓榨工程與製糖工程因未有特別處而省略。

　　3. 砂糖的種類：屈大均在同書〈草語・蔗〉依製糖工程順序所成之糖命名如下：

　　牯轆旋轉則蔗汁洋溢。……然後煮煉成飴。其濁而黑者日黑片糖，清而黃者日黃片糖，一清者日赤沙糖，雙清者日白沙糖，次清而近黑者日瀵尾，最白者以日曝之，細若粉雪，售於東西二洋日洋糖。……其凝結成大塊堅而瑩，黃白相間日冰糖，亦日糖霜。

　　將此加以說明如下（筆者略為推測）。
　　①黑片糖：煎煉蔗汁，色黑而濁的一次加工砂糖。
　　②黃片糖：用蛋清澄過一次的黃色砂糖。
　　③赤沙糖：以瓦溜分蜜過一次的砂糖。
　　④白沙糖：以瓦溜分蜜過一次後，再次清澄，嘗試「雙

---

52 本文為「駕以三牛之牯轆旋轉，則蔗汁洋溢」，如駕以三牛之牯加句號，此牛便是牝牛或被閹割的牡牛之意。此處判讀為牯轆旋轉，則蔗汁洋溢。

清」[53]，用覆土法而得的白糖。

⑤瀵尾：再次覆土法所剩近於黑色的砂糖。（「瀵」與「奮」通，當於《閩書・南產志・奮尾》）

⑥洋糖：與《天工開物》的洋糖相同。

⑦冰糖：也可視為與《天工開物》的冰糖相同。

以上因製糖工程的不同而所造成的砂糖有七種。當時在市場上糖的加工品又有個別不同的名稱。屈大均在〈卷一四・食語・糖〉把廣東省內市場所賣砂糖種類約舉出12種如下：「繭糖、糖通、吹糖（實心者小曰糖粒，大曰糖瓜）、饗糖、糖磚、芝麻糖、牛皮糖、秀糖、蔥糖、烏糖等。」顯示過去所未有的砂糖消費多樣性。

---

53 雙清在前引《閩書・卷一百五一・南產志》上也出現「糖有二種，曰黑糖，曰白糖，有雙清，有潔白，鍊之」的記載。

第四章　台灣舊式糖業的發展

　　台灣糖業的前史研究包含甘蔗傳播到台灣的情形、對岸糖業（特別是福建省域的舊式糖業）、明、清兩代的台灣糖業三個大研究方向。

　　關於對岸糖業（福建糖業），已於第一至第三章探討，為了避免重複，本章主要聚焦在甘蔗傳播到台灣的情形與明、清兩代的台灣糖業。

　　又明、清兩代台灣糖業的問題中，清朝中、末期恰逢殖民地奴隸勞動栽植地制度更加發展時期，已進入帝國主義時代的先進諸國，大致分割完各殖民地，單一栽培的「甘蔗糖業=機械製糖」，越發確立其絕對的優越性。中國舊式糖業對此世界史的動向，無能從內部對應，事實上也無法對應，因此發生往後的挫折與改變。有關該時期的糖業問題，筆者認為應全盤探討中國的問題，且另寫專稿較為妥當，故本稿省略。

第一節　甘蔗傳播到台灣的情形

一、前言

研究台灣糖業史，首先探討的問題是，甘蔗到底何時、由誰（非特定的個人，主要由先住民族的高山族，或後來從中國大陸移住的漢族）、經由何處，被帶進台灣的諸問題。

到現在為止，對前述諸問題，筆者尚未找到得以充分釋疑的文獻，全然因為有關台灣糖業的古文獻極為缺乏。

近世以前（考量台灣的特殊性，姑且限定為1624年荷蘭人開始統治台灣以前）的台灣糖業大致狀態，實際上，除了正史與少數一、二份史料外，幾乎都找不到。且史料中的記述，或囿於當時情況，描述多半過於簡單與抽象。在這種限制下，要素描出台灣甘蔗狀況，可謂是一種冒險，筆者姑且視為整理而嘗試之。

二、從史料看台灣的農業與引進甘蔗的擔負者

縱觀戰前、戰後所出版的台灣糖業史相關文獻[1]，均以《島夷誌略》[2]所記錄的「煮海水為鹽，釀蔗漿為酒」當作台灣有甘蔗存在的最初紀錄。

筆者查看《島夷誌略》的撰者汪大淵，為元朝江西省南昌縣

---

1 樋口弘，《日本糖業史》，頁287。河野信治，《日本糖業發達史・生產編》，頁56。根岸勉治，前引論文，頁37。台灣糖業有限公司編，《糖業手冊・上冊》，頁21。
2 元・汪大淵撰，日本藤田豐八校註，《島夷誌略校註》（雪堂叢刻）「琉球」之條。

人（1311年生），從1330年數年間及大約1339到1344年，做了兩次南海巡遊之旅。以其實際見聞所寫（1349～1351年）的就是本書，這是用「腳」來書寫的極少數史料之一，因而獲致高評價[3]。書中「琉球」條有「余登此山」之記述，據此可視為記錄了在台灣的實際見聞。

暫且擱置此部分。先追溯元朝之前，諸史料中所出現的台灣農業大致型態。

台灣歷史最初的正式紀錄據說為3世紀中葉（三國時代），吳‧沈瑩所寫《臨海水土志》[4]，與農業相關的記述為「土地無雪霜，草木不死」、「土地饒沃，既生五穀，又多魚肉」短短數行[5]。紀錄極為簡單且模糊，此五穀，是否全為戰國後在中國被慣用的五穀「黍、稷、麥、豆再加稻或麻」[6]，抑或只是描寫當時所必要的食糧與衣料的原料印象而已？

接著據說「三國時的吳國經兩晉南北朝到隋朝，三世紀半間對台灣未有特別的資料」[7]。照此說法，繼《臨海水土志》後之重要史料為《隋書‧流求國傳》，茲摘錄此文與農業有關之敘述：「有熊羆犲（豺）狼，尤多豬雞，無牛羊驢馬，厥田良沃，先以火燒而引水灌之，持一插，以石為刃，長尺餘，闊數寸而

---

3 參照平凡社刊《アジア歷史事典》第7卷所收「島夷誌略」一項，及石田幹之助，《南海に關する支那資料》，頁200。又《欽定四庫全書總目‧史部‧地理類卷七一‧島夷誌略》有「大淵此書，則皆親歷，而手記之，究非空談無徵者」的批言。

4 參照石田幹之助，前引書，頁59。

5 參照《太平御覽‧卷七百八十‧四夷部一‧夷洲》所引用《臨海水土志》。原書失傳。

6 加藤繁，《支那經濟史考証‧下卷》，頁700。

7 桑田六郎，〈上代の台灣〉，《民族學研究》第18卷第1、2號，頁110。

墾之。土宜稻、梁、床（禾）、黍、麻豆、赤豆、胡豆、黑豆
等。」[8]此記述已頗具體而詳細，以往未說明清楚的五穀已明確
分為「稻、梁、床、黍、麻豆、赤豆、胡豆、黑豆等」。又此時
期的台灣還未有牛、羊、驢、馬，多豬與雞。農耕方式採取火田
方式，還不知鐵的利用，使用較進步的石器開墾。

《島夷誌略》做為甘蔗存在與酒製造法之根據，《隋書》有
「以木槽中，暴海水為鹽，木汁為酢，釀米麵為酒」的記載。但
前引作物種類沒有麥，因此對此酒的原料有麵（麥之意）提出疑
問，待日後考證之。

隋朝以後至元朝長達六世紀半，《元史・瑠求傳》有「瑠求
在外夷，最小而險者也，漢唐以來，史所不載。近代諸番市舶，
不聞至其國」如上記述，與中國大陸往來很少，似乎也未有紀
錄。此時期在正史上唯一的紀錄是仰賴南宋・趙如适撰之《諸蕃
志・流求國》，其中的「無他奇貨，尤好剽掠，故商賈不通」[9]
的記載，印證前述《元史・瑠求傳》的記述。意即無特別的產
物，住民好強奪、商人不往來。

關於台灣的農業，《宋史》、《元史》均未提及，《諸蕃
志》也僅止於照抄引用了《隋書》而已。

從上述看來，甘蔗引進台灣似與先住民族（今之高山族）沒
有關係。若為先住民族引進，當然應有某些紀錄留傳。特別是
《隋書・流求國》，考量其留下頗具體詳細的作物種類紀錄，此
推測應不至於不當。

---

8 參照《隋書・卷八一・流求國傳》。又括弧與句讀係為筆者所加。
9 馮承鈞，《諸蕃志校註》，86頁。

　　筆者認為引進甘蔗的擔負者並非先住民族，理由為既然台灣不是甘蔗的原產地，若要引進，必要有能接納的一定條件，以結果論來看，元朝以前的台灣先住民族，正由狩獵狀態漸移入農耕階段，對甘味料的需要還在果糖，至多對蜂蜜有需求，因此欠缺接納甘蔗的一定條件（元到明朝初期情況相同，在此不深入探討）。

　　又現在所謂的先住民族，也絕非太古以來的先住民族，據說是西元前某時期，越過巴士海峽而來的馬來族，即印度尼西亞人（Indonesian）[補註1]定居的[10]。然而查被推定為這些先住民的發祥地域的糖業史，可知無先住民族引進甘蔗的可能性。

　　先住民族發祥地域的糖業情況，並非各處都清楚，但與台灣在地理上最近的菲律賓群島，有「甘蔗栽培與從甘蔗製造砂糖的技術，十之八、九是由中國人傳到菲律賓群島……」[11]的記述。再者，地理上稍遠的爪哇糖業是「有史以前，爪哇已有甘蔗栽培，當時已經被當作美味，大概榨其汁，雖規模小也做蒸發與乾燥。大約是中國人或印度人移入的……」[12]的說法。依根岸勉治的研究，「甘蔗是在第1世紀由印度的航海者輸入爪哇的。中國人旅行家法顯[補註2]記述西元424年爪哇有甘蔗的存在，西元7世紀

補註1　高山族的人種起源有視為與海南島的黎族同種之說。參照劉大年等著，《台灣歷史概述》，頁2。

10　鳥居龍藏，〈台湾の有史以前〉（《有史以前の日本》）與〈台湾調査時代〉（《ある老学徒の手記》）。

11　H.C.Prinsen Geerligs, *The World's Cane Sugar Industry Past and Present* （Manchester）,1912, p.95.

12　H. C.Prinsen Geerligs, ibid, p.115.

補註2　應是法顯和尚。

以前的存在是確實的」[13]。

　　由上述得知，先住民族漂流至台灣以前（先住民族漂流至台灣定居時期雖不明確，但依其農耕樣式等來看，可推測於相當古老的年代），菲律賓群島與爪哇仍未有甘蔗，只是爪哇有甘蔗土生或由印度、中國任一方所傳播的議論存在。但以最有可能是先住民族發祥地的菲律賓群島來看前述推論可不須修正。況且，先住民族是漂流而非移住，所以引進甘蔗的可能性更小了。

　　綜合上述，雖無法明確斷定[補註3]，但也可大概說把甘蔗引進台灣的不是先住民族，而是後述的漢族。

三、從中國大陸與台灣的往來，看甘蔗傳播到台灣的情形

　　依到此為止考察，傳到台灣的甘蔗來源，當然得於中國大陸尋找。然而中國大陸的甘蔗是經何路途，在何時傳入台灣呢？

　　甘蔗傳入台灣的確實年代，至今還不清楚，但如前面所說，至少在元朝已有甘蔗存在的記載。又中國大陸的甘蔗栽培在戰國末期已開始，甘蔗製糖在稍晚的梁朝也已開始。然而甘蔗傳播到台灣最晚是元朝，此段時間空白甚大。

　　要說明此段時間的空白，必須要交代清楚華南地方，特別是與台灣距離最近的福建省開發延遲，還有中國大陸與台灣的往來

---

13 根岸勉治，前引論文，頁34。

補註3 另有需要調查的是，高山族的語言有無相當於甘蔗者。因未有充裕的時間可進行　　調查，但依高山族研究家王崧興（東京大學人類學教室）所言，似乎沒有。

交涉，尤其是漢族進入台灣的經過。

　　如一般所知，直到西漢，中國的政治、經濟、文化中心在中原（即黃河流域）。漢族的南方的首次經略有：吳建都於建康（今之南京），據於江南與魏、蜀相爭，擴大版圖。此後因五胡亂華影響，漢族大量的南遷，促進江南一帶的勃興。此餘波當然也波及福建，奈何福建地形險阻，內部有多數山岳重疊，北有高峻的仙霞嶺山脈，西有武夷山脈，東面臨海，這種自然條件妨礙與外界的交通，阻擋北方的文化。使福建反而比在南方的廣東開發更延遲了。[14]市村瓚次郎博士據設置在福建的郡縣數目與人口的變遷為根據，認為福建地方的開發在唐代急遽進展，又說福建地方「到唐朝還有很多異民族居住，因此秦漢時代幾乎是化外之地，可想與內地的郡縣非常不同」[15]。事實上，漢族真正開發福建省是從唐末開始，經五代到南宋才相對地達到高峰。此間的農業生產力的發展，特別是在水利設施的普及有令人刮目相看之處。[16]由此情況來看，福建省的漢族（以泉州與漳州為原籍的台灣人，在甲午戰爭以後占全島人口約80％[17]）產生到台灣發展的餘力與必然性，還須再等待一段時間。

14　參照市村瓚次郎，〈唐以前の福建及び台湾に就いて〉，《東洋学報》第8卷1號。北山康夫，〈唐宋時代に於ける福建省の開發に関する一考察〉，《史林》24卷3號。日比野丈夫，〈唐宋時代に於ける福建の開發〉，《東洋史研究》4卷3號等。

15　市村瓚次郎，前引論文，頁15。

16　參照北山康夫，前引論文，頁94〜96。

17　據明治38年的調查，全台灣人（包含漢族及高山族）之中原籍福建省者占86.24％，昭和元年12月末稍減，占83.07％。這比率除非有特別狀況發生，否則不會有大變化，所以應可以回溯類推。又泉、漳二州出身者，據昭和元年的調查是占全福建省出身者的96.29％，請參照表4、表5。

　　北宋末至南宋初情況漸漸改變：「南宋比北宋領土減半……
增設種種新稅且極力設法增加稅收，其歲入可比得上北宋盛
時……但其大部分歲入被軍費吃掉。特別國界駐地軍所需的費用
是龐大的。」[18]不難想像此影響之後果。社會經濟的矛盾，土地
的狹隘與人口稠密的矛盾，當時的知識分子以素樸單純的形式來
感受。例如宋・嘉祐年間（1056～1063年）謝履在其〈泉南歌〉
早就寫道：「泉州人稠山谷瘠，雖欲就耕無地闢。州南有海浩無
窮，每歲造舟通異域。」[19]

　　又南宋初的方勺有「七閩地狹瘠，而水源淺遠。其人雖勤
儉，而所以為生之具，比他處終無有甚富者。墾山隴為田，層起
如階級然。每遠引溪谷水以灌溉，中途必為之礎，不為碓米亦能
播精。……山到崔嵬猶力耕之。……」[20]的記述。即福建省全部
土地狹而貧瘠，和他處相比無大富豪，山坡必須闢為梯田，連很
高的山地也得努力耕種。

　　其次是關於中國大陸與台灣的關係。從本節第二項的史料可
知中國大陸與台灣的關係可追溯到西元3世紀。吳國把江南一帶
納入其統治圈，利用其特異的地理位置，向東方與南方海上發
展。舉一例為吳國的將軍衛溫、諸葛直率領萬人至夷州（今之台
灣）的史實記載。[21]這是現今已被究明，中國大陸與台灣較確實
的最初交往。

---

18 日比野丈夫，前引論文，頁27。

19 引用自宋・王象之，《輿地紀勝・卷一百三十・福建路》。又日比野丈夫，前引論
　　文，頁25，註6之卷三十為誤排。

20 南宋・方勺，《泊宅編・卷三》（金華叢書）。

21 參照《吳志・卷二・孫權傳》。

　　接下來的一次關係是，隋煬帝的大業3年（607）派遣朱寬到台灣招撫不從，後又遣陳稜去遠征[22]。

　　再來，元世祖（忽必烈）在至元28年9月派遣楊祥去招撫但不應，成宗元貞3年亦即大德元年（1297）9月，福建省平章政事的高興令張浩、張進去遠征[23]。

　　以上三次遠征是漢族首次移住澎湖島之前的主要史實。

　　元朝以來，台灣島在當時被視作缺乏經濟價值，土著民族也被看成未開化蒙昧之族，因此不被外來者重視。然而一旦中國本土成立強大統一政權，威勢擴張及周邊諸國與島嶼時，連被認為欠缺經濟價值、未開化的土著民族所居之島，征服的手也會伸長到達。不須多論，此種關係始終是大陸單方面、斷斷續續的征伐且帶有招貢色彩的。

　　雖說如此，這種大關係（以政權的力量為背景）以外的小關係（由民間人組成的），以及並非由中國大陸單方形式完成的台灣先住民族與台灣周邊諸島的關係，也不是完全沒有。

　　推測不被記載於正史，或不以紀錄留下來的小關係之存在，從吳國以降，以漢族為中心的東晉、宋、齊、梁等中國政權的統治範圍，幾乎被限於江南，因此應有向南方海上貿易發展的想法，此應合理。要印證這些事實的有如《隋書‧卷六四‧陳稜傳》有台灣土著群集於陳等的船隻[24]，或《諸蕃志‧流求國》有

22　參照《隋書‧卷八一‧流求國》。

23　參照《元史‧卷二百十‧瑠求傳》。

24　《隋書‧卷六四‧陳稜傳》有「流求人初見船艦以為商旅，往往詣軍中貿易」的記載。

「土人間以所產黃蠟、土金、氂尾、豹脯，往售於三嶼」的紀錄
等。當然，懂得交易者並非全部的先住民，筆者認為地域上應只
限居住於台南周邊到北港一帶，處於相較進步階段的諸部落而
已。

　　又先住民族主動進入大陸的交涉紀錄在《諸蕃志・毗舍耶
國》有「時至寇掠，其來不測，多罹生噉之害，居民苦之。淳熙
年間（1174～1189）國之酋豪，常率數百輩，猝至泉之水澳、圍
頭等村，恣行兇暴，戕人無數，淫其婦女，已而殺之，喜鐵器及
匙筋」[25]的紀錄，可知當時在南西海岸居住的先住民族，頗頻繁
地到澎湖島，時而到泉州附近掠奪，特別愛搜掠鐵器。另有一史
料可作印證，即宋・樓鑰所撰《攻媿集・卷八十八》所收汪大猷
的行狀有以下記載：

> 乾道七年四月起。知泉州，到郡遇事風生，不勞而辦。郡實瀕
> 海，中有沙洲數萬畝，號平湖，忽為島夷號毗舍耶者奄至，盡
> 刈所種。他日又登海岸殺略，擒四百餘人，殲其渠魁，餘分配諸
> 郡。初則每遇南風，遣戍為備，更迭勞擾。公即其地，造屋二百
> 間，遣將分屯，軍民皆以為便，不敢犯境。[26]

文中之「平湖」即「澎湖」，閩南語的「平」與「澎」音相近。

---

25 馮承鈞，前引書，頁87。西元年號為筆者所加。又此毗舍耶為菲律賓之毗舍耶族（參
　照藤田豐八，《東西交涉史の研究・南海篇》，頁400），在此出現的同族並非自菲
　律賓入侵，而是居住台灣南西部的同族，筆者同意馮承鈞的看法。
26 宋・樓鑰，《攻媿集・卷八八》（《武英殿聚珍版叢書・集部一七》）。

乾道7年即1171年，因此與前記《諸蕃志》的淳熙年間在時間上無大差距，可視為同一或類似事件的紀錄。又文中「盡刈所種」的記載，可知在澎湖島已有農民在耕作，接著「公即其地，造屋二百間，遣將分屯，軍民皆以為便」可了解汪大猷派遣將兵分屯澎湖之事。這是關於中國政治權力直接達到澎湖的首次紀錄[27]。這同時充分印證《諸蕃志》所記「泉有海島，曰澎湖，隸晉江縣」[28]。

　　但《諸蕃志》提到不知利用舟筏——「不駕舟楫，惟以竹筏從事」，而依賴竹筏來看，以先住民族為台灣與大陸的交涉擔負者，可想而知是很有限度的。

　　綜合上述，孫吳到元朝，中國大陸與台灣間的交涉雖有大小之別卻連續著，但兩者間橫跨著台灣海峽，地理使兩者隔離。此地欠缺經濟價值且土著先住民未開化，終究阻礙了漢族以移住為目的的進入，如此論述應屬合理吧。[29]

　　逐漸打破此狀態，漢族進入屬於台灣諸島嶼的時間與狀況，應是從北宋末到南宋間，以福建省特別是泉州為中心的下層農民為主。以前引《諸蕃志》與《攻媿集》的史料觀察，可視為大約是在南宋到元朝時。以當時的歷史條件和地理的情況來說，漢族移住台灣的行為從澎湖開始是極為必然的。澎湖島之名在史上首次出現[30]於《諸蕃志・毗舍耶國》。「泉有海島，曰澎湖，隸

27　藤田豐八，前引書，頁402。

28　馮承鈞，前引書，頁86。

29　岩生成一，〈世界史上の台灣〉，《日本歷史》第19號，頁11。

30　馮承鈞，前引書，頁87，註2。

表4 台灣民族別與人口實數及比例

實數		比 例	
台灣人總數 （A）	2,973,280（人）		
漢 族 （B）	2,890,485	$\frac{(B)}{(A)}\times100$	97.21%
原籍福建省（D）	2,492,784	$\frac{(D)}{(B)}\times100$	86.24
原籍廣東省（E）	397,195	$\frac{(E)}{(B)}\times100$	13.74
其 他（F）	506	$\frac{(F)}{(B)}\times100$	0.02
高 山 族 （C）	82,795	$\frac{(C)}{(A)}\times100$	2.79
熟蕃	46,432		
生蕃	36,363		

資料來源：據明治38年臨時台灣戶口調查結果表8地方及體性別種族製成。

晉江縣」，據此可知澎湖島在南宋時已入福建省版圖。再是漢族移住本島的明確紀錄是《島夷誌略・澎湖》有「泉人結茅為屋，居之」[31]的記載，所以元朝已有移住民定居是明確的。因有此情況，當時的政府也在至元年間（1335～1340）[32]即已設巡檢司，徵收鹽課[33]。

　　由上述來論，元・汪大淵在《島夷誌略》所留「煮海水為鹽，釀蔗漿為酒」的紀錄是頗可靠的。帶有商品作物性格的甘

---

31 汪大淵，前引書。

32 元朝的至元年號有二，一為世祖、一為順帝，要指定為何者有疑慮。筆者採取吳壯達，《台灣的開發》，頁11之說。又詳細的議論在同書頁11。

33 汪大淵前引書有「至元年間立巡檢司，以週歲額辦鹽課」的記載。

表5　台灣在籍人口漢族原籍比例表

漢族總數（A）3,751,600（人）			
實數及比例　　　　　原籍	實數（人）	比　　　例（％）	
福建省（B）	3,116,400	$\dfrac{(B)}{(A)} \times 100$	83.07
泉州府（D）	1,681,400	$\dfrac{(D)}{(B)} \times 100$	53.95
安溪	441,600		
同安	553,100		
三邑[※]	686,700		
漳州府（E）	1,319,500	$\dfrac{(E)}{(B)} \times 100$	42.34
汀州府	42,500		
龍巖府	16,000		
福州府	27,200		
興化府	9,300		
永春州	20,500		
廣東省（C）	586,300	$\dfrac{(C)}{(A)} \times 100$	15.63
潮州府	134,800		
嘉應府	296,900		
惠州府	154,600		
其他	48,900		

※三邑包括晉江、惠安、南安。

資料來源：原資料為台灣總督府調查課編，《台灣在籍漢民族鄉貫別調查》（昭和3
　　　　　年版），昭和元年12月版未能找到，故參照《日本地理大系台灣篇》（改
　　　　　造社版）頁334，及林熊祥等著，《台灣文化論集》（1）頁66製成。

蔗，要將之從大陸傳播到台灣，必伴隨漢族某種條件的台灣進展
不可。漢族自元朝定居澎湖島之後，對台灣漁業或移住進展的可
能性，比以前任一時期都更大。比如澎湖島到北港的距離為泉州
到澎湖距離的三分之一，澎湖島與台灣本島之間的澎湖水道之
險，非福建與澎湖島之間的台灣海峽之險可比。

　　然而要更正確地論述，必得要把南宋末到元初的對岸（福
建）糖業發展，以及漢族進入台灣本島的狀況弄清楚。接下來嘗
試探討之。

四、南宋、元兩代的對岸（福建）糖業與漢族移入台灣本島

　　於上一小節「三、」，為了印證《島夷誌略》的「煮海水為
鹽，釀蔗漿為酒」而試論中國大陸與台灣之交涉史及其可能性。
該書被史學家評價為甚稀少且貴重，可謂用「腳」實際走訪所寫
的南海史料。本小節進一步描述當時對岸糖業狀態，欲從糖業的
側面對該紀錄的可靠性做某種程度的補強。

　　從距離上看，對岸的福建省與台灣最近，而事實上早期台灣
移民祖籍也大半是福建省。

　　加藤博士認為，福建甘蔗砂糖生產的最初紀錄（現有文
獻）為宋仁宗時（1023～1063年），蘇頌奉命編纂的《圖經本
草》[34]，但在此之前實際已有樂史《太平寰宇記》的卷一百‧福

---

34 參照加藤繁，前引論文。

州與卷一百二・泉州之「土產」條，之中各有甘蔗記述，特別是
福州土產在此之外又加上「乾白沙糖（今貢）」的記述。[35]

　　《圖經本草》的記述在《證類備用本草・卷二三・甘蔗》引
用可見：

> 圖經曰⋯⋯今江、浙、閩、廣、蜀川所生，大者亦高丈許，葉
> 有二種，一種似荻，節疏而細短，謂之荻蔗，一種似竹，薼
> 長，筰其汁以爲沙糖皆用竹蔗。泉、福、吉、廣州多作之。鍊
> 沙糖和牛乳爲石蜜，即乳糖也，惟蜀川作之。荻蔗但堪噉，或
> 云亦可煎稀〔沙〕糖。商人販貨至都下者，荻蔗多，而竹蔗少
> 也。

　　以上不辭長篇引用是因文中產地指出為福建省泉州與福州均
盛產，特別是福州的侯官似極為隆盛，可供證明的有同是宋朝的
梁克家所撰淳熙《三山志・卷四一》（淳熙9年成書）的「糖」
條。在此有「取竹蔗擣蒸，侯官甘蔗洲，最甚」的記述。

　　又《島夷誌略》修書（1349～1351年）以前所成其他文獻可
看到有關福建糖業記述者，有先前已介紹的《糖霜譜・原委第
一》舉福清（福建省福清縣）為糖霜名產地之一，記述福州王國
與福州市糖業發展狀態的《東方見聞錄》，以及地方官方大琮、

---

35 據筆者所調查，同書的光緒8年5月金陵書局刊本有甘蔗的記載，其他二刊本（1. 乾隆
　　癸丑【58】年南昌萬氏刊本；2. 嘉慶8年重校刊本都無甘蔗紀錄，只福州有乾白沙糖
　　記載。又本書的成書年雖不明，但樂史的生卒年為930～1007年，奉宋太宗之命而編
　　纂故，姑且視為在《圖經本草》以前。

韓元吉等之上奏文等。

由這些記述可知，南宋末到元初，因生活所迫，以泉州人為中心的福建省民出走到台灣（含澎湖）者，已具備甘蔗栽培與製糖相關知識。

接著，汪大淵在《島夷誌略》中記錄「煮海水為鹽，釀蔗漿為酒」[36]之土地，即「余登此山」一文，推測為台灣的安平附近[37]，且試論漢族遷徙到台灣並帶甘蔗至此的可能性。

第一可能性得從居住於澎湖島的泉州籍人來研究。澎湖島到魍港（今北港附近）是一晝夜的距離[38]，同時期澎湖島的開發已有相當進展，在《島夷誌略》的「澎湖」條有「山羊之孳生數萬為群。……工商興販，以樂其地。……至元年間立巡檢司，以週歲額辦鹽課」的記載。由澎湖島進展台灣本島，應是大有可能。

但明朝以前，漢族非因征伐、招貢、貿易或旅行，而以移民方式進入台灣之紀錄，幾乎未見[39]。而本節主要探討明朝以前（特別是宋、元兩代），未見大陸對台灣有組織化之移民或是移

---

36 有關蔗酒，《說郛・引第九五・糖霜譜》有「本草亦云，煉糖和乳為石蜜是也，後又為蔗酒。唐赤土國，用甘蔗作酒雜以紫爪根是也」的敘述。又此《糖霜譜》非王灼著作，而是宋・洪邁將王灼著作摘要介紹者。一般來說，對當作甜味料的砂糖之需要是比酒較晚出現的，可與高山族嗜酒性一併考慮。

37 據藤田豐八考證（參照汪大淵前引書，藤田豐八校註本），「此書斧頭殆即虎頭，沙馬頭澳即沙馬磯頭，斧頭、虎頭殆在今安平旁近，而重曼疑沙馬之異字也」的記載，採納此記載，視為安平附近。又關於諸山的考證另見陳漢光的後引書，頁54，伊能嘉矩《台灣文化志》頁38～39等。

38 明・張燮，《東西洋考・卷之九・舟師考・東洋針路》有「東番，人稱為小東洋，從澎湖一日夜至魍港，又一日夜為打狗仔」之記載。

39 參照陳漢光，《台灣移民史略》，「台灣文化論叢」第一輯，頁51。

民開墾的紀錄[40]。

　　有部分並非可靠的紀錄，即視為傳說。例如：「相傳台灣空山無人，自南宋時元人滅金，金人有浮海避元者，為颶風飄至，各擇所居。耕鑿自贍，遠者或不相往來，數世之後，忘其所自，而語則未嘗改。」[41]即宋末到元朝、金人與南宋的遺民與元朝抗爭失敗，逃到台灣定居之說，此即為金人漂至定居說：「相傳番種各別，有土產者，有自海飄來者，有宋時丁零洋之敗遁亡至者。有傳元人滅金，金人有浮海避之，遭風飄至，各擇其所據，數世之後，忘其自而語不盡改。」[42]

　　另一說法為南宋遺民亡命定居說。此後段為前記郁永河所傳金人漂至定居說的重述。然而此兩說都如吳壯達所指。前者所謂「相傳空山無人」，否定先住民族的存在。同時無視這之前大陸與台灣關係的史實，此說法令人無法置信。後者更是把宋朝遺民與先住民混同而談令人生疑[43]（附帶說明，《海東札記》把此說放在「記社屬」，即番俗之項）。

　　但這些傳說並非完全無真實之可能性。姑且不論金人漂至說，宋遺臣亡命外國（特別是去南海諸國）為事實[44]。然而亡命到台灣並定居就有疑問。疑問一為，與帶有易姓革命性質與元的抗爭（雖也有與異族抗爭的一面）與一般大眾幾乎沒關係。相關者為宋朝上層官紳。他們有可能到《諸蕃志》所傳的，野蠻人

40　參照吳壯達，《台灣的開發》，頁12、13。
41　清‧郁永河，《裨海紀遊》，「台灣文獻叢刊」第44種，頁33。
42　清‧朱景英，《海東札記》，「台灣文獻叢刊」第19種，頁58。
43　吳壯達，前引書，頁13。
44　成田節男，前引書，頁42。

（毗舍耶人）居住的台灣，即隋以來不入貢、未開蒙昧之地亡命嗎？疑問二，若為事實，也非多數而是極少數的人，亡命到有限的地域。或非亡命定居，而為據海上抗爭期間，一時當作基地利用可能較合理。

由上可知紀錄上雖未有記載，但由澎湖島在農業及漁業面推展到台灣的短暫嘗試（非長期定居意）可推測有其可能性[45]。

將甘蔗引進台灣的第二可能性為當時的貿易商人。前述雖無漢族大規模移民開墾的紀錄，但早自隋代，漢族商人與台灣部分先住民即有貿易，特別是泉州成為中國第一貿易港的北宋末到南宋末，兩者有頻繁往來貿易關係。前引《島夷誌略》的紀錄，可明確證明此事實。即「地產砂金、黃豆、黍子、硫黃、黃蠟、鹿豹、麂皮。貿易之貨，用土珠、瑪瑙、金珠、粗碗、處州磁器之屬。海外諸國，蓋由此始。」

又清・朱景英的《海東札記》有以下傳述：

> 台地多用宋錢，如太平、元祐、天禧、至道等年號，錢質小薄，千錢貫之，長不盈尺，重不逾二觔。相傳初闢時，土地有掘出古錢千百甕者，或云來自東粵海舶。余往北路，家僮於笨港口，海泥中得錢數百，肉好，深翠，古色可玩，仍知從前互市，未必不取道此間。[46]

---

45 明洪武21年（1388），明朝政府將澎湖全住民移往泉州等地，讓島一時荒廢，島變成海賊基地，因此不得不說只是一時的（不排除有法外之徒存在，但應屬例外）。

46 朱景英，前引書，頁52。

　　文中笨港為今北港近郊，可想像宋朝貿易以台南至北港一帶為中心。更大膽推測，此地帶並沒有毗舍耶族部族[47]居住，而是長期間通過貿易等經濟關係，生活程度提升到已使用「粗碗」與「處州磁器」的先住民居住在此。此先住民族之記述在前引《島夷誌略・琉球》，中為「知番主，酋長之尊，有父子骨肉之義。他國之人，倘有所犯，則生割其肉以啖之，取其頭懸木桿」，意指他國之人若在該地犯罪才會被殺，是擁有較進步社會規範的部族。

　　或許當時的福建商人，試著把甘蔗帶進此一較進步的地域，如此推測也未嘗不可。南宋到元朝時期，正是福建糖業擴大發展時，該地出現人口稠密，土地相對不足的矛盾現象，為了獲得現金，農民必得在良田種植甘蔗。此種狀況被施政者當成問題[48]。

　　《臨海水土志》以來，同樣有寬廣沃野、氣候與江表（長江以南之地，甘蔗栽培地帶）差不多的台灣，福建商人企圖在台灣

---

47 前引〈汪大猷行狀〉有「初則每遇南風，遣戍為備」的紀錄，從地圖上查證，趁南風侵襲澎湖與泉州的毗舍耶族，居住地域應於高雄以南。

48 前引南宋・韓元吉，〈建寧府勸農文〉有「建寧之地境地狹，而民貧……冒法販茶鹽，十百為群，以自取罪犯，而負逐利，又多費良田，以種瓜、植蔗……」的記載，宋・方大琮（1183～1247），〈鄉守項寺丞書〉有「閩上四州，產米最多，猶禁種秫，禁造麴，禁種柑橘，鑿池養魚，蓋欲無寸地不可耕，無粒米不可食。以產米有餘之邦，而防慮至此，況歲無半糧乎。今興化縣田，耕於秫糯，歲肩入城者，不知其幾千擔。仙遊縣田，耗於蔗糖，歲運入淮浙者，不知其幾萬罈，蔗之妨田固矣」（《鐵庵方公文集》二一）的記載可知，當時食糧短缺，商品作物的栽植不但不受為政者獎勵，更被禁止。然而為政者禁止，不一定被遵守，商品經濟逕自發展，令地方官吏焦急上奏。這是被認為是宋朝一大農書的《陳旉農書》（1146年成書），僅以水稻種植為中心，對甘蔗未有任何記述之因吧。農書對甘蔗有記述，且貫通宋、元兩代者，僅有元朝官撰的《農桑輯要》（1286年成書）一冊而已。

栽培甘蔗，此推測也絕非不合理。但這種嘗試畢竟只由貿易商人與漁民進行而已。依農業生產力的發展階段來看，台灣當時漢族以農業為定居的條件尚未成熟，甘蔗的傳播或為可能，但砂糖生產到底還是有困難，所以僅止於「釀蔗漿為酒」而已。

五、結語

單就甘蔗的存在並不足成為社會經濟史的研究對象。而是對已存在的甘蔗，當地人開始利用之後才是我們研究的問題。本節在開頭已預告僅試著做大致整理而已。

若要得到比此目的更多的探討，需透過中國大陸與台灣的往來史，追溯甘蔗傳播的可能過程，換言之，即需透過甘蔗來描述中國大陸與台灣的往來史。

台灣糖業前史的研究必先由究明明朝的福建糖業，始能填補其空白，這已如第一至三章所述。

第二節　明末清初的台灣糖業

前述已將台灣糖業前史研究的第一課題——甘蔗傳播到台灣弄清楚了。本節希望能研究清楚課題三，即是明末清初的台灣糖業概況。

所謂「明末」，姑且限制於天啟年間（1621～1627年）以降，到鄭克塽投降清朝的1683年（清康熙20年）為止。

一、荷據時期的台灣糖業

進入本題之前，先回顧本期間台灣的內外諸情勢。此時期，中國本土承襲萬曆年間的繁榮，以泉、福、漳三州為中心，發展呂宋、長崎之間的貿易，特徵為追求此貿易利潤的武裝貿易商人集團——倭寇活躍於南海（南中國海）之時。轉而觀察西歐，15、16世紀以降，國內在政治上的近代性統一，與伴隨商業資本的劃時代性發展，當時的先進國家開始入侵亞洲。即西班牙侵入呂宋，葡萄牙侵入澳門，各自據為根據地，從東亞與東南亞獲取貿易利潤。到了17世紀，新興國荷蘭，為挽回其頹勢，穿過西班牙與葡萄牙兩強間隙，結果之一便是占領台灣。以下追溯荷蘭人占領台灣的經過。

荷蘭人早在萬曆32年（1604）占據澎湖島，強逼明朝官憲與之互市而被拒絕。之後1605[*1]年即在平戶設商館，開始與日本貿易。當時的主要貿易品是生絲，但該產品主產地是華中、華南，因此荷蘭百般努力想和中國貿易，但被明朝政府持續拒絕。

此時，荷蘭艦隊偶然從捕獲的伊斯巴尼亞〔譯註：即西班牙〕船中，發現其占領台灣島的計畫書翰，因此決定先占領台灣，1622年（天啟2年）4月奉巴達維亞[*2]總督府命令的司令官雷爾生（Cornelis Reijerssen）率領12隻船組成的艦隊出沒於中國

[*1] 應為1609年。

[*2] 巴達維亞（Batavia）為今印尼首都雅加達的舊稱，17世紀荷蘭把此地當作經營東印度的基地而改稱，此後300年一直為荷蘭東印度貿易基地，《巴達維亞城日記》為研究該時期殖民史不可或缺的史料之一。

近海，一度攻略澳門失敗，同年7月退至澎湖島，在此島築城，尋求對中國貿易的持久對策。明政府態度強硬，不但不答應其請求，還派大量兵船攻向澎湖，彼等交涉數次，荷蘭放棄該地退至台灣島[49]。上述記載，荷蘭欲領有台灣，是以台灣為中繼地來強化東亞貿易，增加利益，同時做為軍事基地，妨害或牽制西班牙與葡萄牙的東亞貿易，守護自己在東亞的海上交通，以期望貿易進行順利。

　　荷蘭人入侵台灣之前，日本人也利用台灣為其御朱印船[*3]在南航途上的寄泊加水地，或與中國船的祕密貿易地。

　　這是當時台灣外部大概的情況。

　　再來看台灣內部，一如前節已述，當時台灣還停留在高山族原始的農耕階段，較開化的西南部沿岸地帶，頂多只是漢族自澎湖島遠行漁撈時的中繼基地，或明末南下倭寇的短暫停留或祕密貿易基地（今安平及北港一帶）。

　　以此種內外情況下的台灣島為基點，繼而試追溯台灣舊式糖業漸次形成的過程。

　　首分史料應是明萬曆壬寅年（1602）冬，何喬遠[補註4]因討伐倭寇而記述的大員（安平之北，北線尾島附近）農業狀態。《閩書·卷一百四十六·島夷志·東番》記載稻作狀態「無水田，

---

49 岩生成一，〈世界史上の台湾〉，《日本歷史》第19號，頁13。

＊3 近世初期持有朱印狀──印有朱色印的公文，即海外航海許可證的船。德川家康時（17世紀初期）活躍於安南、呂宋等東南亞諸國貿易。

補註4 何喬遠，《閩書·卷一百四十六·島夷志·東番》之末尾有「萬曆壬寅冬，倭復其島，夷及商漁交病語嶼，沈將軍有容往勦，余適有觀海之興，與俱。倭破收泊大員，……余雜觀其人與事故，掇其大略云」的記述。

治畬田種禾，山花開則耕，禾熟拔其穗，粒米比中華稍長且甘香」，描述旱稻耕作的情況。作物種類則有「穀有大小豆，有胡麻……菓有椰，有毛柿，有佛手柑，有甘樜」的記載。可知荷蘭領台前，台南一帶已有甘蔗的存在。然而已在《閩書・南產志》（前面已引述過）對糖業詳述的何喬遠，在「東番」條卻未絲毫提及糖業。

　　可印證甘蔗存在的尚有《巴達維亞城日記》的1624年2月16日之條。本條不只指出甘蔗存在，也記錄當時的農村及農業狀態：

> 右方的村及鎮（指蕭壠的村或鎮）[50]在河川上游約半哩之處，約十五分之距離。甚為豐沃但不栽苗、不播種、又不耕作，播一些米及粟之外，土人從大地所獲均是自然生長的東西，由中國人供給米及鹽、siri、檳榔子、椰子、香蕉、檸檬、蜜柑、西瓜、瓢、甘蔗，其他美好的果樹生長無數。然而土人從不整枝，不剪截，也不知椰子的栽培。鹿很多，他們射牠，將肉與皮曬乾，中國人廉價收購或以物易物，他們不知使用金錢。於右方村落男子居住之處有一、二、三人，有時五、六個中國人與之同居、壓迫他們，如果他們不工作時，立即剪其髮以為威脅。[51]

50　參照村上直次郎譯，《抄訳バタビヤ城日誌・上卷》，頁28。

51　同前引日記，頁30～31。又此記事在頁28有說明。關於此記事（依我國人在大員所記載之日記）是荷蘭人見聞錄的再錄。

圖13　荷據時期的台灣西南部村落分布略圖

澎湖
Pehoe

蚊港 Wancan（北港）

諸羅山 Tirosen（嘉義）

麻豆 Mattau
蕭壠 Soelang
目加溜灣 Bacloang（善化）
大目降 Tavocan（新化）
赤嵌 Saccam（台南市）

小琉球
Lamey

註：參照中村孝志，〈台湾に於ける蘭人の農業奨励と発達〉，《社会経済史学》7卷3號，頁21。（今日地名用括弧表示並加入蚊港。）

由此，可知昔日大員港（北線尾島的近處）的東岸有蕭壠部落，甘蔗繁茂，部落有漢籍商人同居，以米和鹽交換鹿皮及鹿脯，令高山族勞動。在此要確認的是，此種甘蔗的繁茂絕非因內需而發生的栽培利用，主要從外面帶來為了外需之用。當時栽培的主要擔負者是漢族。

記述甘蔗存在於當時台南附近的另一文獻，是首先來台的傳教士喬治・干治士（Georgius Candidius）的《台灣略說》[52]。這是他在渡台的翌年即1628年末，在新港將台灣的概況寫成的報告，有「島有種植生薑、甘蔗及香瓜，但僅種所需之分量」的記述[53]。

追尋有關甘蔗的存在就此打住，接著來看有關砂糖的市場。

1624年正當日本寬永元年，如小葉田淳所說：「進入德川時代即17世紀，隨著外國貿易的躍進，國內政治、社會、經濟的整頓、安定、進步，如砂糖之類的需要範圍分量也跟著擴大起來。」[54]當時日本消費的糖大部分是輸入糖，採購主要由葡萄

---

52 參照山中樵，〈台湾三百年の資料〉，《續台湾文化史說》，頁44。

53 這裡採用W. Campbell, *Formosa under the Dutch*, p.10.

54 小葉田淳，〈砂糖の史的研究に就いて〉，《史說日本と南支那》，頁238。

牙商人（從廣東澳門）與福建商人（從福建沿岸港）為多[55]。
又依小葉田淳的推算，當時砂糖貿易的利益是白砂糖為100％到
200％，黑砂糖為十倍前後[56]。

又據村上直次郎博士之說，1623年4月中旬荷蘭人於大員
港，向中國的戎克船買了生絲與少量砂糖[57]。此砂糖明顯是由荷
蘭人輸出日本或經由巴達維亞，再到中東（波斯），或荷蘭本國
的再輸出為目的的。在外國的砂糖市場，除此之外有呂宋等（見
本書第一章第四節）。砂糖市場中不屬於外國的島外市場＝大陸
市場（特別是吳越一帶的先進地帶）在嘉靖年間以降有擴展的情
形，也如第一章第四節及第三章第二節「三、」所述。

從上述，可將1624年前後有關台灣砂糖情況概述如下。

1. 現在的台南近處一帶已經有甘蔗繁茂生長的情形。

2. 在安平一帶，中國人對日本人及荷蘭人的貿易砂糖已成交
易商品。

3. 日本等優良砂糖市場（由荷蘭人再運到巴達維亞、中東，
主要是波斯，因再輸出而擴大）就在近處。

4. 福建的糖業已有相當發展（詳細請參照前述）。加上有支
撐福建糖業繁榮的大陸市場（吳越等為中心的經濟先進地帶）的
存在。

5. 台南近處的高山族部落有漢族商人同居，以物易物，並僱
用高山族勞動。

---

55 前引小葉田論文，頁238。

56 同上。

57 前引《抄訳バタビヤ城日誌・上卷・序說》，頁27。

　　由這種狀況來看，台灣應當已興起製糖業。再從甘蔗茂盛的狀態進一步推測，應已開始嘗試製糖，但或許因諸情事（如倭寇之患，與此相關聯而發布的海禁令，使漢族往台灣發展暫止，高山族的排他性，瘧疾等風土病以及猛獸之害等惡劣條件）之故而被迫停止。

　　台灣有關砂糖情況概略如上所述。接著試論之後的甘蔗及砂糖生產的主要擔負者——漢族在台灣的發展，以及他們在台灣開發史上的事蹟。

　　明朝朝廷照樣輕視台灣地區。特別是洪武20年（1387），為防倭寇而把住民遷移泉州，廢止澎湖的巡檢司[58]，可說是官方對台灣地區影響力的消褪。到15世紀初，著名的鄭和遠征南洋（當時稱作西洋）途中曾有繞到赤嵌（台南近處）補給水之說[59]，但未見經營台灣的記述。

　　但從16世紀中葉，台灣變成了海寇林道乾（1563年前後）、林鳳（1574年）或顏思齊（1619年前後）等的根據地[60]。林、顏與後來繼顏衣缽的鄭芝龍不單是海盜，而且是如眾所知帶有武裝與反權力貿易業者側面的集團。這些擁有經濟力與武裝的反權力貿易業者，把台灣當作基地以外的目的來利用之紀錄現在仍未見。然而荷蘭人入侵的1624年已有漢族用高山族勞動，從事甘蔗栽培的《巴達維亞城日記》的記述（前引）使人產生下列想像，

58　吳壯達，《台灣的開發》，頁18。

59　郁永河，《裨海紀遊‧卷上》，頁9，「台灣文獻叢刊」，引用《明會典》的「太監王三保赴西洋水程」中有「赤嵌汲水」，後人據此以為鄭和曾經由台灣，見劉大年等著，《台灣歷史概述》，《中國科學院歷史研究所第三所集刊》第2集，頁32。

60　劉大年，前引書，頁33。

即要使基地的機能維持，某些漢族集團有存在此地的必要性[61]。可供印證的有，《隋書・流求國》之後，被評價為關於台灣最詳細記述的，明・張燮《東西洋考・東番考・雞籠淡水》有「厥初，朋聚濱海。嘉靖末，遭倭焚掠，稍稍避居山後，忽中國漁者從魍港飄至，遂往以為常」[62]的記述。雞籠、淡水的高山族最初成群聚居在海岸一帶，嘉靖末期遭倭寇的掠奪，避難於山。後來中國的漁民自魍港（今北港附近）漂到當地，之後與高山族常往來。由此可知，至少16世紀中葉，漢族以魍港為漁業基地。在此之前，漢族主要以台灣西南部為活躍舞台，之後方伸展到西北部的雞籠、淡水。

　　將雞籠、淡水當作交易的場所，同書交易之項也有「夷人舟至，無長幼皆索微贈。淡水人貧，然售易平直。雞籠人差富而慳，每攜貨易物」[63]的記述。

　　由上可知，漢族的舞台從西南部漸次擴大到西北部，但活躍的中心地一直為荷蘭人掌握政權的赤嵌與顏、鄭集團所據的北港一帶[64]等文明地帶。

　　以下利用僅有的資料試論荷蘭人在其統治台灣期間（1624～1662年），如何利用中國本土來的漢族移民以發展台灣糖業之狀況。

---

61 黃叔璥，《赤嵌筆談》，《台海使槎錄》【「台灣文獻叢刊」第4種】。原始引用的《蓉洲文藁》有「台灣有中國民，自思齊始」（思齊即指顏思齊），所以可以有同樣的類推。

62 台灣銀行經濟研究室編印，《諸蕃志》，「台灣文獻叢刊」第119種，頁84。

63 前引書，頁85。

64 吳壯達，前引書，頁23。

先從被認為是荷蘭人最後一任台灣長官揆一（Frederick Coyett）之作《被遺誤的台灣》[65]〔《't Verwaerloosde Formosa》〕來看荷據末期的人口及糖業的概況。

揆一在同書頁39[66]有如下記述：

爾來中國人因中國本國屢屢發生內亂，為避亂而移住的人逐漸增多。婦女兒童不算，造成約有二萬五千男子所成的殖民地。此等移民從事商業與農業、種植米與甘蔗，不只充分供應島民所需並將其剩餘輸出印度諸國，居此中間的東印度公司獲利頗多。

此殖民地包含今之台南、安平為中心與周邊的麻豆、蕭壠、大目降以及新港等五大村落地帶，也是荷蘭人權力較擴及地帶。

查《巴達維亞城日記》，荷蘭人的台南近郊的統治並非完全平靜，被殖民民族的反抗常常發生。殖民統治大體確立是在1636年2月[67]。可能是治安不安定的原因，有關台灣島內產之砂糖，據《巴達維亞城日記》記載，在 1636年11月26日之條才首次出現「赤嵌之地由支那農夫交付送往日本的砂糖，白12,042斤，黑110,461斤，然而其栽培益盛，來年預定可產白砂糖三、四十萬

---

65 本稿主要利用谷河梅人譯編，《閑卻されたる台湾》，並參照W. Campbell, *Formosa under the Dutch*的第三編 "Chinese Conquest of Formosa"。

66 W. Campbell, *op.cit.*, pp.384～385.

67 前引《抄訳バタビヤ日誌・上卷》，頁276～282。

斤，而左之量此後年年必會有顯著增加」[68]的記載。

　　砂糖貿易在荷蘭人入台以來，益發興盛，主要從對岸、暹羅、廣南進貨，進入台灣後再往日本、巴達維亞輸出。依據《巴達維亞城日記》的紀錄，最高額為1636年由對岸輸入的白砂糖、冰糖、棒砂糖合計200萬斤[69]，可謂數量龐大。1624年起到1636年之間，屢屢有因海盜猖獗（其實為鄭芝龍一派，他們於此間幾乎獨占中日貿易而獲得莫大利益，荷蘭人從中國本土的進貨常常受妨礙）因此抱怨砂糖進貨少的紀錄。從此可推測外部對砂糖的強烈需要[補註5]。即使如此，1636年輸入量為200萬斤，但島內（赤嵌）僅產12萬斤，差距如此龐大。待情況與治安好轉，荷蘭殖民當局便獎勵中國大陸移民來台，在台灣推行獎勵農業的措施。《巴達維亞城日記》有「長官布德曼士（Bhut Tomans）及凡地布夫（Fan・Del Burph）在福爾摩沙島發出米以及砂糖和其他農作物獎勵命令，又以供給東部地方為目的而建設米倉，在未來四年間，在福爾摩沙島所生產的米，全以1拉索得（last，3,000公升）以40里爾（real）買進收藏的可否做考慮。如能如此做，可由中國招募貧民到福爾摩沙島從事砂糖及米栽培，蘇鳴崗（Kapitan Bencon）現正因此目的與相當多的同伴居住於同地」[70]的記述，

68　同上，頁334～335。

69　同上，頁334。

補註5　其中一例是由中國船輸入長崎砂糖量的概數據岩生成一的研究，〈近世日支貿易に関する数量的考察〉，《史学雑誌》第62編第11號，頁31來看，1637年是160萬斤，1639年是114萬斤，1640年是119萬斤，1641年則是特別突出的572萬斤，由此可知，外部市場之一的日本市場，砂糖需要之大。

70　同上，頁335。

　　說明此期間的情況，稻米增產主要目的為確保從事砂糖生產農民之食糧。

　　荷蘭接納漢族移民的條件成熟，而送出移民的中國本土發生饑饉及戰亂（福建省在崇禎年間【1628～1644】有大饑饉）。之後又因滿州人南下，漢族集團開始移住台灣。此一情形在明・黃宗羲（1610～1695）著之《賜姓始末》有相關記述：

> 台灣者，海中荒島也。崇禎間，熊文燦撫閩，值大旱，民饑，上下無策。文燦向芝龍謀之，芝龍曰：「公第聽某所為。」文燦曰：「諾。」乃招饑民數萬人，人給銀三兩，三人給牛一頭，用海舶載至台灣，令其芟舍開墾荒土為田。厥田惟上上，秋成所獲，倍於中土。其人衣食之餘，納租鄭氏。[71]

　　藉以反映上述情事，1637年的白砂糖預估產量是三、四十萬斤。至於同是預估但1640年度《巴達維亞城日記》12月6日條有「甘蔗種植本年在福爾摩沙島大大增加，依中國農民之談，得白砂糖及黑砂糖四、五十萬斤」[72]，甘蔗種植已顯著擴大。或許反映甘蔗種植有利之故，該日記同日有「然稻之種植不太多，但有數人想認真去做這事」，雖不能由上所述直接斷定，但應知一般農民關心甘蔗栽培重於種稻（與甘蔗栽培的隆盛對置考量）。

　　甘蔗栽培以至一般農業發展，不只從移民的增加，從役牛的

71　黃宗羲，《賜姓始末》，「台灣文獻叢刊」第25種，台灣銀行經濟研究室編印，頁6。
72　前引《抄訳バタビヤ城日誌・中卷》，頁18。

增加也可看出。「為了農業的使役，多數牝牛與牡牛由澎湖島輸入，其數大增，公司及個人所飼養超越1,200頭乃至1,300頭」[73]的記載可印證。

翌年（1641）甘蔗栽培在同日記4月21日「有關福爾摩沙島農耕在五月可望有白砂糖及黑砂糖共50萬斤以上產額，其栽培年年增進，中國農民非常熱心耕種赤嵌附近的土地之故，從前荷蘭人所用之道路及木樁如今都難於發現了」[74]。這樣的進展繼續在翌年（1642）可見，同年的產糖推定量遙遙超越50萬斤一躍變成七、八十萬斤[75]。

蓬勃發展的背景為明朝內政弛廢且持續饑饉，流賊（包含農民的武裝暴動）趁此在各地擾亂，同時清兵接近關內，促成以福建為中心的難民移住台灣數量激增。又，戰亂伴隨華南糖業的停滯，引起砂糖輸入的減少，更加促進了荷蘭人對台灣糖業的獎勵[補註6]。

《巴達維亞城日記》1642年1月30日條有「福爾摩沙島之海岸比念克士德（Binnenkust）漁業本年非常不振，中國漁船只不過來了200艘而已。然而耕作在福爾摩沙島顯著增進，對中國

---

73 同上，頁18～19。

74 同上，頁143。

75 同上，頁174。

補註6 這期間的農業生產也有變化，尤其1652年郭懷一的叛亂事件，犧牲了男子約5,800名，女人和小孩5,000名（台灣省文獻委員會編，《台灣通志稿·卷9·革命志驅荷篇》，頁87）。其結果引起農業就業人口的減少，甚至耕地面積的縮小（參照中村孝志，〈台湾に於ける蘭人の農業奨励と発達〉，附錄甲表與乙表），甘蔗收穫量的減少（參照表6），以及甘蔗輸出量的減少。荷蘭人對漢族出身者的迫害，此後一直持續，對農業生產力的順利發展踩了煞車。

農夫提案試種植藍（染布用的植物）並給予支援，但缺乏熟練者」[76]，可見農業發展的趨勢繼續維持著。1643年未見關於產糖額的推定，但日記同年12月14日條[77]有「從日本出發經由台灣到達巴達維亞的Schip船〔譯註：為荷蘭夾板船的一種〕De Swaen號裝載的貨物中有429,714斤砂糖、冰糖54,446斤的紀錄」（無法明確判斷此量全為當年或當地產）之記述。

到1644年土地開墾更加進展，赤嵌的產糖額僅止於301,400斤（可推測為限定於赤嵌所產，其他地方產量統計未見紀錄），且因農業發展與交通量增大，荷蘭政廳做了道路擴大計畫。在日記同年12月2日條有「去年以來，土地耕作顯著旺盛，從而道路不敷使用，為謀前記土地以及旅行者之方便，在其負擔之下，計畫築造寬60呎，兩側有寬3呎水溝，由赤嵌至新港川長一哩又四分之一的道路」[78]的記載。

到1645年春，有「於赤嵌（據傳聞）預計生產白糖百萬斤，米本年也因豐收，故中國人熱心於耕作，為開墾荒地擴張田園而忙碌」[79]的記述。看同年年終的實際產量，「赤嵌產糖150萬斤，其中應波斯的訂購，並送69,000斤到日本，剩餘加上由中國買進的10萬斤送往荷蘭本國，把糖裝進前記回港空船二艘，而其他砂糖的輸入即取消」[80]，遠遠超過預測，開創了台灣糖業史的紀錄，取消從其他地域的砂糖輸入。又甘蔗園的面積達126Morhen

---

76 同上，頁242。
77 同上，頁284。
78 同上，頁359。
79 同上，頁423～424。
80 同上，頁454。

（1Morhen約等於1甲）占米田的三分之一，記載在同日記同條上[81]。

村上直次郎摘譯《巴達維亞城日記》在 1645年年末終止，故以降的產量即借岩生成一的研究。前述介紹 1645年產出150萬餘斤，三年後產量是約90萬斤[82]，1653年有90萬斤以上的砂糖交給東印度公司，翌年預測產量為155萬斤[83]。

荷蘭人占領末期的1658年度，東印度公司以公司指定價格收購的砂糖量為173萬斤，打破過去的最高紀錄[84]。

特別值得注意的是，以往一直從對岸華南一帶輸入砂糖的台灣，從1658年（因戰亂，1652到1657年的五年間，台灣與大陸的貿易幾乎處於斷絕的狀態，1658年恢復）相反地，開始把台灣糖輸入中國大陸[85]。

砂糖以外的農產物也大量輸出大陸。此事在1660年2月9日於大員的報告書有「中國的戎克船到最近才輸入些許貨品，輸出多量的台灣產物，特別是一月以來此現象更加顯著」[86]的記述。由揆一引用的記述可見一斑。部分荷蘭人懷疑此原因[87]是因要避開鄭成功的攻占台灣之難，居住台灣的漢族所採取的動作。筆者認為即使有部分為此，但主因為戰亂導致華南一帶物資缺乏之故。

---

81 同上，頁448。

82 岩生成一，〈三百年前に於ける台湾砂糖と茶葉の波斯進出〉，《南方土俗》第2卷第2號，頁11。

83 同上，頁12。

84 同上。

85 揆一著，谷河梅人譯編，《閑卻されたる台湾》，頁58。

86 同上，頁68。

87 同上，頁67～70。

又台灣產糖到1660年突破以往的紀錄，一跳便躍升到200萬斤關卡[88]。

表6　荷據時期台灣產糖量的演變情形

年度	產糖量（斤）	備註
1636	122,503①	赤嵌農民上繳東印度公司實額
1637	300,000或400,000	推定額
1640	400,000～500,000	推定額
1641	500,000以上	推定額
1642	700,000～800,000	推定額
1644	301,400	限於赤嵌的產量
1645	1,500,000	赤嵌的產糖量
1648	900,000②	
1650	1,200,000③	
1653	900,000以上	
1654	1,550,000	
1658	1,730,000	
1660	2,000,000④	

註：①砂糖不分類只以數量的合計紀錄，只1636年做白砂糖12,042斤，黑砂糖110,461斤的分類。

②1649年1月18日的一般報告應視為1648年產額。

③中村孝志，〈台湾に於ける蘭人の農業奨励と発達〉，《社会経済史学》7卷3號，頁35）。又關於這時期的輸出量，路德利斯（Ludwig Riess）在其著《台湾島史》（吉田藤吉譯，頁88記述每年有70到80萬斤送往日本商館）。

④據一說同年10月建立以往未有的產糖量紀錄（W. Campbell, *Formosa under the Duteh*, p.396），因此筆者推定為200萬斤。

資料來源：1636～1645年產額來自《バタビヤ城日誌》。1648～1658年產額來自岩生成一，〈三百年前に於ける台湾砂糖と茶の波斯進出〉，《南方土俗》第2卷第2號。

88　同上，頁77～78有「到十月砂糖產額呈現從來沒有過的增收」，W. Campbell, *op.cit.*, p.396有相同的 "In October, it was also found that the sugar calture had increased to a greater extent than had ever been witnessed in Formosa" 的記述，所以1658年的紀錄推定為178到200萬斤的大關。

表7　巴達維亞近處產糖量之演變

年度	產糖量（斤）
1648	200,000
1649	490,300
1652	1,171,200
1662	794,900

資料來源：1649、1662年，據中村孝志前列論文，頁41；
　　　　　1648、1652年據H. C. Prinsen Geerligs *cp.cit.*, p.116
　　　　　作成。

　　從表6來看，可知1630年代後半僅10萬斤的產糖量，僅僅經過25年在1660年代即發展成20倍的200萬斤大關，速度驚人。

　　此產糖量之所以驚人，可與荷蘭東印度公司另一個產糖地爪哇對照。

　　依普林山（Prinsen Geerligs）之說，荷蘭人把爪哇糖首次載去荷蘭母國是1637年。其量僅10萬斤、獲莫大利益[89]。之後的產糖變化（參照表7），1652年受巴西戰亂影響，西印度公司獲得的砂糖量驟減，但對東印度公司的需要量增高的結果[90]，有急增至120萬斤大關之例。但對比台灣自然條件良好且距離靠近於歐州市場的爪哇來講可謂太少。

　　17世紀初期，正值葡萄牙於巴西東北部開發了砂糖生產地，原先的地中海糖業、非洲馬得拉（Madeira）糖業受到壓迫，開始失去其優勢地位的時期。

　　接著參考當時期名產地之一的巴西產糖量。1600年的輸

89　H. C. Prinsen Geerligs, *op.cit.*, p.116.
90　參照上引書，及拉丁美洲協會編，《ラテン・アメリカの歴史》，頁184。

表8　台灣向波斯輸出砂糖量（荷據時期）

年度	1639	1640	1648	1651	1652	1653	1656	1657	1658	1661
輸出量（斤）	188,000	520,946	約300,000	463,557	587,500	446,975	400,000	828,958	800,000	856,550

註：岩生成一把經由台灣輸出的糖當作台灣糖，並非正確。特別是在初期，偶有對
　　岸廣南、暹羅糖從台灣再輸出，此等嚴格地說不能算是台灣糖。然而1650年代
　　以降，如本文所述幾乎全部是台灣糖。

資料來源：岩生成一前引論文，〈三百年前に於ける台湾砂糖と茶の波斯進出〉，
　　　　　頁18。

出量為500磅裝之箱60,000箱，荷蘭奪取巴西後的1636到1643
年間[補註7]的輸出總量同是500磅裝箱，白糖159,148箱，原料糖
（muscovado）49,903箱及赤糖218,220箱[91]。各種類別年平均輸
出量為白糖約23,000箱（換算成斤為「0.76×500×箱數」，約
874萬斤），原料糖約700箱[*4]（約266萬斤），赤糖約3萬箱（約
1,140萬斤），三類單純合計為年約2,280萬斤。同時期東印度公
司對台灣糖的收得量為，1642年的80萬斤大關（參照表6）應為
最高，一半以上輸出波斯及荷蘭母國。

　　由上述可知，當時歐洲市場的砂糖需要量，大部分操縱在荷
蘭人手中，從量來看，台灣產糖量至多約為三十分之一，實際上
輸往歐洲市場的比例更低。台灣的自然條件、與市場距離遠等之
條件儘管不好，荷蘭人仍極力獎勵，可以判斷台灣糖業具有充分

91　H. C. Prinsen Geerligs, *op.cit.*, p.9.

補註7　該時期正值歐洲砂糖需要的急增，而正處在黃金時代由葡萄牙人經營的巴西東北
　　　部糖業，被荷蘭西印度公司（1621年設立）盯住；且於1630年占領後，因戰亂被
　　　破壞的製糖業大致復元，成功地獨占歐洲砂糖市場的時期相當。參照前引《ラテ
　　　ン・アメリカの歴史》，頁180～185。

*4　據換算應為約7,000箱。

競爭力之故（參照表8）。

　　彌補台灣糖競爭劣勢的主要原因大致有三點。第一，當時期華南糖業的技術有相當高水準；第二，台灣是新開拓的處女地且擁有豐富的燃料資源（原始林）；第三，漢族提供比黑人奴隸更好品質的勞動力。第二點與巴西條件差不多。第一點所提之製糖技術，可惜找不到資料比對。現存的資料範圍，推測荷蘭人從華南招聘製糖技術者，卻沒有由荷蘭人引進新技術的紀錄。

　　從當時期的資料，不僅製糖技術、以何種生產方式或生產組織經營台灣糖業均無從知悉。目前只見康熙末年成書之《赤嵌筆談》的記述與前述利用福建糖業的技術來類推，以下僅就此探討之。

二、鄭成功時代的台灣糖業

　　1624年以來統治台灣的荷蘭人，因1661年4月末鄭成功來襲，持久作戰至翌年2月1日終於開城降伏。在台灣的鄭成功時代即指從此年至其第三代鄭克塽降清的1683年的22年之間。本段落欲了解台灣糖業如何繼承荷據時代且持續發展。

　　鄭成功的復明運動是以金門、廈門為根據地，孤注一擲的南京攻占（1658～1659年）失敗後，方才起意攻占台灣。楊英在《從征實錄》有以下記述：

　　十五年辛丑（1661年）正月，藩駕思明州（廈門），傳令大修船隻，聽令出征。集諸將密議曰：「天未厭亂，閏位猶在，使

我南都之勢，頓成瓦解之形。去年雖勝達虜一陣，偽朝未必遽
肯悔戰，則我之南北征馳，眷屬未免勞頓。前年何廷斌所進台
灣一圖，田園萬頃，沃野千里。餉稅數十萬，造船製器，吾民
麟集，所優爲者。近爲紅夷占據，城中夷黟，不上千人，攻之
可垂手得者。我欲平克台灣，以爲根本之地。安頓將領家眷，
然後東征西討，無內顧之憂，並可生聚教訓也。」[92]

　　鄭成功排除部分反對意見後，「1661年4月31日[93]晨……，以
數百艨艟，載25,000精銳之兵在安平城堡眼前的海上，突然顯現
雄姿」[94]，登陸後的鄭成功軍首先把安平城堡與紅毛城（今赤嵌
樓）之聯絡切斷，包圍紅毛城。楊英有「二十四日（四月），藩
以台灣孤城無援，攻打未免殺傷，圍困俟其自降」[95]如上記述，
一方以絕對優勢的包圍作戰，鄭成功則在台南近郊嘗試撫慰高山
族諸社，又遠到蚊港（北港）視察土地與治安狀況。大軍移往台
灣一定會引起食糧緊迫狀態，解決方法先是確保現存食糧。

　　「二十二日（四月），遣楊戎政並戶都事楊英，同通事何廷
斌，查察各鄉社，有紅夷所積粟石及糖麥等物回報，發給兵糧。
計粟六千石，糖三千餘石」[96]，調查荷蘭人所囤積食糧等，發現

---

92 楊英，台灣銀行經濟研究室編印，《從征實錄》，「台灣文獻叢刊」第32種，頁
　　184。

93 楊英前引書為4月初1日黎明；同書，頁186，揆一的敘述為4月31日，但陽曆的4月只
　　有30日，利斯《台灣島史》的4月30日應是正確，但約一個月之差應是新舊曆之故。

94 揆一，《閑卻されたる的台灣》（譯本），頁108。

95 楊英，前引書，頁188。

96 同上。

砂糖三千餘石。其次，把未參與包圍作戰的其他將兵派往各地，試施行屯田制以立自給之策[97]。

5月2日把赤嵌地方改稱東都，設承天府一府與天興、萬年二縣，接著18日便早早公布藩令[98]，以不侵害土民（高山族）以及百姓（漢族）既得權益（現耕物業）為原則，獎勵將兵及其家族開墾、魚撈、商業經營。屯田的範圍自北路的竹塹（新竹）到南路的鳳山廣大面積之地。

此一對農業的積極對策，是因為荷蘭統治時期既墾農地有限且狹窄，即便與高山族農業合計，無論如何也應付不了25,000大軍（若以家族關係與攻占後移住來台者計算，數目應更大）的需要。

且1652年發生郭懷一叛亂，僅是男子就有5,800人（如前述當時男子之數約25,000人）犧牲，土地一片荒廢，食糧狀況更加嚴重，可依賴的農業只限於平埔族農業而已。但平埔族農業與荷蘭人領台初期相較並無太大進步，水田利用不普及。何喬遠所傳述的拔穗收穫仍舊被墨守著不變，開墾也不用「犁、耙、鋤」，楊英在他的〈啟陳農務文〉記述如下：「土民逐穗採拔，不識鉤鐮割穫之便。一甲之稻，云採數十日方完。訪其開墾，不知犁耙鋤□之快，只用手□□鑿。……至近水濕田，置之無用。」[99]

鄭成功移入大量人口，農業重點放在主穀農業，造成甘蔗種植的減少是必然的現象。

---

97 同上。
98 條令詳於楊英，前引書，頁189。
99 楊英，前引書，頁193。

　　甘蔗栽培再被重視，得等到鄭成功過世後，後繼者長男鄭經與荷蘭、清朝聯合軍之戰，失去廈門、金門，而進入台灣（1664年）的翌年開始。諮議參軍陳永華提出創設學校、引進製鹽法等積極政策，有關農業對策為「親歷南、北二路各社，勸諸鎮開墾，栽種五穀，蓄積糧糗，插蔗煮糖，廣備興販」[100]，他巡察南北二路，力勸開墾，特別是甘蔗栽培與砂糖製造，致力於廣為販賣做準備。

　　此事說明，鄭成功治台初期食糧缺乏，後因開墾事業有成果而緩和，農業生產有餘力，面對清朝朝廷再三的經濟封鎖（即是遷界禁海令與抗清戰爭敗退的結果），若不賺取貿易利益已然經營不下去。

　　鄭經在1660年代末期起積極策動外國人（荷蘭人除外）來台貿易[101]。英國東印度公司便認為，過去受葡萄牙與荷蘭諸先進國控制的東亞貿易，終有好機會到來，1670年9月10日與鄭經締結有關輸出台灣名產鹿皮、砂糖等之條約[102]。

　　又，此期間的台灣糖輸出掌握於鄭經之手，主要送往日本[103]。英國人因怕價格被提高（鄭經的獨占市場），因此表面對糖需求冷淡，其實計畫著輸出波斯與英國[104]。

100　江日昇撰，《台灣外記・卷之六》，海東山房藏版中冊，頁186。

101　Bantam, Writing to Madras, under date 7th April，台灣銀行經濟研究室編，《十七世紀台灣英國貿易史料》，「台灣研究叢刊」第57種，頁76。

102　A Copy of the Contract made with the King of Tywan, for the settling of a Factory，前引史料，頁77。

103　1672 June 9.Bantam in their Instruction to Mrssrs. Stephens, Barone, Delboe & Cᵃ，前引史料，頁91。

104　參照前引訓令（Instruction）所記述萬丹（Bantam）支社的意圖（頁92）。

　　那麼，鄭成功三代台灣糖業的產出額提高到什麼程度？可惜只有不甚充分的資料可以佐證。說法一是對鄭經的糖業獎勵政策給積極評價，為台灣總督府臨時台灣舊慣調查會第二部《調查經濟資料報告》有「在一方從福建輸入蔗苗獎勵糖業，特別如鄭經對斯業頗注重，或指示有關栽培製造之新法，或接納廷臣之策劃，命令屯田之各鎮獎勵插蔗煮糖之改良。所以其後僅50年，本島砂糖產額提升到三倍」[105]之記述。本文大致是將德維森（J. W.Davidson）[106]的文章照原樣再錄（文中德維森的 "Fifity years later the production had doubled" 的兩倍被誤譯為三倍之外，幾乎相同）。可惜德維森未出示其典據與說明「50年後」所指為何時。又可證明鄭經時代糖業發展的另一資料為英國東印度公司萬丹（Bantam）支社第一次派遣的萬丹號（Pink Bantam）與珍珠號（Sloop Pearl）兩船的貨物管理人克利斯布（Ellis Crisp），在1670年10月22日從台灣送出的報告。依此記述「本島年間產出砂糖5萬擔（picul）〔譯註：1擔約60公斤〕，在本島內以2比索（pezo）〔譯註：主要在前西班牙殖民地國家使用的貨幣單位〕可買到，在日本可賣到8比索……」[107]，且該報告中冰糖由台灣船賣出的價格是1擔為12比索。砂糖貿易利潤之大值得訝異。如果克利斯布的話正確，鄭氏九年政績，產糖量超過荷據時期（末期）的最高額2萬擔，高達2.5倍。

105　同前引報告上卷，頁126。

106　James W. Davidson, *The Island of Formosa*, p.445.

107　Notis in Mr. Ellis Crisp's Narrative at Tywan, of what passed at Landing these. Dated Tywan 22nd Oct[r] 1670 Addressed to the Agent & Council at Bantam.（前引史料，頁138）。此價格當然是1擔的價格，從前引報告之前文價格表可確認。

　　對於上記積極評價，岩生成一反而提出鄭成功時代的糖業萎縮的否定見解，其立論根據是1672年11月15日，駐台灣英國商館員德爾博（Delboe）送去萬丹支店的報告書，其中有「當地糖產，因季節（因霜與寒氣使甘蔗枯死）多少有不同，年產約百萬斤，這與荷據時期相比較誠屬少量。土地目前因為貧民的米與其他必需品所需而耕作，其中產額確實多少並不清楚」[108]的記述。不知為何，岩生成一隻字不提先於德爾博的克利斯布的報告書當中有5萬擔產糖量的紀錄。

　　德爾博在同年8月28日的信中提到產量，「近年的產糖量比以前增加……現在的價格為5R^{e}8t/8，希望從明年能降為2又1/2或3R^{e}8t/8。現在的產量不及蘭人時代的1/5……，國王不像蘭人獎勵人民製糖，現在年總產量不超過2萬擔」又敘述一遍[109]。值得注意的是同一個人的記述，經過三個月語感產生了相當的不同。8月的信上說，近年可看到增產，期待糖價能降到半價，年產為2萬擔。又11月的報告為年產1萬擔。此數字絕非荷蘭時代產量的五分之一。

　　不管怎樣，鄭氏初期砂糖減產是可確定的。1670年代正如岩生成一所說「此時（大約1678年）鄭氏的勢力益加沉淪，早已無獎勵產業的餘力吧」[110]。在這種狀況下，應可考慮相反面，即因為主要生產品，又是輸出品要項的砂糖與增產政策連結（另一

108　原文在前引史料的頁197，這裡使用岩生成一譯文，〈三百年前に於ける台湾砂糖と茶の波斯進出〉，頁19。

109　Abstract drawn from Tywan diary Cansultstions Letter & 1672 and forward（前引史料，頁196）。

110　岩生成一，前引論文，頁20。

主要輸出品鹿皮，因開墾的進展與濫捕導致有減無增，對外貿易
應更側重於砂糖）。前所記述，陳永華的獎勵政策，包含教育普
及，移居的住民習慣台灣風土後，原留思明州（廈門）、金門、
銅川的觀望者也陸續將家族成員帶來。再因福建因遷界令而貿易
不振，華南糖業趨於衰微。製糖師父接受掌握呂宋、日本砂糖市
場之鄭經招聘來台，此點如德維森所述，應有可能。

　　英籍商人有波斯市場與歐洲市場的路線。從英國在台商館
關係報告可見鄭氏預防增產引起砂糖降價起見，似有意識地從
中作梗。例如1675年12月27日，台灣英國商館長戴維斯（John
Dacies）寄送萬丹支社的信中提及鄭氏一方捨不得賣砂糖[111]，或
要求上級品（cabesa），秤量時卻只給中級品（berega），以此暗
地批評其態度。在同是糖價上，1670年1擔是2比索，在1677年變
成4.5比索也買不到[112]的情況。

　　當時鄭氏擁有200艘[113]大小船舶，充分利用鄭芝龍以來南海
（呂宋）貿易與日本貿易的基礎，獨占砂糖貿易活動。再晚些，
鄭氏第三代鄭克塽投降的前年（1682），由中國船輸入日本的砂
糖的總量為2,600,156斤，此中台灣糖占992,286斤[114]。

　　在《華夷變態》也記載台灣糖有一部分載往漳州、泉州、福
州、廈門再重新輸入日本，可做印證。[115]

　　此時期為鄭克塽投降前後（遷界令緩和等情況），從鄭氏與

111　1675, Dec. 22 Tywan, John Dacies, Chief & Council to Bantam（前引史料，頁209）。
112　前引史料，頁215。
113　同上，頁137～138，克利斯布的報告。有本年（1670）其中18艘航行往日本的記述。
114　參照岩生成一，前引論文，頁21。
115　參照林春勝、林信篤編，《華夷変態》上冊，東洋文庫版，頁467、472。

福建的關係、鄭氏在日本貿易的基礎，以及明朝以來福建沿岸走私貿易隆盛等傳統現象來看[116]，可推測鄭經時期有此種輸出形式。

鄭氏時代的糖業，與荷據時期相比並未減退的有力印證為台灣開墾事業的進展（甘蔗栽培適地即有南自恆春北至新竹被開墾）。前引克利斯布報告更有在嚴格的軍紀下，鄭經招募7萬士兵，最初三年供給資金與米，分配土地與家畜令其開墾[117]的敘述。又當時期的漢族人口為約20萬人（參照連雅堂，《台灣通史・卷七・戶役志》）。以此例來看，7萬單身兵的屯田（且軍紀嚴格）農業經營所產出的砂糖量，比荷據末期25,000戶漢族家庭所經營產出的2萬擔，應不可能與此同額或低於此額。

關於開墾的進展與農業發展，參考此記述：「鄭經親統三千眾往勦，既深入，不見一人。時亭午酷暑，將士皆渴，競取所植甘蔗啖之。」[118]大意為鄭經出去征伐半線（彰化）周邊的蕃社（斗尾龍岸），中午酷暑，將兵競相啖甘蔗解渴。由此可知蕃界新開墾地的半線周邊甘蔗繁茂。郁永河在鄭氏投降清朝後不久的1697年又來台灣，將其實地見聞以詩作記錄之：「蔗田萬頃碧萋萋，一望龍蔥路欲迷。綑載都來糖廍裡，只留蔗葉飼群犀。」[119]敘述甘蔗栽培的興隆。

---

116 參照佐久間重男，〈明代海外私貿易の歷史的背景——福建省を中心として〉，《史学雜誌》，第62編第1號。

117 前引史料，頁139。

118 郁永河，《番境補遺》（《裨海紀遊》，台灣銀行經濟研究室編印，「台灣文獻叢刊」第44種，頁56）。

119 郁永河前引書，《裨海紀遊・卷上》，頁14。

　　郁永河又將產糖量的大概,「又植蔗為糖,歲產五、六十萬[120],商舶購之,以貿日本、呂宋諸國」[121],記述如上。五、六十萬單位不明,將此以黃叔璥的《赤嵌筆談‧卷一》之「三縣(台灣、鳳山、諸羅)每歲所出蔗糖約六十餘萬簍,每簍一百七、八十觔」[122]類推,該是五、六十萬簍(以1724年成書的《赤嵌筆談》類推應屬可能)。將此換算為斤(170斤×60萬)即1億200萬斤,此數字稍嫌過大。若屬正確,則頗接近1876年的產糖數字(台灣糖業出現統計數字在19世紀中葉以後)。

　　康熙23年(1684)時期,日本對中國產白砂糖之需要為2萬擔[123]。天和3年(1683)在長崎由中國船輸入的白砂糖是1,724,922斤、黑砂糖是69,570斤,冰糖是336,152斤,合計2,120,644斤。[124]

　　至此台灣的內需未被注意,當時漢族人口被推定為20萬,況明朝遺臣大量流入,以過去的生活水準來看,砂糖消費量較大。

　　又當時期的台灣糖業,後日藍鼎元有「台地……國家初設郡縣管轄不過百餘里。距今未四十年,而開墾流移之眾,延袤二千

120　《台灣全誌‧第2卷‧續修台灣府志卷一七》,頁17「貨幣」條(台灣經世新報社版)引用「歲產二、三十萬」。伊能嘉矩應也由此處翻譯(《台湾文化志‧中卷》,頁641),呈示同數字。

121　郁永河,前引書卷下,頁31。

122　黃叔璥,《赤嵌筆談》(《台海使槎錄》,台灣銀行經濟研究室編印,「台灣文獻叢刊」第4種),頁21。

123　黃叔璥,前引書,頁20有「康熙二十三年部臣蘇拜,總督姚啟聖、巡撫金鋐、提督萬正色會議疏內,有興販東洋白糖一項,歲定二萬擔」的記述。

124　岩生成一前引論文,〈近世日支貿易に関する數量的考察〉,頁31。

餘里，糖穀之利甲天下[125]」，如上述，台灣糖在中國量質均在上位。日本文獻《和漢三才圖會》〔《和漢三才図会》〕（正德2年，1712年成書）有「白沙糖⋯⋯凡太冤為極上，交趾次之，南京、福建、寧波等又次之，咬��吧、阿蘭陀（稱出島）為下」、「冰砂糖。⋯⋯玲瓏如琥珀者佳。是亦自處處來。太冤為上」的記述。只有黑沙糖是「黑沙糖。⋯⋯交趾為上，太冤、福州、暹邏次之」的記述[126]，太冤即台灣。

總合上述，台灣所產砂糖，市場有內需及傳統市場——日本、呂宋，再經英國人到波斯與英國，加上對岸的大陸市場（特別是自當時期直接販賣到南宋以降均維持高度消費生活的蘇州。而良質者「色赤而鬆者」、烏糖【黑砂糖】送蘇州，質稍劣「若糖濕色黑」送上海、寧波、鎮江【吳越的先進地帶】等廣為販賣[127]，值得注意）。

因此，筆者主張鄭氏時代的糖業並未減退反而是擴大發展。

三、草創期之甘蔗栽培法與甘蔗糖製造法

接著考證以往未被究明的台灣甘蔗栽培法、甘蔗糖製造法及

---

125 藍鼎元〈覆制軍台疆經理書〉，前引《台灣全誌》、《續修台灣府志・卷二一》，頁259。又此書寫於康熙61年（1722）。《東寧政事集》有「所煎之糖，較閩粵諸郡為尤佳。」《赤嵌筆談・卷三・物產》，頁56之引用文）記述台灣糖之優質。

126 寺嶋良安，《和漢三才図会・卷九十・蓏果類・紫餹條》。又筆者所引用部分為寺嶋良安的「按語」，可認為是正確傳達當時的情況。

127 前引《赤嵌筆談・卷一》，頁21有「每簍到蘇，船價二錢有零」，頁57有烏糖販賣地的記載。

生產組織等。先以前引《赤嵌筆談》及被該書引用的《東寧政事集》為資料（《東寧政事集》著者與成書年間不詳，依書名推測與被《赤嵌筆談》所引用，可視同為記述鄭氏時代之書），將台灣與明朝對岸糖業做比較來考察。

（一）栽培法

黃叔璥首先在《赤嵌筆談》對甘蔗栽植地有「插蔗之園，必沙土相兼，高下適中乃宜」的記載。文中「高下適中」大概不只是土地單純的高低（海拔），也包含忌低地（濕地）之意，推測是指適宜的高度、土壤條件下要求「沙土必兼」。意味著不能保持水分，有機質含量過少或砂質過度的土壤、排水不良、通氣不好的土壤都應避免。有關土質選擇，宋應星已在《天工開物》裡記述（參照第二章第三節「二、」）。有趣的是，黃叔璥有「每甲栽蔗，上園六、七千，中園七、八千，下園八、九千或至萬。（地薄蔗瘦，多栽冀可多硤糖劬）」的記述，指示每甲地應插植甘蔗苗的株數。附帶說明，依菅井博愛說法，「一直以來本島插植甘蔗的狀態專採疏植，任何情況都不喜歡密植……」[128]。明治末期的台灣為普通栽培法每甲地15,000至2萬株，平均18,000株。從字面看，黃叔璥認為貧瘠土地因甘蔗發育不良，多植可期待多榨取砂糖，是否有如林竹松所言，如土地肥沃又有灌溉之便，粗植為佳；相反氣候寒冷土地乾燥、且地力瘠薄以密植為佳[129]的理解背景並不清楚。

128　參照菅井博愛，前引書，頁88～89。

129　林竹松編，《蔗農便覽》，頁465。

　　栽植時期黃叔璥有「三春得雨，易於栽插，無雨亦犁種。但戽水灌溉，為力頗艱」的記述，三月如蒙春雨即易插植，不下雨也要整地栽植，此時要以龍骨車來灌溉，故頗艱辛。黃叔璥接著記述「每園四甲，現插蔗二甲，留空二甲，遞年更易栽種」，即採二圃制，一半現在栽植，另一半便「留空」（可看作休耕、或不栽植甘蔗改種其他作物，不得而知）。「遞年更易栽種」可知是輪作，但幾年輪作亦模糊不可知。

　　不知何故，《東寧政事集》記載的栽植期推遲到五、六月。「蔗苗種於五、六月」，明顯有誤。菅井博愛也說在來品種在台灣「早植有利，晚植不利，最良好是一到三月，四月以後則不能充分達成發育……」[130]主張早植有利，所以應採黃叔璥之說。

　　但《東寧政事集》留下有關甘蔗在圃期間的記述：「首年則嫌其嫩，三年又嫌其老，惟兩年者為上，首年者熟於次年正月，兩年者熟於本年十二月，三年熟於十一月。」

　　從栽植期的五、六月推算，二、三年個別在圃期間，一年作為8到9個月，二年作為19到20個月，三年作為30到31個月。此中《東寧政事集》認為二年作最好。此在圃期間與收穫製糖期「大約十二月，正月開始盡興工，至初夏止」，對時間的合理分配與現行大概一致。無法斷定二年作的普及度，但一併考量甘蔗栽培可容許如此長期的在圃期間，製糖技術和生產組織應比對岸糖業有很大的進步。

---

130 菅井博愛，前引書，頁90。

（二）製糖法

1. 粗糖的製造法：首先看《東寧政事集》的記述：「初硤蔗漿，半多泥土，煎煮一次，濾其渣穢，再煮入於上清，三煮入於下清，始成糖。……其不封者紅糖也。」未見有新的作法。

《赤嵌筆談》內有：「台人十月內，築廊屋置蔗車。……煎糖，須覓糖師，知土脈精火候，用灰（湯大沸，用礦房灰止之），用油（將成糖，投以萆麻油），恰中其節。煎成置糖槽內。用木棍頻攪至冷，便為烏糖。」由此觀之，新名詞「廊屋」（壓榨及煎糖小屋）、「蔗車」與「糖師」（製糖職工）等出現，且可知中和用的灰為蠣灰，提高沸點的油脂可利用萆麻子油等。又黃叔璥也舉出製糖用具的名字，同借用《糖霜譜》鄒和尚的故事一樣，黃叔璥僅是把王灼書上的用具名直接借用而已（唯一例外，榨牀變成抬牀）。用具的最後說明，對蔗車為「今蔗車兩石矗立，狀如雙碾，夾取其汁，想即蔗碾遺製」，說明「蔗車」與《天工開物》的「造糖車」同是直並立的結構，《天工開物》的材料是堅木，在此換成石頭。石材在《糖霜譜》時期也使用，但為橫臥上下式的「蔗碾」。拉「蔗車」的牛，頭數雖不清楚，但有「每廊用十二牛，日夜硤蔗」的記載，如晝夜兼行二輪班制即六頭一組，可想規模相當大。前面（本書頁295）介紹明末廣東有三頭牛拉的壓榨工程，其壓榨器是木製的。由此相較，壓榨能力是較以往都大。

2. 白糖製造法：首先看《東寧政事集》。同書有「糖入碻，待其凝結，用泥封之，半月一換，三易而後白，始出碻曬乾，舂擊成粉入簍，須半月為期。未盡白者為糖尾，併碻再封，蓋封久則白，封少則淄，其不封者為紅糖也。所煎之糖，較閩粵諸郡為尤佳」的記述，但有關覆土法大致與何喬遠在《閩書·南產志》（本書頁293）所述相同，不足以說明如何製造出勝過對岸（福建、廣東）的砂糖。

《赤嵌筆談》中，黃叔璥記述的覆土法，內容也相同。

以所見文獻來看，此階段的白糖製造法與《天工開物》所記述「黃泥水淋下」的直接法（本書頁289～291）不同，但與何喬遠所記述的覆土法幾乎相同。正因為如此，《和漢三才圖會》所記「白沙糖。……凡太冤為極上」或《諸羅縣志·卷十·貨·糖》條有「煮蔗而成，有黃白二種。又冰糖，用白糖再煮，如堅冰，比內地較白，而甜遜之」。[131]

如上記「顏色較對岸白，但甜分較差」的記述，在內容上不太明瞭，在技術上無法說明差異的情況下，只能說推測優秀的「糖師」都集合在台灣吧。

《赤嵌筆談·物產》記述了文獻未曾記載的單位面積產糖量。即「上園每甲可煎烏糖六、七十擔，白糖六、七十碻（沙土陶成），中園、下園只四、五十擔。」同文並敘及，白糖一碻的重量有「每碻，只五十餘觔」的記載。以臨時糖務局在1903年前後在台灣所做調查的數字——傳統糖業的青糖（即烏糖，

131　《諸羅縣志·卷十·貨》，《台灣全誌》第2卷，台灣經世新報社，大正11年6月20日版，頁907。

表9　18世紀初與20世紀初每甲地甘蔗收穫量及產糖量比較

項目　年次	每甲地株數 ③	甘蔗收穫量 （斤）⑤	產糖量（黑） （斤）	產糖量（白） （斤）
1724年前後 ①	6,000～7,000	60,000～90,909 70,000～106,060	6,000～7,000⑥	3,000～3,500⑧
1903年前後 ②	16,000④	64,000	4,324～6,400⑦	2,362～3,200⑨

註：①設定為1724年前後是因《赤嵌筆談》的成書年為該年之故。
　　②同樣設1903年前後是因臨時糖務局《糖業記事》（第2次）的出版在1903年之故。
　　③品種遲以竹蔗來處理（因《赤嵌筆談》未有品名的記載）。
　　④《糖業記事》（第2次）頁25的實數。
　　⑤甘蔗收穫量之中1903年前後同為《糖業記事》（第2次）頁25的實數。1724年前後利用《糖業記事》（第2次）頁51的青糖成品率（0.066～0.10），與烏糖生產量（《赤嵌筆談》頁56，60到70擔），推算而得。
　　⑥1724年前後的產糖量（黑）為《赤嵌筆談》頁56的實數。
　　⑦1903年前後的產糖量（黑）是以甘蔗收穫量乘成品率而算出。
　　　64,000斤×0.066＝4,324斤
　　　64,000×0.10＝6,400斤
　　⑧一碢以50斤計算，上圍每甲地產60到70碢以之相乘而得。
　　⑨利用《糖業記事》（第2次）頁55的白糖成品率（來自青糖）0.50而算出。
　　　4,324斤×0.50＝2,362斤
　　　6,400斤×0.50＝3,200斤

也就是黑砂糖）的成品率約六分六釐至一成[補註8]，以及白糖的成品率約五成[補註9]利用此倒推整理如表9（只用上圍，即豐收田地的資料）。從表9可看出，經過200年後的甘蔗栽培，變成約二倍的密植，土地生產力反而減退。以粗糖為原料（以覆土法的

補註8　參照表9，註5。
補註9　參照同上之註9。

白糖製造）製造白糖的成品率依然是五成等。減退的原因大致為品種退化（參照新渡戶稻造，《糖業改良意見書》【矢內原忠雄編，《殖民政策講義及論文集》〔《植民地政策講義及論文集》〕】，頁203），肥沃處女地因長年利用導致地力消耗（肥料〔譯註：指堆肥、糞尿等〕的極少使用與金肥〔譯註：指用錢買的化肥〕的未使用）等原因。

（三）生產組織

到現在為止追蹤所得，可資解明甘蔗糖業生產關係的史料，僅有宋朝的《糖霜譜》、明末清初的《廣東新語》而已，其記述彷彿隔牆從洞孔窺視。在此種狀況下《赤嵌筆談》提及：

> 每廓用十二牛，日夜硤蔗，另四牛載蔗到廓。又二牛負蔗尾以飼牛，一牛配園四甲或三甲餘。……廓中人工，糖師二人，火工二人（煮蔗汁者），車工二人（將蔗入石車硤汁），牛婆二人（鞭牛硤蔗），剝蔗七人（園中砍蔗、去尾、去籜），採蔗尾一人（採以飼牛），看牛一人（看守各牛）。

此紀錄是相當珍貴的。

此表示在「糖廓」的作業，已採取個別分工、合作生產型態，更重要的是屬僱傭勞動（「十月內，築廓屋，置蔗車，傭募人工，動廓硤糖」與「工價逐月六、七十金」，見《赤嵌筆談》。

工作內容以及人數整理如下：

糖師：糖匠。負責煎熬糖汁，粗糖覆土的工人，二人。

火工：火夫。燒火煮糖汁令之濃稠，二人。

車工：榨夫。將蔗莖挾入榨車，二人。

牛婆：逐牛夫。逐趕拉「蔗車」的牛，二人。

剝蔗：甘蔗的收穫夫。在甘蔗田砍甘蔗，切斷蔗尾，剝蔗莖的葉鞘，從事收穫工作，七人。

採蔗尾：蔗尾收拾夫。收拾蔗尾做為牛飼料，一人。

看牛：照顧看管牛的人，一人。

可惜詳細工資（如正職工人與臨時工之別，日薪或月薪）未有明確記述。

僅以上述，無法立即斷定台灣舊式糖業在當時已達工廠制手工業階段，但至此所見，至少可說在中國糖業之中是最先進，已開始傾向工廠制手工業的階段。

從《赤嵌筆談》的紀錄，無法看出與《廣東新語》記述（參照本書頁231）「糖戶家家曬糖。……春以糖本，分與種蔗之農，冬而取其糖利」或《宣統東莞縣志》所引用的《周志》的「春月以糖本，散種蔗之農，冬則課收其蔗，復榨為糖」係相同之意，不能看出種蔗與製糖的分化是否存在。

但是同書「賦餉（羅運）」之條記述「全台仰望資生，四方奔趨圖息，莫此為甚。糖觔未出，客人先行定買。糖一入手，即便裝載」[132]，記述糖商事先訂買的合約。雖不很明確，但這是資本預先貸與的砂糖收買方法型態，是極有可能性的。

---

132 前引《赤嵌筆談・卷一》，頁21。

　　以上以有限的史料，試闡明台灣舊式糖業的創始及其確立的過程。

　　台灣擁有地理的優勢性、新開拓地的好條件（肥沃的處女地與豐富的森林資源，即製糖燃料）等基礎，且有來自對岸、具糖業技術的漢族移民為主要擔負者；加上海運之便與良好的國外市場（日本、波斯、呂宋）為背景，在製糖工業創始後不到一世紀的17世紀末至18世紀初，就確立在中國甘蔗糖業中的最高地位。

　　此等發展，成為重商主義的殖民地主義者（荷蘭東印度公司）與鄭成功王朝的反清復明運動的主要財源（筆者認為鄭家透過砂糖貿易維持其財政，詳細日後再論）。其生產型態，早在18世紀初已傾向工廠制手工業的階段，即為乾隆期間的黃金時代預作準備，可惜始終未能見到從內部向近代性糖業的蛻變發展。

結語

　　上述，筆者涉獵、整理歸納文獻，闡明了有關中國傳統（譯註：即自古以來就有、原有或本地的）甘蔗糖業的發展過程。在此判明中國傳統甘蔗糖業的發展，在接近機械制製糖的門檻時，於該時間點與西歐產業資本相角逐而敗陣，導致發展受挫。總合來看，大體可分為四個時期，在此簡單回顧一下。

　　第一期可確認甘蔗存在的時期（戰國時代的西元前300年前後至南北朝時代的西元550年前後時期）：

　　中國記錄甘蔗存在最古的文獻是屈原的《楚辭》，而明確記述甘蔗栽培的最早文獻是《齊民要術》與陶弘景的本草書。此間大約八百年，在文獻上雖可以確認甘蔗存在，但證明有更積極栽培利用的文獻，迄今未被發現。該時期，又以漢朝為界分為前、後兩期。前期分布在湖北、湖南、廣東一帶，此間甘蔗的名稱是柘、諸柘、藷蔗、竽蔗等多種，但在東漢（25～220年），楊孚的《異物志》開始使用現今的甘蔗之稱。後期以秦始皇及其後續的漢高祖向南越發展時期（南越王獻呈石蜜五斛）南方珍奇異物引進中原為背景，做為此後三國、晉、南北朝時代，在正史中甘蔗的記述做了準備。特別是孫吳的南方開發從交州（安南）引進

甘蔗餳、繼之晉使扶南入貢扶南蔗，這是甘蔗往長江南岸普及的第一階段，分布地域也擴及四川、江西、浙江。當時主要用途是做為宮廷料理的調味料、生噉以及當作甘蔗汁來飲用，另藥用或做為珍貴禮物。

第二期傳統糖業的創始期（南北朝中期【6世紀中葉】至唐、五代【10世紀初葉】）：

甘蔗首次被明確記述為栽培利用是在《齊民要術》上。此書為北方農業之書，因此把南方產的甘蔗記述為外國產物。與此書大致同時代的陶弘景則為南方人，故能更加明確地記載甘蔗的栽培利用。當時期在本草書上看到沙糖、稀沙糖、石蜜等加工物的出現。又其中心為蜀、嶺南、揚州等地，但在江東（長江下游）也很普及。品種從前述入貢的扶南蔗，再增加竹蔗（加工用）、荻蔗（生噉或做稀沙糖原料用）、崑崙蔗等三種。又有做為甘蔗加工寮的「糖坊」的出現，也從印度傳來加工法，在上貢的品目上也開始出現沙糖。基於上述，這是傳統糖業原型被認為大致創始於該時期的緣由。

第三期傳統糖業的確立期（宋【10世紀中葉】至元【14世紀中葉】）：

五代到北宋，在吳中甘蔗栽培特別盛行，有以往未曾有過的多種類品種名（崑崙蔗、夾蔗、苗蔗、青灰蔗、桃榔蔗、白岩蔗等），地域分布在北宋末，大致與現今（海南島與台灣除外）的分布一致。

將歷來甘蔗在中國大陸傳播的路徑，大致圖式化為：

交趾支那┬→兩廣（廣東、廣西）→蜀
　　　　│　　　　　　　　　　→福建
　　　　└→兩湖（湖南、湖北）→江西南部→北上至吉
　　　　　安，在長江北岸一旦停止。此後又伸展到東部
　　　　　的江東與長江南岸的江南，在福建與從廣東南
　　　　　下〔譯註：應為北上〕的甘蔗做了交流。

　　又，當時期第一次出現生甘蔗買賣的記述，與結晶糖（糖霜）的製造。此結晶糖的出現擴大了消費空間與時間。金人勃興，受壓迫南下的宋朝上層階級與宋朝的都市商品經濟發展（包含貨幣流通與外國貿易的發展）互相牽連而增大了糖霜需要，因此有《糖霜譜》（1119～1154年）所傳四成田地是甘蔗田，三成農家為糖霜製造農家（四川省小溪縣之例），可見糖業在此時期趨隆盛。可佐證有詳細描寫當時都市生活的《東京夢華錄》、《都城紀勝》、《西湖老人繁盛錄》、《夢梁錄》、《武林舊事》五書，記錄都市生活中砂糖消費的多樣性與廣泛的範圍。元朝則繼續承襲，才有《農桑輯要》記述甘蔗栽培法的「新添」，與《東方見聞錄》福建糖業的記述。而支撐福建糖業隆盛的現象是江南農業生產力的發展——特別是稻米種植技術的進步與一年兩茬耕作法的普及，以及大量漢族從中原南遷引起的福建大開發等等，更加促進福建農民傾向栽培商品作物。傳統糖業在南宋到元之間被確立，其產地、地域性地從內陸轉移到華南沿海的福建與廣東。過去當作藥用與上層階級奢侈品的糖，已廣泛地進入都市百姓的消費生活中。

　　第四期傳統糖業的發展期（明代中期【16世紀初葉】至明末清初【17世紀中葉】）：

　　在前期所確立的糖業，在元朝與明朝之交替期（14世紀中葉）因大戰亂而一度衰微，但因明太祖在明初施行恢復農業生產的諸措施漸漸奏效，至中葉重新看到商品生產的發展。永樂年間以降，福建省全域普遍可見砂糖上供，方式由原先的實物繳納改變為「折銀」（以銀代繳），最後改成附隨於秋稅以銀繳納。又其市場在國內以先進地帶吳越為中心再擴大到全國，對做為外國市場的銀的輸入地呂宋與日本，則把糖做為銀的對價之一部分而輸出，甘蔗種植不久便超過稻米種植之利，發展到甘蔗田與稻田各半的程度，後還演變成糖業勢將超過副業的領域。特別是廣東珠江三角洲地帶，傳說農家約半數與砂糖生產有關聯。在前期為獲得購買主穀用貨幣為目的的甘蔗栽培，在本期卻發展成利用具有立地條件優勢的農地以追求超額利潤為目的的甘蔗栽培，此更加促進產業的地域性特產化以及生產的社會性分化。此種變化，明末清初的廣東糖業發展可見製糖從甘蔗種植的分化，貨款預貸制度等新生產關係的萌芽，又農民抗租之始由商品作物（甘蔗）的栽培農民而起，亦屬當時期的情況。

　　接著，將傳統糖業確立期以降的甘蔗栽培技術，簡單概括如下：

　　印證甘蔗栽培發展的諸文獻中，整理栽培法且流傳下來的文獻極少。利用這些文獻，分成宋、元、明三代追尋其發展的蹤跡。北宋末的《糖霜譜》所傳的甘蔗栽培法除未觸及灌溉之外，真可說是「精耕細作」，深耕杷摟、施肥（包含追肥）、除草中

耕、培土等，所有的農事都被施行；又引進輪作方式，以防止甘蔗栽培消耗過大地力。

　　到元朝，在官撰的《農桑輯要》（1270～1273年）有甘蔗栽培法的「新添」出現。這是在主穀中心主義的傳統中帶有濃厚的「逐末之利」面向的甘蔗栽培的地位提升，是值得大書特書的重大進步。比較《糖霜譜》的記述，《農桑輯要》在施肥（包含追肥）與中耕、培土稍嫌簡單，但令人耳目一新的是灌溉與「臥栽」（平植）的記述。

　　到明朝，農書增加，有關甘蔗栽培記載較詳細的是《二如亭群芳譜》（1621年），《農政全書》（1625～1628年）以及《天工開物》（1637年）。其中《農政全書》為完全引用他書，不值得仔細玩味。但《二如亭群芳譜》重新敘述臥栽與圍場灌溉，特別是有關圍場灌溉的見解為增加灌溉次數，但不可長期蓄水。著名的《天工開物》首度記述催芽法與「分栽」（移植），還有視為現今「株出法」等方法，應特為記述的是出現對甘蔗適地（「凡栽蔗必用夾沙土，河濱洲土為第一」）的認識。雖說是原始的方法，但用心選擇試驗。例如應迴避過度的含有鹼鹽類（「苦」）的土地與排水不良的過黏質土（「黃泥腳地」），選擇富於有機質，方便灌溉的沖積土（「洲土」）為適地的記述，在利用近代科學的土壤調查以前可說是極具慧眼，可看出積蓄甘蔗栽培技術經驗之豐碩。

　　又與《農桑輯要》株距五寸的密植相比，《天工開物》有七尺三株的疏植說法。《天工開物》更提出中耕時切斷側根，防止倒伏等點子，比先行二代在蔗園管理技術的進步上做了可供印證

的記述。關於收穫、對甘蔗成熟度與糖分之變化與收穫後糖分之變化，也已有認識並設計對應方策。

到了明末清初，屈大均的《廣東新語》更明確地記述株出法需使用芝麻粕為肥料，並把《糖霜譜》未明述的輪作作物名，明確地指明為香蕉，並敘述與香蕉的輪作所得成果等新穎記載。

甘蔗糖製造技術的發展與甘蔗栽培法的進步同樣緩慢，但大致有相對應的發展。即南北朝中期以前甘蔗糖分的利用型態從生噉到柘漿，接著是甘蔗餳（糖）以及石蜜的發展，中國自身還未有石蜜的製造，只知是南越入貢。甘蔗糖分的加工是6世紀中葉時期開始，以沙糖為名的加工物在廣東一帶出產。此後進入唐代，從印度傳入「熬糖法」，利用牛奶清澄混入米粉做成乳糖。該時期的製品另有稀沙糖、石蜜等，距離製糖技術的圓熟路程尚長，且製品也不安定，經常有變質之虞。此狀態到北宋末才有改善，反映在文獻上的即《糖霜譜》所詳述的製糖法。同書也記述北宋末已利用畜力的石磨（蔗碾）或用人力以舂壓榨甘蔗。熬煉法是煎到熟〔譯註：應為煎至九分熟，因十分熟太稠即成沙腳，請參照頁268〕，倒入放置竹篾的甕中以待結晶。從植苗到糖霜結成耗時一年半，熬煉過程的「蒸泊」等細緻作業程序與甘蔗栽培所投下勞動量極多，可推測該時期製糖業利潤相當大。

元朝製糖技術值得特別記述處是發現收穫後的甘蔗不可放置過久，加熱時的竅門、「瓦盆」（被看作是明朝用「瓦碢」分蜜法的萌芽）與木灰的利用。特別是分蜜法的發現，衍生出精白糖的可能性，木灰的利用法的引進可以中和阻止轉化的進行，使蛋白質變成不溶解物以阻止其妨礙結晶糖的析出，並有包覆浮游的

纖維片使之沉降等多種功效，是糖汁清澄法的一大改革。

　　明朝中末期因甘蔗栽培的普及與地域性特產化〔譯註：最適合於該地域的作物或產業〕所導致的華南糖業的隆盛與相對應的傳統製糖法發展大致完成。弘治《興化府志》所傳達的（地方志記載製糖法此事，即意味糖業的地域性特產化）製糖法中值得注目的是石灰利用的普及，與提高沸點的油脂利用，以及製造白糖使用蛋的清澄法，糖蜜分離器「匰」與「窩」的利用。這是把糖蜜做初期的分離後，再利用覆土法把糖蜜洗去造出白糖的方法，讓元朝的「瓦盆」往前跨進一步的覆土法在此時出現。

　　傳統糖業製糖技術的集大成是《天工開物》，這裡有畜力利用的壓榨機：「造糖車」（在《糖霜譜》之後隔了許久才出現），然而其素材不是石頭而是堅木，結構上的不同是從上下式改變為直立並列式。又對石灰的利用明確記載為一石的蔗汁配五合石灰，比以往憑「直覺」的狀態又進步了。白糖製造的覆土法改變為「黃泥水淋下」的直接法。其中應特別記述的是，利用分蜜後的白糖製造冰糖的方法第一次被明確地敘述出來。繼《天工開物》之後明末清初的書《廣東新語》介紹由多頭牛拖拉的壓榨器具。

　　最後，回顧以特殊型態發展的台灣舊式糖業。對台灣的甘蔗傳播被認為是在元朝以前從大陸沿岸帶來的。台灣傳統糖業真正開始是荷蘭人入台（1624年）後的1630年代的後半。從此到荷蘭人被鄭成功驅逐的1661年，糖產量已從初期的10萬斤躍進到約20倍的200萬斤。此期間的生產擔負者主要是從對岸移住的漢族，糖產品有白、黑、冰糖三類，幾近無內需，由荷蘭人經由巴達維

亞運往波斯、阿姆斯特丹或送往日本。

　　在鄭成功時代初期，因需養活大量軍隊之必要，施行屯田制，重點放在主穀生產。因此甘蔗生產一時萎縮。到1670年以降，為確保財源以維持台灣的獨立政權與反清復明運動，再次把獎勵重點放到可為主要輸出品的砂糖上。大量漢族從對岸移住與有利的日本市場存在，配合台灣的好條件（處女地與豐富的燃料資源），蔗糖復興更加發展。到明末清初，台灣糖業的製糖技術以至生產組織已攀到中國舊式糖業的最高水平，在「糖廍」的作業已開始施行雇傭勞動個別分工與合作，單位面積收穫量不遜於1903年的舊式糖業之水平。

　　以上，將中國傳統甘蔗糖業的發展過程，透過栽培法與製糖技術做了追蹤，至少到17世紀末糖業發展因受易姓革命之餘波而有低潮。雖說緩慢，還仍往發展的趨勢走來，所以不能說是停滯。繼第四期之後的第五期，無法從內部衝破前四期到達的階段（產量已達到相當的額數）而轉換到機械制製糖的質的轉換，此挫折之社會經濟背景與原因為何（此探討在本書意圖外，盼將來以另稿闡明其變貌與崩潰挫折的清、民初時期）。

　　就此大致將中國封建社會在轉化成半封建、半殖民地社會的過程（換言之是資本主義近代化失敗的過程）中，被編入此中的甘蔗糖業已有相當程度走向近代化的傾向，但潛在的芽終於無法以自力進行近代化。過去的砂糖大量輸出國，反而淪落為輸入國，究明挫折過程的前史研究就此結束。

　　本文或許過於偏重文獻整理與研究史的架構，但把中國單一產業——甘蔗糖業的縱向歷史變化確實地做了整理，以為將來深

究個別問題構築基礎。雖未能說整理完全，但至少作了嘗試，希
能對過去研究做些補遺，即感有幸。

　　凡有不全之處乃因筆者能力有限，此外，可供探究甘蔗糖業
生產關係的史料不足亦為原因之一。只有期待日後考古學上的發
掘與民間（主要以舊地主關係者）埋沒的古文書的發現與整理，
待日後再做補訂。

相關文獻解題

　　如序文所說，中國經濟史、中國農業史相關的研究可說才剛剛開始。

　　在此種狀態下，欠缺關於甘蔗糖業史的文獻，是極為正常的事。尤其將甘蔗糖業史做為一個獨立的中心問題來研究，除雜誌論文以外尚未見。因此介紹這些學術前輩們的諸論文，指出其問題所在是必要的。

　　本附錄的意圖即在此。以下分日本、中國、其他的外國人三部分，依序介紹。

一、日本研究者的諸論文

　　1.加藤繁，〈關於中國的甘蔗及砂糖的起源〉，《東亞經濟研究》第4卷第3號，大正9年（1920）7月發表，後收入其所著《中國經濟史考證・下卷》，東洋文庫，昭和28年（1953）4月30日。

　　本論文在《中國經濟史考證・下卷》的後記中，如中嶋敏所寫是加藤博士的「中國產業史」研究的初期論文，故加藤博士以

王灼的《糖霜譜》為引導，查明記述甘蔗的中國史書與古書，把
關於中國的甘蔗及砂糖的起源做了探究與整理。

對先驅性的論文或許不能過分要求。但不知何故，加藤博士
卻從開頭就不直接使用王灼的《糖霜譜》，而使用王灼《糖霜
譜》的摘錄本——洪邁的《糖霜譜》，全文且不註明引用、出
處。如把洪邁的《糖霜譜》讀到最後，應明白本書非王灼的《糖
霜譜》，而是摘錄本。

對加藤論文可質疑的第二點是視《圖經本草》為記述福建
甘蔗沙糖現存文獻最早的一本（《中國經濟史考證·下卷》，
頁682，原雜誌論文未有這部分，應為後來補上）。其實成書在
《圖經本草》之前的《太平寰宇記·卷一百·福州土產》已有
「乾白沙糖（今貢）」的記述，所以這點是加藤博士的誤解。

第三是「甘蔗有竹蔗（一說崑崙蔗）……」把崑崙蔗與竹蔗
視為同一類是明確的錯誤。本書雖有上述缺失，但加藤博士完成
的先驅任務是應該獲得高評價的。特別是埃米爾·布雷特施奈德
（Emil Bretschneider）、杜·坎德爾、夏德以及柔克義諸先生只
知道《南方草木狀》所記載的甘蔗而引起的見解錯誤，加藤博士
加以改正是其珍貴的成就。但中嶋敏的後記中，對加藤博士該篇
論文做過改訂而未加說明，不免有些不夠周全。

2.洞富雄，〈石蜜、糖霜考〉，《史觀》第六冊，昭和9年6
月所收。

洞教授依據加藤論文（前面引述過）抓住加藤博士所敘述
「砂糖在交趾也有製造，卻特地遣使到中印度，是因為交趾的製
糖法，既已熟悉，毋需學習，唯有摩揭陀的先進製糖法才有學習

的必要……」（《東亞研究》，頁11）加以批判。洞教授把其師板橋氏的見解「論斷貞觀遣使的目的是為了輸入砂糖的一種石蜜的製法」將之發展，採取石蜜即冰糖說，以貞觀遣使的結果，在貞觀21年從印度引進冰糖的製法，為此推論嘗試證實。

　　順帶說明，此引用部分在《中國經濟史考證・下卷》所收論文被省略而不得見，對洞富雄論文的反駁，筆者在所讀文獻中也未見。此部分的省略是否是因為接受洞富雄的批判而省略則不清楚。

　　遺憾的是，洞富雄無視人類製糖技術的發展有階段性，冰糖的製造技術要在何種條件才有可能，完全不加以考慮而闡述自己意見。因此有「糖霜，從其名稱上來看，可想是指白砂糖（分蜜糖），或是三盆白（精製糖）……」（同論文，頁105）等曲解發生吧。

　　筆者無法同意石蜜即冰糖說。冰糖（假定為與現在的冰糖同型態）在加入灰分造成澄清與促成結晶的條件，或在分蜜法未發現之階段我不認為有製造的可能。糖霜即白砂糖或三盆白的不合理邏輯，可說是無止境類推的產物（與製糖技術的具體發展過程恐怕是不相干的）。

　　3.幸田露伴，〈沙糖〉，岩波版《幸田露伴全集・第19卷》。

　　依全集的編集後記，本文是昭和18年7月，交給明治製菓株式會社社員內田某，於昭和21年5月的雜誌《雜談》創刊號首度發表。

　　幸田露伴在距本文很早之前，也有〈甘味的三世〉〔〈甘味

の三世〉〕（刊登於《實業少年》雜誌，明治41年（1908）3月號，後改題為》「甘味的過現未」〔〈甘味の過現未〉〕〔譯註：即甘味的過去、現在、未來〕重新登載於《大正名著文庫》第16編〈悅樂〉，岩波版全集第29卷所收。該文對中國甘蔗糖業所知不多。「從盤古經秦漢到六朝，似亦猶未產砂糖也」竟有此斷定，而僅止於引用些許明人著作（大概是《廣陽雜記》）而已。

　　無任何註釋的〈沙糖〉一文頗詳細論及中國的砂糖，並引用佛典等介紹甘蔗在印度的神話等，印度相關的話題暫且不管，有關中國範圍應是受加藤前引論文之觸發而寫。文中「泰尊柘漿析朝酲之句，泰或作奉」（前引《露伴全集》，頁488）顯然是誤讀，泰通大，尊，注酒器也（《辭源》），合起來為大酒杯之意。又《易林》的「南箕無舌，飯多沙糖。」（前引《露伴全集》，頁489）的沙糖不諳為沙糠之誤植而誤讀了。這些錯誤及史料出處未有明確交代，因此筆者對本文可否視為歷史論文而存疑。儘管如此，中嶋敏〈關於砂糖，幸田露伴博士有深情的「砂糖」（幸田露伴不作砂而寫沙）考證〉〔〈砂糖については幸田露伴博士に「砂糖」なる情深な考証があり〉〕（前引《中國經濟史考證・下卷》，頁921）與篠田統教授的「砂糖的詳細歷史無暇記述，暫且讓給幸田露伴翁（註略，引用者）」，見篠田教授〈明代的食生活〉，藪內清編《天工開物的研究》所收，頁83，他們對文豪論文之評價是著者無法肯定也不能苟同的。

　　筆者對本論文提出之「使用牛奶，印度自古即實行也」（同全集，頁496）甚感興趣，但可惜未有典據。

　　4.志田不動麿，〈砂糖在中國的普及〉，《瀧川博士還曆紀念論文集（一），東洋史篇》，1956年。

　　志田不動麿論文的特長是論文末尾之清朝地方志記載有關甘蔗糖生產的片斷介紹，但其誤譯的地方有二、三處。即王灼的《糖霜譜》某節「一日驢犯山下黃氏者蔗苗，黃請償於鄒」譯成「蔗苗變黃……」（同書，頁126），大概是句讀加在蔗苗黃的譯誤。同樣是王灼的「試之果信」譯成「說我幫你試一下」（同書，同頁）等，隨便翻譯，還有「溜」譯為塊（同書，頁129）都是誤譯。最嚴重錯誤則是白砂糖在漳州稱為「betdan」，而南京為「peiton」，卻逕譯為「別段」〔譯註：日語為另外或並不之意〕（同書，頁133）。「betdon」與「peiton」均是閩南語白糖的發音。

　　5.天野元之助，〈甘蔗的栽培技術〉，前引《天工開物的研究》，頁69，〈天工開物與明代的農業〉的一節。

　　天野博士以宋應星的《天工開物・甘嗜第六卷》的「蔗種」與「蔗品」之兩條的註釋為主，對元・司農司撰《農桑輯要》所記述甘蔗的成熟度判斷法也有若干說明。天野博士在另文〈明代農業的展開〉，《社會經濟史學》，1958年第5、6合併號所收。對明末清初的糖業也簡單述及。

　　6.篠田統，〈砂糖〉，前引《天工開物的研究》，頁83，〈明代的食生活〉的一節。

　　篠田教授在本論文中從化學的觀點來解明傳統製糖技術，非常有參考價值，但斷定「宋應星的記事大體依宋王灼《糖霜譜》而將之適宜省略」（同書，頁84），以何根據而說，不得而知。

筆者曾將兩書對照檢討，認為是篠田教授誤解，已於本書第三章指出，請參照。篠田統把使用瓦溜的分蜜法斷定為西方傳來的，然所出示的根據，筆者認為欠缺說服力。

7.藪內清，〈天工開物譯註上卷六‧製糖〉，前引《天工開物的研究》，頁275〜282。

此並非直接研究成就，但為《天工開物‧甘嗜第六卷》完整的日本語譯，註釋也非常精湛，對於日籍研究者可說是珍貴的文獻。依《天工開物的研究》序之說明，譯文草稿由藪內教授親手撰成，譯文的訂正以及註釋是篠田教授負責。依據上述情況，本書所引用譯文我當作是藪內教授之譯看待。

8.岩生成一，〈三百年前台灣砂糖與茶葉的波斯進展〉〔〈三百年前に於ける台湾砂糖と茶の波斯進出〉〕，《南方土俗》第2卷第2號，1933年4月。

由拙著亦可知，要了解近代以前在中國的產糖量與向外輸出的砂糖量，史料幾乎全無。在此種條件下，岩生教授利用荷蘭資料，把荷蘭統治下的台灣糖生產量與輸出量，某程度整理清楚，功績很大。然而論文中斷定鄭成功王朝的中、末期糖業衰退，筆者無法贊同此觀點（請參照本書第四章）。

另外只是小問題，博士在「三十九年末，以此蘭船二艘輸送到波斯的台灣糖的全量是……」等等（同誌，頁13）之說，此等砂糖不一定全是台灣糖，不如改成從台灣轉送的砂糖較妥當。因為當時期的荷蘭船是將廣南（越南）或華南一帶所產的砂糖集聚到安平港後再輸出的情形較多（參照《巴達維亞城日記》），這是實際情況。

9.岩生成一，〈近世日中貿易有關數量的考察〉，《史學雜誌》，第62編第11號，1953年11月。

在本論文岩生成一特別把中國船的主要貿易品的（B）舉出砂糖，把1637年（寬永14年）到1683年（天和3年）間，由中國船輸入長崎的砂糖量，利用荷蘭人所做各年度的長崎來航中國船的貿易品總目錄做清楚整理，為珍貴的研究。

10.中村孝志，〈荷蘭人在台灣的農業獎勵與發達──荷蘭的殖民政策的一例〉〔〈台湾に於ける蘭人の農業奨励と発達──和蘭の植民政策の一例〉〕，《社會經濟史學》，第7卷第3號，1937年6月。

岩生成一利用荷蘭資料闡明砂糖貿易，相對的，中村孝志在本論文中一小部分提到荷蘭人殖民統治下的台灣甘蔗栽培獎勵。無荷蘭語素養的筆者，常思考荷蘭資料不知可否利用來闡明台灣糖業在荷蘭時期的生產樣式以及生產關係，期待學術上前輩的教示。

11.小葉田淳，〈關於砂糖的歷史性研究〉〔〈砂糖の史的研究に就いて〉〕，收錄於小葉田淳《史說日本與南中國》，昭和17年版。小葉田教授的主要對象是日本，但有部分提到與台灣糖業的關聯。

12.根岸勉治，〈甘蔗糖業史考〉，奧田彧監輯，《農林經濟論考》第二輯，昭和10年6月15日。

在本論文根岸勉治全盤論述有關世界甘蔗發祥地、主要傳播路徑、發展地域的移動等。其一小部分：「（2）傳播支那以及製糖的發達與（4）之①台灣糖業的傳播與其發達階段」是關於

中國甘蔗糖業的部分，這是從世界甘蔗糖業史角度，簡單地為中國甘蔗糖業的起源及發達做定位與比較時較方便的論文。

尚不明處是根岸勉治所寫「依據《赤嵌筆談》，蘭人時代有十萬擔，到鄭氏末期已達三十萬擔」一節。未明示出處，不清楚其所利用為何版本，據筆者所查《赤嵌筆談》並無此類記述。

13.信夫清三郎，〈領台前台灣糖業發達的結構〉〔〈領台前における台湾糖業発達の構造〉〕，收入其所著《近代日本產業史序說》，昭和17年9月18日二版，頁310。

本論文以社會經濟史學的方法，研究舊式糖業的發展過程在經濟史的範疇，為先驅性論文。其提出「如赤糖生產的頭家廍，以及出產白糖的糖間已明顯地具備工廠制手工業型態」（同書，頁327）的見解，但遺憾的是其後在台灣經濟史或台灣糖業史研究的研究者未將之深入研究。

學界一般認為，在台灣的舊慣調查裡有相當出色的調查報告，但意外的是未見到好好運用此資料的研究。在台灣經濟史的領域，戰前只有東嘉生的《台灣經濟史研究》〔《台湾経済史研究》〕，昭和19年（1944）版而已，實在令人感到單薄。

14.社團法人糖業協會編，《近代日本糖業史・上卷》，1962年12月15日。

本書第二編第一章收進〈日本領有以前的台灣糖業〉〔〈日本領有以前における台湾の糖業〉〕，但與拙著有關的荷據時期與鄭氏時期的台灣糖業幾乎全借重於前記岩生成一，無新見解。本書意圖在於解明近代日本糖業的歷史，所以可以理解這種借鏡他書的情況也不無道理。學者——實際執筆者是服部一馬，橫濱

市立大學教授——所寫的這本書，可謂最早也是最好的日本糖業史的著作，可做為筆者後續第二部研究時的參考用書。

　　以上對學者的論文做了介紹與評語或註釋。日本人研究者此外還有著名的舊台灣總督府囑託伊能嘉矩以及河野信治，還有新聞記者出身的樋口弘，針對這些學術前輩的論文也略述一下。

　　15.伊能嘉矩，《台灣文化志》上、中、下三卷。

　　伊能嘉矩的《台灣文化志》因為太有名，應不須筆者介紹。中卷第十篇第三章有立「糖業之設施」項目，從諸史料到台灣糖業關係報導做了摘錄與介紹。此部分似成為本書以降的台灣糖業史研究者的依據。以現今水準來看不算高，但把台灣史料中甘蔗及糖業有關報導做了翻譯與介紹，先驅性勞苦應該肯定，翻譯的正確度也很高。不過不知為何，《裨海紀遊》的「又植蔗為糖，歲產五、六十萬，商舶購之，以貿日本、呂宋諸國」（台灣銀行經濟研究編印，郁永河《裨海紀遊》，「台灣文獻叢刊」第44種，民國48年4月版）翻譯為「台人植蔗為糖，歲產二、三十萬，商舶購之，以貿日本呂宋諸國」（伊能前引書中卷，頁641）。筆者認為大概不是翻譯或印刷錯誤，而是所利用版本不同所致。順帶說明，台灣經世新報社《台灣全誌第二卷・台灣府志下・卷十七・貨幣》所引用《裨海紀遊》為「台人植蔗為糖，歲產二、三十萬，商船購之，以貿日本呂宋諸國」（大正11年6月20日版，頁9）。筆者所依據為方豪校正之前引「台灣文獻叢刊」版本。

　　又伊能嘉矩《台灣文化志・中卷》是昭和3年9月20日刊行。

　　16.河野信治，《日本糖業發達史》三部作，生產篇（昭和5

年5月22日），消費篇（昭和6年3月25日），人物篇（昭和6年12月10日）。

在生產篇本的中篇〈台灣〉，河野信治為「台灣糖業的創始與其沿革」，闢第一章的篇幅。引用不嚴謹則為遺憾，但他是繼伊能嘉矩之「糖業的設施」與後述《臨時台灣舊慣調查會第二部調查經濟資料報告》之後，由糖業專家（河野信治專修農學與化學，初期與新渡戶稻造博士均為舊台灣總督府的顧問）之手而成的首部著作，而應受評價。但處處可見到其大膽的推論，對此做為史書而存疑。茲舉出其推論的一例：「要是說鄭經時代砂糖產額達到多少，那是陳永華苦心經營之成果，他樹立獎勵政策不數年即倍增，大概估計為20萬擔吧，那麼鄭家隸屬清朝的前後還是可認為估計30萬擔上下，其價額二、三十萬兩，輸出日本、呂宋等……《赤嵌筆談》」（河野前引書，頁64）的樣子。可想是敷衍了《裨海紀遊》的這部分。經查照台灣銀行經濟研究室編印，黃叔璥撰《台海史槎錄》所收《赤嵌筆談》（民國46年11月）找不出如是記述。

（在此應留意，伊能嘉矩所提之台灣關係漢籍在戰後【台灣由日本殖民地統治復歸祖國後】幾乎全由台灣銀行經濟研究室主任周憲文以「台灣文獻叢刊」整理復刻。這是研究者不勝感謝之事）。

河野信治的著作令人感興趣處為人物篇的上代人篇：〈唐僧鑒真砂糖傳來說考〉〔〈唐僧鑒真砂糖伝來說考〉〕（同書，頁1～30），以及〈糖術傳來的恩人直川智〉〔〈糖術伝來の恩人直川智〉〕（同書，頁31～43）二篇論文。因無時間討論，僅列

舉以為參考。

17.樋口弘，《日本糖業史》，昭和31年（1956）10月10日。

本書是樋口弘在昭和10年付梓的《本邦糖業史》的增訂版。本書第四編附章以「日本占領以前的台灣糖業」為題做為台灣糖業的前史，與河野信治所論相比，採納岩生論文之點較新鮮。但鄭氏台灣糖業後退說就與岩生同意見，但樋口弘的論文反而是對近代以降糖業的流通過程解明有更多成就，應受肯定。

18.樋口弘編著，《糖業事典》，昭和34年10月1日。

《日本糖業史》之外，樋口弘還有《糖業事典》。其第二篇「世界的糖業史」雖有事典的局限，但可概觀世界各國甘蔗糖業的大致動向，為一方便的事典。

以上主要以研究論文為論述對象，接著介紹由日人所成之台灣糖業關係的資料集。

19.臨時台灣糖務局，《糖業記事》（第2次），明治36年12月28日。

如該書序言所說，是日本殖民地統治初期所做台灣糖業實態的調查整理結集，為一份報告書。

因其為此種性質，是研究台灣傳統糖業在20世紀初不可或缺的資料。

20.臨時台灣舊慣調查會第二部，《臨時台灣舊慣調查會第二部調查經濟資料報告上・下卷》，明治38年3月30日以及同年5月12日。

該書（上下二卷）是研究台灣經濟史、台灣農業史的珍貴資料集。特別是上卷第三有「砂糖」項目，其中第一款「台灣糖業

的沿革」是本書執筆之際可做為直接參考之部分。

即使如此，拙著第四章所指摘不明示出處，或《裨海紀遊》的引用：「台人植蔗為糖，[歲]產二三十萬[兩]，商船購之，以貿[易]日本，呂宋諸國。」文中加框的部分有誤排是不可取且令人困惑之處。特別是「歲」被脫落，而「兩」被逕自添加，是做為資料的致命缺失。這個結果就是令前引河野信治錯誤間接引用（順帶說明，「□」是引用者為了方便讀者閱讀而加上，「易」也像是逕自加上的）。

儘管如此，「Davidson所記……」等等，把戴維森的書*The Island of Formosa*首次介紹（可惜未明示出處），以及把20世紀初的台灣各地甘蔗栽培與製糖狀況、糖業勞動者的狀況（下卷，頁489）等調查結果留下，則十分難能可貴。

21.臨時台灣舊慣調查會，《台灣糖業舊慣一斑》〔《台湾糖業旧慣一斑》〕，明治42年11月20日。

採取以臨時台灣舊慣調查會為編者的形式，但實際上是將其中的委員眇田熊右衛門的私稿刊行。

本書與上述資料集不同，主要限定於台灣的糖廍（指台灣的傳統製糖寮）及砂糖買賣的法律舊慣，收集其資料整理的調查報告書。特別是長達13頁的〈台灣糖業舊慣一斑附錄參考書〉〔〈台湾糖業旧慣一斑附錄參考書〉〕，包含糖廍的契約書以及砂糖買賣有關契約書等，是珍貴的史料。

二、中國研究者的諸論文

1949年以前，對中國經濟史及中國農業史研究的累積，似乎以外國的研究者累積較多。近百年來外患內亂，並無可做學問的氛圍，又官方也不重視學問，在產業史範疇可拿出放在世界性的學界內不羞愧的，僅有嚴中平的《中國棉紡織史稿》而已。

筆者不知過去有關於糖業史（斷代史或通史）為題，曾被發表的論文或著作。

戰後的台灣，成為中國糖業的一大中心，在台灣糖業公司的雜誌上偶爾登載糖業史的小論文，但大都是以加藤繁、岩生成一、中村孝志諸論文的翻譯再轉引或剽竊為多。

在此種狀況下，中國大陸方面對古農書的復刻、整理、研究，對農業遺產的積極研究，給中國研究者一縷希望（可惜對台灣島內研究者欠缺可供閱覽的文獻資料，筆者不禁感到同情）。接著以僅有的糖業史論文來做討論。

1.李喬苹，《中國化學史》，台灣商務印書館，民國44年12月增訂台一版。

本書初版本在民國29年2月由上海商務印書館出版，1941年由前早稻田大學教授實藤惠秀教授以《支那化學工業史》之名翻譯出版。稍後1948年又以 *The Chemical Arts of Old China*（Journal of Chemical Education, 1948）之名被英譯出版（著者的英文名為 Li Chiao-Ping）。

本書第12章「製糖」為筆者關心的對象。因初版本不在手邊，故利用台灣增訂一版的資料。在有關甘蔗糖範圍內，李喬苹

把《天工開物》與《糖霜譜》再錄之後，又將前引《天工開物的研究》之中的篠田的意見不加以評斷「似此糖之精製法，竟加入齷齪之黃土水於糖汁中，其為東西的獨特新發現，抑為西方傳來之技術，尚未可知」，意指瓦溜法是東西各自的獨特發現，抑或是西方傳來的技術，未做明確結語就結束了。

又該書圖93（頁208）與圖94（頁209）明顯是《天工開物》的再錄，但李喬苹未明確表明出處。特別是在英譯本的此二圖複製圖很漂亮，但原圖並非出自《天工開物》原版本，推測是重畫後採錄於別處，再借用過來的。

2.袁翰青，〈我國制糖的歷史〉，收錄於其所著《中國化學史論集》，三聯書店，1956年北京版，頁134。

與李喬苹同樣是站在化學史的立場簡單介紹製糖的歷史。但與李喬苹不同之處為並非單純的再錄，其引用文獻既豐富，內容也有更上層樓的進步，並明示引用典故出處。

3.劉仙洲編著，《中國機械工程發明史‧第一編》，科學出版社，1963年北京版。

在該書頁54有（4）軋蔗取漿項目，提出《天工開物》的甘蔗壓榨機「造糖車」的照片（此照片與李喬苹所引用者為同類），引用《天工開物》的記述（只有造糖車的部分），並說此種機械在華南地方還在使用，同時簡單引用《糖霜譜》的第四做比較。順帶說明，劉仙洲是擔任中國遺產的發掘、整理工作中，專門研究有關機械部分的清華大學教授。

4.李祿先，〈台灣糖業小史草〉，《蔗境誌》，（台灣）1卷1號，1947年。

5.陳西流，〈台灣糖業發展簡史〉，《台灣糖業季刊》1卷1號，1947年。

6.徐方幹，〈清代台灣之糖業〉，《台灣糖業季刊》1卷2號，1948年。

7.戴之川，〈中國糖業起源史〉，《台糖通訊》5卷6號及7號，1949年。

8.江家錦，〈甲午戰役以前之台灣糖業〉，《台南文化》，第5卷第1、2期。

以上第4至第8是戰後台灣有關中國糖業史的論文，大概都因未能接觸漢籍原典之故，阻礙了研究。

上述諸研究還不如民國31至33年間在四川省內江所做傳統製糖法的調查整理資料：

9.譚旦冏，〈四川內江的舊法造糖〉，《大陸雜誌》，台灣第7卷第6期，此資料比較值得參考。

最後是並非中國研究者的直接研究業績，原台灣大學農學院于景讓教授翻譯加藤繁前引論文，而以〈中國的甘蔗與沙糖的起源〉為名登載於《大陸雜誌》（台灣）9卷11號（1954），附記於此。

三、其他外國研究者的諸論文

在拙著也有引用，但日本人以外的外國人論文大部分為片段式，單篇論文者極少。

1. De Candole: *Origin of Caltivated Plants.*（New York, 1892年

版）

2. E. Bretschneider: *On the Study and Value of Chinese Botanical Works, with Notes on the History of Plants and Geographical Botany from Chinese Sources.*

3. Friedrich Hirth and W.W. Rockhill: *Chau Ju-Kua; His Work on the Chinese and Arab Trade in The Twelfth and Thirteenth Centuries; Entitled Chu-fan-Chi,*（1911年版）p.113的註。

4. H.C Prinsen Geerligs: *The World's Cane Sugar Industry Past and Present*（Manchester, 1912）的Part II Asia 的④是中國（同書 pp.74～76），⑥是台灣（該書pp.81～91）。

5. Hommel Rudolf P.: *China at Work*（New York, 1937）的 pp.111～114有製糖（sugar making）的記述，圖170有舊式壓榨 機，圖171有壓榨寮的照片可供參考。

這些照片據說是在福建省與江西省省境的Kien Chang（建 昌）, Kiangsi（江西）所攝（該書p.113）。

6. W.F Mayers: *The Treaty Ports of China and Japan*（London & Hongkong, 1867年）

該書記述19世紀中葉汕頭附近的甘蔗栽培、製糖法以及砂糖 貿易的情形。以外國人的眼光所看到的中國傳統糖業（時期稍嫌 晚）的紀錄很有趣，也可做參考。

與此同類型而範圍更擴大記述有關台灣糖業的，即著名的新 聞記者，後來也當過美國的台灣領事戴維森之著作。

7. James W. Davidson, F.R.G.S.: *The Island of Formosa*（1903 年）。

第25章「台灣糖業」（The Formosan Sugar Industry）即是（該書pp.444～458）。此書是19世紀中葉以降，作者熟悉歸屬日本殖民地前後的台灣，親眼看到日本占領台灣，記錄台灣當時現況非常詳細，其記述可判斷為大致正確。

後記

　　本書是筆者關於中國糖業研究的首部研究，筆者開始研究中國糖業是因歷史過程上日本把台灣殖民地化（從經濟面來看），即是日本資本主義將台灣經濟隸屬化的過程（必然地伴隨著把台灣經濟從中國經濟圈割離的過程），此也是由強力的外部政治以及經濟政策把台灣經濟資本主義化的過程。因此，試著透過資本主義化基軸的甘蔗糖業來研究之。

　　在探查台灣糖業的過程中，最不清楚處為其前史，因此得深入研究中國的傳統甘蔗糖業。

　　可說這段過程，造就了本書。

　　為了撰寫本書，需要利用的文獻及資料（史料），於中國本土不足而於日本卻可方便利用，亦是驅使筆者埋頭猛進的要因之一。

　　定稿後回想，在序上所提的問題我到底回答了多少，不覺感到一抹不安。「學無止境」此格言令我感受千鈞之重。若能得到前輩的匡正與教示，則是筆者之幸。

　　特別感到遺憾的是，甘蔗栽培與其他作物——例如與稻米栽培、棉花栽培、植桑（養蠶）等關聯幾乎無法掌握，且對製糖技

術與栽培技術未能充分賦予價值,未能與其他舊產糖國相互比較研究。

這些留下來的問題,期望今後能究明,特別是第二部——第五時期,西歐資本主義東漸而致的挫折、變貌、崩潰過程的研究成果,將來能夠出版。

最後感謝亞洲經濟研究所採用拙稿為委託研究,並對關照與協助的東畑精一老師、田島秀夫理事、笹本武治調查研究部長,提供照片的高橋彰以及伊藤正兩位學兄,以及提供我便利閱覽文獻、資料的東洋文庫、靜嘉堂文庫、內閣文庫、糖業協會圖書室、東京大學關係諸圖書館深深致謝。又對長年指導的恩師,神谷慶治名譽教授以及東京大學農業經濟學教室的各位老師,爽快地答應閱讀書稿的古島和雄老師(第四章)以及川本彰、中安定子兩位博士(全文),在文章表現方面給我指示的川村嘉夫、小林文男兩位學兄等,由衷表示最誠懇的謝意。

【附錄1】
天野元之助致戴國煇函

◎林彩美譯

承蒙惠贈精心之作《中國甘蔗糖業之發展》，在此表示深切的感謝。

幸獲鑽研中國農業史的友人，令我由衷感到欣喜。

我也對於中國甘蔗的歷史一直抱著很強的關心，卻還未能彙整，以迄今日。不料能拜讀學兄踏實的研究，不由得立即坐到案前，一邊取出舊稿、翻查字典，一邊興致勃勃慢慢仔細地閱讀著。

對於台灣，我只知台北，而不熟悉南部的甘蔗栽培地區，但在海南島做過半年的調查，因此看過舊式製糖廠，也知道甘蔗田。此次拜讀貴著，令人感到無限興趣。

茲有些許發覺之點，順記如下：

圖版4江西省Kien Chang→建昌（？）

頁184郭 儀 恭→義

頁187第1行、14行　 盧 陵→盧

頁187第14行　 亦 如大竹→皆

（係依據岡西為人重輯《重輯新修本草》，台北：國立中國醫藥研究所，民國53年（1964）4月刊行；與北京：人民衛生出版刊行之《證類本草》。）

頁188倒數4行所引用的《新修本草》之文錯字多，不如岡西博士重輯本正確（p.407）

頁189第2行　 石蜜……煎鍊沙糖為之，可作餅塊……

頁188倒數第2行　云用水牛乳米粉和煎乃得成塊→云用牛乳汁和沙糖煎之並作餅……

頁234第6行　掘坑深三尺→二

頁234倒數第1行　將蔗田縱橫翻土，這裡的工具是以犁或鋤？如果是犁就不能縱橫作業，那麼這裡殘株的處理是用鋤嗎？令人不免掛心。

頁236第6行　草不厭數耕→耘

台灣大學的于景讓君你應該知道，是我兒子京都大學農學部的後輩，我很熟悉。

印刷品的誤排，於拙著之中也是每讀一遍都會見到，即使相當注意地做了二校、三校、四校，都不免有看漏的地方，感觸良多。

如有蒞臨關西，務請聯絡，則定無比喜悅。

殷切期待貴研究的成果。

終於接獲王禎《農書》研究的抽印本，順此奉送其一。可惜王禎《農書》沒有甘蔗的記載。

〔1967年〕6月18日

天野元之助

【附錄2】
踏實的通史研究
──評《中國甘蔗糖業之發展》
◎藤村俊郎*著・林彩美譯

1

　　本書是中國人作者想將「日本把台灣殖民地化的歷史過程──如作者所指出，同時是「由日本資本主義把台灣經濟從屬化的過程」，也是「由強力的外部政治以及經濟政策的台灣經濟資本主義化過程」──透過資本主義化基礎的甘蔗糖業來解明，做為準備作業，在究明台灣糖業的前史過程中，所誕生的精心著作。

　　但是如後面將要介紹的，從內容來看，本書已藉由作者在上述所言本來的問題關心而獨立，可說是以宋、元、明為中心的「中國糖業史」。從而，應該可以將之視為中國經濟史或中國農業史的一環來予以定位。

　　在究明台灣糖業前史的過程中，作者完成了如此獨立一冊之中國糖業史背景，應可說有下述理由。

　　第一，首先，中國糖業史這個領域，與中國經濟史全體的科學性掌握的作業一樣，或者可說比起來更是未被開拓的荒野。真正要做為一個通史來掌握，還是必須要有作者獨自獨立的研究。因此，作者一邊涉獵《齊民要術》、《農桑輯要》、《農政全書》等農書，與《天工開物》、《糖霜譜》等技術書類的龐大文獻、一邊把「甘蔗的品種與甘蔗

＊　時任職於日本国立国会図書館調査局農林課。

種植的地域性展開，甘蔗的栽培法以及甘蔗糖的製造法共三根柱子」為
主要著眼點，不得不去重新建構「近代製糖業在中國萌芽以前的甘蔗糖
業的發展過程」。做為一部研究的前史，都不以既成的概說為滿足，自
己投入去做踏實的通史研究，對於作者的此份熱情首先表示敬意。

　　第二，在這種場合，我們必須注意的地方是，對作者來說，台灣
史終究是有機地被編入中國史的一部分始能成立的東西。那麼，可見台
灣糖業前史是在邏輯和實證上都只能是中國糖業史這一點。由日本資本
主義把台灣經濟從屬化的過程，首先便是「必然地從中國經濟圈切斷台
灣經濟的過程」。不過「被切斷」前的糖業史已不可能是只切斷台灣糖
業單獨做研究而已。所以，實際在本書以第四章為中心，作者是具體地
為我們究明了這一點。

　　在這樣的觀點上「以特殊的狀態——做為殖民地統治的產物——
而被近代化」、「台灣糖業前史的究明」，不如定在第二位，然後作者
著手於「中國甘蔗糖業的展開過程」究明全體的最大理由，可說在此。

2

　　以作者本身問題關心的流向來說，在徹底研究殖民地化以後的台
灣糖業前史，然而尚將中國甘蔗糖業起初的淵源以至明朝末期，以及明
末清初台灣糖業一邊繼承中國糖業，一邊受荷蘭以及英國重商主義貿易
的刺激之下，逐漸開始走其「特殊」的發展之路，其自成一地道仔細的
通史研究。如前面所指出，顯然是應被編入中國經濟史或是中國農業史
範疇的主題。如果是這樣，砂糖這具有特殊性質的「單一商品相關產業
史框架的構築」具有何種意義一問題，也應被要求檢討吧。有關此點，
作者自己已在序論有如下的闡述，那麼首先就針對此來做介紹。

　　第一，首先，砂糖在近代以前有「未必是生活必需品」的特殊性

問題，作者在認知這個問題的基礎上，反過來指出「就是因為是非生活
必需品之故，所以富於所得彈性，又從一開始就不具有自給的性格，因
此也極富商品性格」，砂糖「有這種性格之故，究明其生產動向，便可
當作確認各年代的商品流通，或商品生產之方便，有效的指標之一」的
評價。

　　第二，接著作者指出，「中國是世界上最早的產糖國之一」，糖
業史雖然「不如棉業、種稻、鹽政、土地制度的歷史研究，在中國經濟
史的舞台上當不了主角，可是卻具有襯托主角的充分條件」的判斷。這
時候，特別要注意的是，如作者所指出，「在中國，資本主義的萌芽在
地域上可看出是以東南沿岸地帶為中心」，所以做為這地帶之特產品，
砂糖研究在這一點上便帶有更深一層的重要性。

　　第三，再者，甘蔗糖業有「透過甘蔗栽培與農業相關聯，在製糖
過程與工業相連結」的性格，可當作研究農工分離過程對象的同時，對
於「在開發中國家諸國、產業革命的自然性發生條件在什麼樣的狀態、
又是如何不得已而挫折」可提出一解析之鑰。

　　第四，最後指出「特別具有商品性格的甘蔗栽培法」之歷史性究
明，可對其他地域、其他作物的農法在比較研究上提供方便。

　　那麼，以上述的問題關心為背景而寫的本書結構便如下所示：

　　序論
　　第一章　甘蔗的品種與甘蔗栽培的地域性發展
　　　　第一節　早期記載甘蔗的文獻
　　　　第二節　南北朝中期至唐朝的甘蔗栽培
　　　　第三節　關於宋、元兩代甘蔗栽培的商品生產的發展
　　　　第四節　明朝的甘蔗栽培
　　第二章　甘蔗栽培的技術性發展

3

　　序論的部分已大致介紹了。接著要把第一章以下的內容,依我的看法摘要加以介紹。

　　作者首先利用康道爾〔譯註:De. Candolle, 1778～1841,瑞士植物學者。著有《植物自然分類序說》七卷〕為首的定論以確認甘蔗的原產地在印度乃至交趾支那〔譯註:越南湄公河三角洲為中心的地域〕之後,推定傳播至中國的時間是在西元前4世紀前後,甘蔗的記載出現在《楚辭》以前之事。主要做為貴族、諸侯間的藥用或贈品之用,僅限於自家栽培的階段。到一般栽培的期間,設想是在撰寫《楚辭》的戰國末期到撰寫《齊民要術》的6世紀中葉(南北朝中期)之間。在此之間,又從東漢‧楊孚所撰《異物志》等而整理出「從當時中原來看的邊疆地帶南越(廣東、廣西、交趾、安南)」以及兩湖地帶確有甘蔗的存在,又在中原的利用型態是「生噉」或者是「蔗漿」的飲用為主,並指出在該階段的加工物「石蜜」(依作者的分析是,未乾燥非結晶體之物)是

從南越而來的貴重入貢品。

　　撰寫於6世紀的最古老且有系統的農書《齊民要術》，顯示甘蔗在北魏的定位尚是外國物產，此中有江西省出產的記述。又，同時代的人，梁・陶弘景以身為南方人的見聞紀錄，長江下游或廣州已有甘蔗的擴展。其他亦有唐朝的本草書類，舉出了蜀為加工品「石蜜」的產地，也知道甘蔗的品種有竹蔗、荻蔗、崑崙蔗等的增加。又根據陶穀在《清異錄》的記述，這時期已有「糖坊」的存在。從種種的史料究明可知，在唐朝以僧侶為中心與印度的文化交流而導入加工法等。如此地從南北朝中期（6世紀中葉）至唐、五代（10世紀初葉），尤其可確定的是傳統糖業的原型已在唐朝大致形成。

　　進入宋朝後，特別是南宋隨著江南的開發和經濟發展，糖業也勃興起來，這也由元朝繼承。自宋至元的該時期（10世紀中葉至14世紀中葉），作者將之定位為「傳統糖業之確立期」。宋朝初期，又更增加了夾蔗、苗蔗、青灰蔗等製糖用品種。此外11世紀中葉至《圖經本草》刊行止，已出現與現今的甘蔗種植分布一致的全地域（台灣除外）。然而漢族的福建開發，後來與台灣發生密切關係的該地，成為南方的名產地開始登場。

　　此時期首先應注目的是，砂糖第一次以「糖霜」，即取得了乾燥結晶體這件事。此項技術革命分明如作者所指出的，把砂糖的「消費可能量從空間上、時間上都加以擴大」，因此如《東京夢華錄》等文獻所描繪的「由於都市經濟的發展與消費生活的提升所喚起的需要」而相互作用，是飛躍性促進了「宋朝甘蔗糖業商品生產的發展」之一大要因。而中國最古、最大的系統性砂糖文獻，王灼《糖霜譜》的出現，可說是由此歷史背景所促成的。在《糖霜譜》中的記載，可看到「四成耕作地是甘蔗田，三成農家是糖霜製造農家（四川省遂寧縣之例）」的普及程

度，此趨勢持續到元朝。而且在此盛況中，不只都市的砂糖消費增大，砂糖更躍登至外國貿易，以至糖業的中心地逐漸從諸如四川的內陸，轉移到南宋所開發的沿岸廣東、福建等地。在馬可波羅的《東方見聞錄》等有所指出。作者以福建為中心的新興糖業之興隆與「唐末至北宋初期，此時可看作是中國歷史上的一個轉換點」的通說相對應，指出「農業生產力的發展——特別是稻米栽培技術的進步與一年兩茬種植的普及」為基礎的社會分工發展才是其基礎。而且福建的糖業不必然是「由於省內主穀農業發展的餘裕」，而是要與江南三角洲的主穀做交換為目的之產糖，一方有民眾的窮困。另一方有「士大夫階級（地主階級）利用移出砂糖並移入米穀從雙方謀利」的型態而成立等做了分析。

　　這種發展的趨勢因為「元朝與明朝的交替期（14世紀中葉），由於大戰亂所致造成全國性的經濟荒廢，農業再退回到現物經濟，不得不至明朝初期停滯於以主穀為中心的自給生產，由於戰亂而縮小的砂糖市場等原因，甘蔗栽培一時後退」。但如眾所周知，自明中期以降，以棉業、絲綢、瓷器、鐵器、紙等為中心，而有了新的商品生產發展，糖業也做為其一環，承襲著前期的發展，更將之超越發揚光大。其後由於世界資本主義的進入而改變此趨勢，以至受到挫折之前的明末清初（17世紀中葉），作者將之定位為傳統糖業的發展期。此時期有以日本為主，並經由暹羅、澳門輸出砂糖至西方，與國內市場的形成互為作用。新興的廣東、福建等產地、完全凌駕了在宋朝占第一位的四川，到達如《天工開物》敘述「其他地方合起來也不過是其十分之一」的程度。另外，廣東珠江三角洲地帶的諸縣，農家約有四成從事製糖業，其中陽春縣農家有六成是製糖農家，出現把稻田變更為栽種甘蔗的傾向。闡明了甘蔗田與稻田幾乎占同面積等情形。有關此情勢，作者認為南宋末期以來福建的甘蔗栽培是由補足主穀不足的副業性質產物、轉化為「產業的地域

特殊化……明顯被推向前頭」、「利用立地條件的優勢以獲得超額利潤為目的」的評價。同時與之並行著，有記述「製糖業者與甘蔗種植農家的社會分工」推定是以批發制度形式分化的文獻（《廣東新語》），作者指出因商品生產的發展而引起的階層分化，使沒落農家的離析與製糖的分化同時進行著。但這同時也是引起「奸佃抗租」的要因。

　　以上是第一章的大概內容，但作者在第四章把分析之眼轉向明末清初演變過程中的台灣糖業，因此筆者要繼續來做介紹。

　　作者首先敘述，記載台灣有甘蔗存在的最早文獻是元朝的《島夷誌略》。在中國本土已知戰國以來就有甘蔗的存在，又甘蔗製糖已始於梁朝。這個時間的差距，以對岸的福建開發在南宋以後始有進展的情事來說明，指出真正進行台灣移民還要等到福建有一定的餘力〔譯註：指剩餘勞動力〕才行，而戰亂頻仍的明末也是原因之一。在此同時，過去僅止於是倭寇根據地或是貿易船隻寄港地的台灣，從17世紀初期有穿過西班牙、葡萄牙的間隙而進入的新興荷蘭，因受中國本土的拒絕開港，轉向台灣尋求其重商主義貿易的根據地，而其統治逐漸安定，這也是主動獎勵福建漢人殖民的砂糖生產時期。明末清初中國內部的混亂更加促進了這個傾向。於此傳統糖業最先進的技術擔負者，依據良好的氣候條件和海外市場而展開新的糖業。在1630年代10萬斤左右的產糖量在25年後的1660年已到達200萬斤的爆發性發展，台灣反而變成向中國大陸輸出台灣糖最先進的輸出糖產地。台灣此後進入鄭成功的統治（1661年）之下，初期移入大量漢人，為了確保食糧之故，糖業一時停滯，但1670年以降為了確保財源，糖業再度受到獎勵，以英國的東印度公司為媒介有了更多海外市場的發展。作者表示了如上的積極主張。作者認為這個時期在甘蔗栽培與製糖上，其發展比明朝的技術更上一層樓，特別是製糖技術在更大規模化的過程中，有傾向於工廠制手工業的明確「基於雇

傭勞動」之作坊（糖廍）內發生「基於各別分工合作的生產型態」之事實，此在《赤嵌筆談》中可見明示。這點是值得注目的。作者做出台灣此時期在新天地中確立了舊式糖業的最高地位結論，是值得給予十分肯定之處吧。

　　本書的主要內容在上述所介紹的第一章與第四章已提示出，那麼在第二章、第三章各別把甘蔗栽培的技術以及製糖技術，在宋、元、明各個時期的發展過程做了詳細的追溯。關於栽培技術在《糖霜譜》（北宋末）除了灌溉方面大致有系統地展現所謂「精耕細作」的技術。元朝的《農桑輯要》添加了灌溉與「臥栽（平植）」，在明朝特別是《天工開物》一書中不但記述催芽法與移植，以及可推定為現今株出法的技術，並且表示開始確立了對土壤性質相關適地性理解也做了闡明。又，關於製糖技術，在以北宋末的《糖霜譜》奠定了傳統製糖技術的基礎做出詳細的分析之後，由於利用灰分與其他物質，因此精白糖的製法從元朝逐漸發展到明朝，透過《天工開物》之記載將之梳理清楚的同時，也明示了在《天工開物》中始出現利用畜力的壓榨機，從上下式改變成直立並列式，而且冰糖的製法也在此第一次出現。

　　如此從頭到尾以全體來看中國傳統甘蔗糖業的展開過程，可以看出如作者所主張的雖緩慢但不停滯，而且是達成引入機械制之前的接近於最高發展的地步。不用說，接著應分析的問題就是面對「靠自己的力量近代化」時，面臨世界資本主義的勃興而挫折的過程中，那「社會經濟背景與原因」，以此為目的的「基礎構築」就是本書的目的。

4

　　通讀本書的感覺是，作者運用了龐大的文獻紮實地研究，考證與分析，其手法既踏實又正確，因此筆者認為本書的成果已超過作者的意

圖而且對學界做出了珍貴的貢獻。

在對這一點充分給予評價之後，所剩的問題點是什麼呢？在這裡我沒有餘裕與專門知識可涉入其細微之處，因此只提出兩個方法論性的問題。

第一，本書從究明台灣糖業的前史為目的出發，而自成為中國經濟之中的糖業史，這一點我在前面已說過。乍看可能分歧的這兩個工作做統一的是，作者的「在開發中諸國產業革命的自然發生」是如何又為何挫折的這個問題的關心吧。作者想透過糖業來分析。但是，產業革命及其挫折其實不會只是一個領域的孤立現象，應是社會分工的應有狀態之全體改觀吧。在此意義上，「從中國經濟圈切割出台灣經濟圈的過程」本身就是「挫折」，台灣糖業的內部分析必須有機地定位在那過程全體的分析之中。作者愈把問題意識為「開發中諸國」全體共通的（雖然那才是最理想的），那麼作者在接著要著手的第二部愈是不能不涉入這樣全體關係的問題吧。在此之中，本書充分擁有做為糖業史的價值，但在經濟全體的關聯上不能不說留下遺憾。當然作者在宋、元、明的福建糖業做定位之際，有意識地對此做了努力，但以產業革命的問題關心來說，必須更加深入探討的問題有被忽略的感覺。例如從南宋與明朝兩部文獻，可推測在福建的甘蔗與水田的競爭中，毋寧是一貫地存在著壓抑甘蔗而獎勵水稻栽培的傾向（頁214，232）。在明朝有「糖利甚多，種蔗田多則妨稻，奸佃亦藉以抗租」的記載，此「奸佃」與維持水稻栽培有利害關係的集團，與從砂糖移出，稻米移入的雙方貪圖利益的「士大夫」，各自有何種政治與經濟背景，進入什麼樣的對抗關係，那矛盾如何展開，如此的問題點是做為產業革命的前史，所必須加以分析，圍繞生產關係的重要問題吧。

第二，這毋寧是作者在第二部必須解決的問題，但對於今日的

「開發中諸國」，「自然發生的產業革命」之問題在什麼意義之下，又該如何去探究。譬如，與以往日本的經濟史學所追問的相同就可以嗎？如果不是，又如何不同呢？關於這樣的問題點，我認為在做研究的過程中有重新提問的必要，筆者期待作者在第二部的解答——雖稍嫌恣意。

　　最後祈願作者將本書成果更加積極地發揚光大的同時，也要向出版這樣對於真正現場分析不可或缺前提之歷史研究的亞洲經濟研究所表示敬意。

　　　　本文原刊於《アジア経済》第8卷第11號，東京：アジア経済研究所，1967年11月，頁94～98

【附錄3】
以台灣爲中心的糖業史研究
——介紹《中國甘蔗糖業之發展》
◎耕英[*]著・林彩美譯

　　台灣人新露頭角的農經學者（亞洲經濟研究所所員）戴國煇的著書。在台灣人所作學術性著作的出版物不多的現今，此書具有大書特書的意義。內容分為「甘蔗的品種與甘蔗栽培的地域性發展」、「甘蔗栽培的技術性發展」、「甘蔗糖製造的技術性發展」（以上中國）、「台灣舊式糖業的發展」四章，是論述甘蔗糖業在中國、台灣近世以前產業史發展的精心著作，可謂是作者數年來「以台灣為中心的糖業史研究」的第一部，期待將來第二部的出版。

　　然而此書的結構，以中國糖業為主、台灣為副的編排令人不解。讀完本書內容的感想是，如作者在結語的敘述，主要部分的「中國部分」因為等於沒有可與其他素材相較，所以不出「文獻整理」的領域，而「台灣部分」雖說是「副的」卻相當詳細，令人充分感到農業經濟史的意義，特別是在文獻的運用前看出特色。

　　最後對亞洲經濟研究所在其研究雙書加上如此不帶華麗且踏實，在學術上有意義的歷史著作，並製作成一本堂堂的著作，謹表敬意。

　　　　本文原刊於《台灣》，東京：台湾青年独立連盟広報部，1967年6月

---

[*]　應為廖春榮。

【附錄4】
集古今糖業文獻資料之大成
──評《中國甘蔗糖業之發展》
◎佐久間重男[*]著・林彩美譯

　　有關中國的產業史以及手工業史的研究，過去在鹽業、紡織業等部門有若干值得一看的研究成果發表，但總體而言，在中國經濟史研究之中可說是屬於比較落後的領域，而且有系統的專著極為缺乏才是現狀。在解放後的中國，最近出版了一連串《中國近代農業史資料》、《中國近代手工業史資料》、《中國近代工業史資料》等大部頭資料集，中國產業史相關的豐富基礎資料，大致提供了有系統的形貌，對於我們關心這方面的研究者來說，要概觀各別的產業部門發展過程可謂是極其可貴的企畫。然而資料集有其一定的局限，也當然不是僅此就足夠的，必須以那些資料為線索，再使各別產業部門的諸研究更深入且廣博是無須贅言的。透過各別產業部門的實證系統研究的累積，也就可把中國社會生產力的發展或生產關係的變質過程做整體結構性的解明與掌握之故，在這個領域上今後的研究大大地受到期待與渴望。在此意義上，這次做為中國糖業史相關專著的本書之刊行，對此領域很有意義，筆者亦深感同慶。

內容充實的糖業史研究

　　對於作者的經歷我不知其詳細，聞說他是1955年末從台灣來日的留學生，在東大大學院（農經）念完博士課程，目前是以亞洲經濟研究

＊　時任教於法政大學。

所囑託（1966年）在職，一位新露頭角、前途無量的學人。作者立志研究中國糖業史的動機，如他寫在本書的結語，「日本把台灣殖民地化的歷史過程——那是日本資本主義把台灣經濟從屬化過程的同時，也是由強力的外部政治經濟政策把台灣經濟資本主義化的過程——要透過資本主義化基礎的甘蔗糖業來究明」中所敘述的模樣。從而作者的志向是，透過台灣的主要產業——甘蔗糖業來看台灣的殖民地化＝近代化的過程，為了此目的，他便從反向構想法出發，去探究做為近代糖業前史的台灣舊式糖業型態是如何，現更追溯到帶給台灣舊式糖業影響的大陸中國之糖業型態的發展情形。而且作者說要透過擁有極富商品作物性格的甘蔗」之栽培技術與製糖技術的發展過程，對究明當時生產關係變質過程的意圖做了表示，姑且不談做到何種程度的確證，可說比以往糖業關係史的研究，其內容充實且增添了新鮮味。

　　但是，本書是中國糖業史的前史，換言之，是以總括的方式，系統性論述前近代舊式糖業的歷史性展開，也是形成作者中國糖業史的第一部著作，而近代新式糖業有關的部分則是要在第二部論述，我們最關心的前近代的舊式糖業移行到近代的新式糖業，其過程是如何展開的預測未被充分提示，是令人遺憾之處。我想那會在將來的第二部得到明示，這點讓我不禁有些許不滿。

　　接著就來概觀本書的內容，並敘述若干意見。本書內容大致以下面的四章而成：

　　　　第一章　甘蔗的品種與甘蔗栽培的地域性發展
　　　　第二章　甘蔗栽培的技術性發展
　　　　第三章　甘蔗糖製造的技術性發展
　　　　第四章　台灣舊式糖業的發展

兼具實證工夫與良心態度的寫作筆法，第一章分為四節，在此把

甘蔗傳播到中國，經過普遍地栽培到中國製糖業的發展過程，以文獻學的考查，分為四期做說明。第一期是可確認甘蔗存在的時期（戰國末年西元前4世紀至南北朝的6世紀），該時期更以漢代為界分為前後兩期，前期的分布可見於湖北、湖南、廣東一帶。此間的甘蔗名稱為柘、諸柘、藷蔗、竿蔗等，東漢‧楊孚的《異物志》始出現現今甘蔗的名稱，後期是在秦漢時進入南越、三國時期吳國的南方開發等背景之下，長江南岸一帶看到甘蔗的普及，分布地域擴展到四川、江西、浙江。此時期的主要用途是當作宮廷料理的調味料，或生嚼、取蔗漿來飲用、藥用以及用作贈品而受到珍惜。第二期是傳統糖業的創始期（南朝中期的6世紀中葉至唐五代的10世紀初），甘蔗的栽培利用在農書《齊民要術》與陶弘景的本草書上有了明確的記載，出現沙糖、稀沙糖、石蜜（乳糖）等的加工物。品種也出現竹蔗（加工用）、荻蔗（生嚼或稀沙糖的原料用）、崑崙蔗等，也出現甘蔗的加工寮糖坊，沙糖出現在土貢的品目中。傳統糖業的原型大致形成於該時期。

第三期是傳統糖業的確立期（宋朝10世紀中葉至元朝的14世紀中葉）、五代至北宋甘蔗栽培的範圍增大、品種數也增加、分布地域在北宋末時大致與現今的分布一致，特別是該時期的糖霜（乾燥的結晶糖）的出現在輸送與保存面擴大了消費的空間與時間、與都市商品經濟發展導致的需要量增大相結合，造成了糖業的隆盛。王灼《糖霜譜》中指出四川省小溪縣有四成的田地是甘蔗田、三成的農家是糖霜製造農家的例子。又舉出糖霜的產地有福建、浙江、廣東、四川等地，糖業已做為農家的副業而向商品作物栽培傾斜。又，南宋到元朝其中心產地，在地域上從內陸移至華南沿海的福建、廣東，而以往做為藥用與部分上流階級的奢侈品，已相當廣泛地滲透到都市庶民的消費生活之中。

第四期是傳統糖業的發展期（明朝中期的16世紀初至明末清初的

17世紀中葉），在前期所確立的糖業，因元、明交替期的大戰亂而一時衰退，但由於明初恢復農業生產的諸項施行方策逐漸奏效，明朝中葉以後又能看到新商品生產之發展。在此時期，福建、廣東超越在宋朝被舉為全國第一的產地四川省，而占全國的九成，福建為主而廣東次之。永樂年間以降，可見到福建省全境的砂糖上供，其方式也從最初的實物繳納而改為折銀（折合白銀代納），最後又改進為隨附於秋稅納銀的方式。銷售市場在國內是以先進地帶的江南為中心幾乎擴大到全國、外國市場則是向白銀輸入地呂宋與日本做為白銀對價的一部分來輸出。以內外市場為銷路的砂糖生產，超越稻穀栽培的利益，在生產地區發展到甘蔗田與稻田各占其半的程度。明末清初的廣東糖業可看到從甘蔗栽培到製糖的分化、製糖業者對農民的批發商制性預付貨款制度的新生產關係之萌芽，又農民的抗租開始由商品作物化的甘蔗栽培農民所發動。

第一章的概要如上，在中國的甘蔗以及砂糖的起源，已早由故加藤繁博士做了介紹，作者依據加藤博士為首的先學諸成果上，更加涉獵原典，加諸批判與檢討，嘗試中國傳統糖業加以系統化且歷史性地展開研究。特別一提的是，加藤博士是以宋朝《糖霜譜》的紀錄為指南，對甘蔗以及砂糖的起源向古代可追溯至何處以及何時，傾注其研究的主力，然對宋朝以後的歷史性展開未能充分言及，相對之下作者將之後的眾多資料加以廣泛地蒐集並依年代順序整理，做了甘蔗栽培法與製糖法的技術發展的追溯，而且在各時代的社會發展中嘗試給予定位，使以往的研究得以前進，開拓了新領域的研究，對此應給予高評價。又關於明末清初的砂糖生產額，明末宋應星的《天工開物》記載，福建與廣東占九成，其他地區合併起來也不過一成。天野元之助據今日的生產額而對宋應星的統計表示不少疑問，作者廣為蒐集當時的地誌，涉獵檢討支持宋應星的紀錄，得出福建為第一而廣東次之的見解，我認為大致妥當。

　　問題是，天野教授是依現代的甘蔗生產量為基準提問題，的確，從清末至民國時代似乎四川的產糖量回升到相當高的位置，然理由為何作者未給予充分的說明，故有欠缺說服力的遺憾。

　　第二章是中國甘蔗栽培的技術性發展，首先在王灼《糖霜譜》中可看到自北宋至南宋的甘蔗栽培法分為蔗苗的貯藏法，蔗田整地、蔗苗的插植、蔗園的管理、收穫等方法的記述，接著談及元朝的《農桑輯要》中的栽培法，而將之與宋朝相較。蔗園的中耕、培土、追肥等是自前（宋）朝即已很細緻了，元朝在此之外，蔗園的灌水或灌溉也受到重視。又蔗苗的插植是斜植或平植（臥栽）在前代並不明確，到元朝時已採取發芽快速的平植也做了分明的闡述。而後更進入明朝的栽培法，舉出《天工開物》的紀錄中有以往見不到的豐富內容，在此時期新出現有關蔗苗貯藏法的催芽法，分栽（移植）法等，而甘蔗栽培的適地與否之土壤分析，雖還原始但已對此有所認識，又蔗苗由密植轉趨疏植，中耕時切除側根，防止倒伏等蔗園管理，加上收穫期甘蔗的成熟度與糖分變化的狀況以及其對應措施等，均有顯著的栽培技術的進步，作者認為那是反映當時糖業的繁榮。

　　第三章承前章栽培法之後轉移到製糖法的技術性發展。到南北朝中期，甘蔗糖分的利用型態是從生嚼到柘漿（榨汁），然後發展到甘蔗餳（糖），石蜜。在中國還未能製作石蜜而是來自南越的入貢品。甘蔗糖分的加工，在西元6世紀中葉始有以沙糖為名的加工物在廣東一帶開始製造，到唐朝從印度傳入熬糖法，可見利用牛乳清澄再加入米粉製作乳糖。唐以降的本草書對石蜜的解釋有些混亂，後世的學者圍繞此問題提出種種見解，而作者認為石蜜即乳糖。當時期的沙糖、稀沙糖、石蜜等做為製成品均不安定，經常有變質之虞，製糖技術也有問題，如此狀態的技術改善則要等到北宋末的糖霜（結晶糖）的出現，《糖霜譜》

中對製糖法做了詳述。宋朝的甘蔗壓榨法有利用畜力的石磨（蔗碾）與人力的舂並存，但蔗碾的一般性普及是自明朝中末期才開始，在此之前以舂為優勢。元朝在製糖技術面有所進步，也發現收穫後的甘蔗長期放置便有不適於製糖的事實。加熱時的竅門，明朝可看作瓦碾分蜜法萌芽的瓦盆利用與木灰的使用受到注目，尤其是分蜜法的發現是產生精白糖的可能性，木灰利用法的引入，使帶有微酸性的糖汁在煎煉濃縮過程轉化的進行，以鹼性物質來中和以起到防止的作用，認為是糖汁清澄法的一大改革。到明朝中期以後，對應著福建、廣東等華南糖業的隆盛，中國傳統製糖法的開花大致到達完成的地步。製糖法中，在黑糖製造時利用灰分的普及與煎煉過程為提高沸點而利用油脂，再是白糖製造時除灰分之外又加蛋卵的清澄法與糖蜜分離器（瓦溜或瓦碾）的利用，而糖蜜初期分離之後利用覆土法（封泥法）以洗去糖蜜，是造白糖時，使元朝的瓦盆更加進步的技術。此外在這個時期出現利用畜力的壓榨機的造糖車、明末清初在廣東使用多頭畜力壓榨機、大大提升製糖效率。再是利用分蜜後的白糖製造冰糖的方法首次出現，也是在此時期。

　　至此有關中國的傳統糖業，追溯其甘蔗栽培與製糖法的技術性展開，第四章把觀點轉向台灣糖業的前史，欲把在台灣的舊式糖業是如何形成與展開梳理清楚。因此作者首先對台灣與大陸的歷史性關係做了概述。在南宋到元朝的時期，福建方面的開發進展，隨著彼地糖業的勃興，必然對與之接鄰的台灣之甘蔗傳播與栽培，便藉著漢族移住民之手開啟了。然而台灣舊式糖業的真正開始是在荷蘭人占領台灣之後，荷蘭人在其台灣統治期間（1624～1661年）因與東印度公司砂糖貿易的需要，以及從中國大陸的砂糖進貨的減少，於是著眼於台灣糖業，採取從中國的移民獎勵政策與台灣的產業保護政策，因此產糖量由初期的10萬台斤到1960年代已發展到200萬台斤，其進展極為快速。製品有白、

黑、冰糖三種，在本地幾乎都不消費，以貿易品專輸出海外。接著驅逐
荷蘭人而占據台灣的鄭成功時期（1661～1683年），因清政府再三的經
濟封鎖＝遷界令與抗清戰爭的結果，財政方面依存貿易利益的層面增
大，台灣糖的輸出變成鄭氏的獨占事業。對於此時期的台灣糖業比荷蘭
時代後退的否定性見解，作者毋寧有與此相反的看法，認為為了確保財
源，獎勵的重點放在主要輸出品的砂糖上，從對岸漢族的大量流入，與
有利的日本市場之存在，和台灣糖業內部優良條件相配合，帶來更上一
層的擴大發展。被清朝統合之後，台灣糖業繼續著漸進的發展，從製糖
技術到生產組織，遂達到中國傳統糖業的最高水平。糖廍的勞動是進行
基於各別的分工與合作，已達成向工廠制手工業的傾斜潛藏於內部的階
段。18世紀初的單位面積生產量不亞於20世紀初期的傳統糖業，然而從
內部向近代糖業的蛻變發展卻始終不見。

　　以上，對本書內容做了個別的概觀，在內容上本書廣泛地蒐集古
今的零星糖業相關資料，據此又廣為吸收內外的相關諸論文，然後加以
檢討再表明自己見解的手法，可看出作者的實證和有良心的態度。又做
為中國糖業史（限於傳統糖業）的學問水準可說屬於高的部類。筆者關
於糖業史是門外漢，也許不恰當，但不是沒有些許疑問之點，呈示於茲
仰請指教。

幾處待探究的問題

　　作者說，中國傳統糖業的發展是循著前面所提示四期的過程。以
系統來看，從廣東方面北上的中國糖業，在宋朝以四川為中心而興盛，
逐漸在長江流域擴大，不久南下以華南糖業尤其以福建糖業在明朝開
花，更在明末清初以發展的型態被台灣糖業所繼承，似乎是描繪這樣的

圖式。這在前面已提過，作者志向於究明近代台灣糖業前史的觀點而從逆向出發，想去定位中國傳統糖業的結果吧，然而傳統糖業史大致在明末清初時期為最高峰而結束。的確從技術發展史的側面看糖業史，或許可以這樣說。但是其後清朝到民國時代，傳統糖業所顯示以何種方式的發展，不只技術面、經營型態面是否沒有什麼可檢討的變化嗎？依作者所說，台灣的傳統糖業在清初已達最高峰，其產糖量至20世紀初期幾乎沒有變化，這情況在大陸中國的傳統糖業的情況也可同樣地這麼說嗎？關於清朝以降的傳統糖業在《中國近代手工業史資料》（1957年）也有若干資料被介紹，又譚旦冏編著的《中華民間工藝圖說》（1956年）有關四川糖業實際狀況的記述，四川在民國時代立於全國首位。那麼該時期中國大陸的糖業，在既往個別的產糖地是如何變遷，如以傳統糖業的發展為問題，請務必論及於此。又，鴉片戰爭後，伴隨外國資本主義的侵入，在中國近代化的過程，傳統糖業的內部變質，是否可單單以挫折感來帶過，在其他的產業部門也有同樣的問題，這是今後更應被檢討的課題。有關這些問題，作者說，預定在本書續篇的近代糖業部門將有詳論，衷心期望近期的將來有其研究成果能繼續刊出。

又，通讀本書後，發現有若干明顯是誤排或錯誤的地方，將所發覺到的兩三處摘記如下。頁201「約四百餘戶」應改為史料所示的「三百餘戶」；頁230「浙江或山東省」史料上的浙直應是指浙江、山東省是南直隸之誤；頁286的「長一丈五寸」之寸是尺的誤排；頁322「倭寇林道乾」應是海寇。頁353「四川省小遂縣」為遂寧縣之誤，如是宋朝的縣名就應是小溪縣；頁357的1662年為1661年之誤，其他有若干誤排就不一一列舉。這些皆不影響本書內容，但如果修訂重排之際能派上用場則幸甚。

最後，在本書附有卷頭畫12張，本文中有13幅圖版供讀者參考

之外，並附錄相關文獻解題，對於關心糖業相關人士極有幫助，附言
於此。

本文原刊於《史學雜誌》第76編第11號，東京：財団法人史学会，
1967年11月，頁68～73

譯者簡介

何鳳嬌

1964年生。政治大學歷史研究所博士，現任職於國史館。譯有：〈清末台灣南部製糖業與商人資本（1870～1895）〉、〈豐臣秀吉的台灣島招諭計畫〉、〈清代台灣南部製糖業的結構—特別以1860年以前為中心〉等。

林彩美

1933年生。中興大學農經系畢業，日本東京大學農經系博士課程修畢。旅日長達40年，中華料理研究家，曾主持梅苑中華料理研究室（日本）二十餘年。致力於梅苑書庫的保存與研究，長期投入《戴國煇全集》的編譯工作。

著有：《中菜健康瘦身法》（文經社）、《新灶腳的健康料理》（文經社）等；主編：《戴國煇文集》；策劃：《戴國煇全集》等。

陳進盛

1957年生。台灣大學政治學研究所碩士，日本東京大學研究，台灣大學政治研究所博士班肄業，專攻國際關係與政治。曾任報社記者、編譯與撰述委員。譯有：《人體大揭密》（時報）、《工作雞湯Ⅰ——縱橫21世紀職場的成功祕訣》（天下雜誌）、《李登輝與台灣的國家認同》（共譯，前衛）等書。

（以上依姓氏筆畫序）

日文審校者簡介

林彩美
（簡介略，見前述）

戴國煇全集 10
【華僑與經濟卷一】

著　作　人　　戴國煇
策劃／總校　　林彩美

編　輯　製　作　　財團法人台灣文學發展基金會
　　　　　　　　10048台北市中山南路11號6樓
　　　　　　　　02-2343-3142
編　輯　委　員　　王曉波　吳文星　張錦郎　張隆志
　　　　　　　　陳淑美　劉序楓（依姓氏筆畫序）
主　　　編　　封德屏
執　行　編　輯　　江侑蓮　王為萱
美　術　設　計　　不倒翁視覺創意

出　　　版　　文訊雜誌社
發　行　人　　王榮文
發　行　所　　遠流出版事業股份有限公司
　　　　　　　10084台北市中正區南昌路二段81號6樓
　　　　　　　（02）2392-6899
　　　　　　　http：//www.ylib.com

排　　　版　　浩瀚電腦排版股份有限公司
印　　　刷　　松霖彩色印刷事業有限公司
初　　　版　　民國100年（2011）4月
定　　　價　　全27冊（不分售）精裝新台幣16,000元整
ISBN　978-986-87023-4-9（全集10：精裝）
　　　　978-986-85850-4-1（全套：精裝）

國家圖書館出版品預行編目（CIP）資料

戴國煇全集. 10-12，華僑與經濟卷／戴國煇著.
    -- 初版 . -- 台北市：文訊雜誌社出版；遠流
發行 , 2011.04
    冊；　公分
ISBN　978-986-87023-4-9（第1冊：精裝）. --
ISBN　978-986-87023-5-6（第2冊：精裝）. --
ISBN　978-986-87023-6-3（第3冊：精裝）

1. 史學　2. 文集

607   100001709